Y0-BCM-914

Richelieu
et
le roi Louis XIII

NOUVELLE COLLECTION HISTORIQUE

— Publiée sous la direction de Marcel THIÉBAUT —

CALMANN-LÉVY, ÉDITEURS

Déjà parus dans cette collection :

PRINCE SIXTE DE BOURBON

La Reine d'Étrurie (1782-1824). . . . . 1 vol.
La dernière Conquête du Roi (Alger 1830). . . . . . . 2 vol.

COMTESSE DES GARETS

SOUVENIRS D'UNE DEMOISELLE D'HONNEUR

Auprès de l'Impératrice Eugénie . . . . 1 vol.
L'Impératrice Eugénie en exil. . . . . 1 vol.

COMTE DE SAINT-PRIEST

MÉMOIRES

Règnes de Louis XV et de Louis XVI. . . . . 1 vol.
La Révolution et l'Émigration. . . . . 1 vol.

FRANÇOIS DE LA ROCHEFOUCAULD

Souvenirs du 10 août 1792 et de l'armée de Bourbon . . 1 vol.

ARTHUR-LÉVY

Un grand profiteur de guerre. Sous la Révolution, l'Empire et la Restauration. — Ouvrard . . . . 1 vol.
Les Dissentiments de la Famille Impériale. . . . . . . 1 vol.

GEORGES GIRARD

La Vie et les Souvenirs du général Castelnau (1814-1890). 1 vol.

MARQUIS DE VALOUS

Avec les « Rouges » aux Iles du Vent. — Souvenirs du Chevalier de Valous (1790-1793).. . . . . 1 vol.

Sur les Routes de l'Émigration. — **Mémoires de la Duchesse de Saulx-Tavanes** (1791-1806). . . . . 1 vol.

ÉLIE BORSCHAK ET RENÉ MARTEL

Vie de Mazeppa. . . . . 1 vol.

BERNARD FAŸ

Benjamin Franklin, Bourgeois d'Amérique . . . . . . 1 vol.
Benjamin Franklin, Citoyen du Monde . . . . 1 vol.

ANTHONY FOKKER ET BRUCE GOULD

Souvenirs d'un homme volant. — La Vie d'Anthony Fokker. . . . . 1 vol.

JACQUES BOULENGER

Sous Louis-Rhilippe. — **Les Dandys**. . . . . 1 vol.
— — **Le Boulevard** . . . . 1 vol.

LE CARDINAL DE RICHELIEU

d'après une peinture de PH. DE CHAMPAIGNE,
conservée dans une collection particulière en Angleterre.

LOUIS BATIFFOL

Richelieu

et

le roi Louis XIII

Les véritables rapports du Souverain et de son Ministre

« Le plus grand serviteur que jamais la France ait eu!... »
« Le meilleur ami que j'aie au monde!... »

Mots de Louis XIII sur Richelieu

NOUVELLE COLLECTION
HISTORIQUE

CALMANN-LÉVY, ÉDITEURS
3, Rue Auber, PARIS

—

1934

AVANT-PROPOS

Pendant longtemps, effet des polémiques violentes du XVIIe siècle, des animosités des philosophes du XVIIIe et des imaginations colorées de l'époque romantique, historiens, romanciers, dramaturges, ont été d'accord pour représenter Louis XIII comme un souverain médiocre, faible, jouet inerte d'un ministre tout-puissant qu'il haïssait et dont il ne pouvait se débarrasser! De son côté, Richelieu n'aurait été qu'un despote cruel, faisant emprisonner ou décapiter ses adversaires et terrorisant le Roi!

Analysant il y a un certain nombre d'années les parties inédites du Journal de Jean Héroard, médecin de Louis XIII, nous étions arrivés à cette constatation, qu'enfant, le jeune prince semblait avoir manifesté, par des détails de caractère, des scènes, une tout autre personnalité que celle que la tradition lui attribuait : il était volontaire, conscient de sa dignité, susceptible sur ce qui lui était dû[1]. Comment s'expliquait un pareil contraste avec ce qu'il avait été plus tard?

Nous étudiâmes alors Louis XIII jeune homme entre le moment où, la régence de sa mère Marie de Médicis finissant par la scène tragique de la mort de Concini, le souverain prenait en main le gouvernement de son royaume, et l'heure où Richelieu arrivant au pouvoir allait jouer dans sa vie le rôle qu'on lui prêtait. Durant cette période — de 1617 à 1624 — le cardinal disgracié, tenu à l'écart, n'avait certainement pu exercer la moindre action sur le jeune prince. Or, notre enquête nous amenait aux mêmes conclusions : Louis XIII jeune homme était ce qu'il avait été enfant : personnel, autoritaire, très jaloux de son pouvoir royal[2]!

Qu'avaient donc été vraiment ses relations avec Richelieu ministre? Nous avons entrepris de longues et patientes recherches dans toutes les sources imprimées et manuscrites du temps, examiné attentivement les papiers du cardinal aux Archives du ministère des Affaires étrangères, exploré les multiples fonds de manuscrits de la Bibliothèque nationale, jusque-là insuffisamment utilisés faute de catalogues — depuis publiés — et qui contenaient nombre de documents nouveaux.

Grâce à cette quantité de textes, dont beaucoup de première importance, tels des lettres autographes de

1. Voir notre : *Au temps de Louis XIII*, Paris, Calmann-Lévy, in-8°.
2. *Le roi Louis XIII à vingt ans*, Paris, Calmann-Lévy, in-8°.

Louis XIII, de Marie de Médicis et de leur entourage, il nous a été possible de nous rendre compte des réels sentiments du souverain et de son ministre à l'égard l'un de l'autre et de leurs rapports. On va voir comment, à partir de l'arrivée du cardinal aux affaires, en 1624, lorsque Louis XIII, en raison de nécessités politiques inéluctables, s'est vu obligé de prendre dans le gouvernement, malgré ses antipathies et ses appréhensions, celui qu'il tenait à cette date, pour un intrigant et un ambitieux dangereux, Richelieu, peu à peu, à force de prudence, de respect, de dévouement, est parvenu à modifier les dispositions hostiles de Louis XIII ; à lui révéler la haute valeur de ses services ; à l'assurer de sa loyauté, de son abnégation ; comment, avec le règlement heureux de difficiles questions politiques en cours, les circonstances ayant suscité contre Richelieu des inimitiés ardentes, Louis XIII revenant à mesure de ses préventions et appréciant les mérites de son ministre, l'a soutenu, l'a défendu ; comment enfin les oppositions grandissant au milieu de péripéties troublantes et la famille royale — la mère du Roi, son frère — se jetant dans la lutte pour faire chasser le cardinal jalousé et haï, le Roi qui tenait de plus en plus à Richelieu et maintenant l'aimait — car il l'a aimé profondément : ses lettres vont l'attester — a pris résolument fait et cause pour lui, et, par juste souci de son devoir royal envers les intérêts de l'État, a sacrifié délibérément jusqu'à sa mère et son frère, en 1631, afin de maintenir au pouvoir celui qu'il appelait : « le plus grand serviteur que jamais la France ait eu ! » Ainsi la période du règne de 1624 à 1631 où s'est déroulé cette sorte de drame formait à cet égard un ensemble qui ne manquait pas de quelque grandeur! C'est le sujet de ce livre! En montrant que Louis XIII souverain est demeuré semblable à ce qu'il était enfant et jeune homme, les faits et les documents renouvellent ainsi une page importante de notre histoire et si le Roi et son ministre y perdent de l'allure hiératique et romanesque que les passions de jadis leur avaient prêtée, ils y gagnent singulièrement — on va le constater — en devenant autrement humains et vivants!

Nous aurions voulu pouvoir donner en note les références de nos sources et les discussions critiques qui nous ont amené aux résultats que nous exposons. Le cadre de la publication ne le permettait pas. Au moins avons-nous tâché d'insérer dans notre texte des citations suffisamment précises et des indications de leurs origines assez explicites pour qu'on puisse s'assurer de l'autorité des témoignages sur lesquels nous nous sommes appuyés et de l'étendue de l'enquête dont nous apportons aujourd'hui les conclusions.

L. B.

RICHELIEU
ET LE ROI LOUIS XIII

I

L'ENTRÉE DE RICHELIEU AU CONSEIL DU ROI EN 1624 CONTRE LE GRÉ DE LOUIS XIII

Le lundi 29 avril 1624, vers deux heures de l'après-midi, dans le vieux château de Compiègne aujourd'hui disparu et qui s'élevait à la place du château actuel, Louis XIII ayant assemblé ses ministres, ordonna de faire entrer le cardinal de Richelieu, et, à la surprise de tous, car personne ne savait la nouvelle, l'installa comme membre de son conseil. Il ne le nommait pas premier ministre, ainsi qu'on le dit, — le titre et la fonction n'existaient pas dans le sens où nous les entendons aujourd'hui ; — le cardinal n'avait pas à faire de déclaration sur la politique qu'il suivrait : on ne le lui demandait pas. Après une brève séance le Roi se leva, sortit et montant à cheval, s'en alla dans la direction de Liancourt où il devait passer le reste de la semaine.

L'événement fut annoncé au dehors de façon anodine. On expliqua qu'un autre membre du conseil, le cardinal de La Rochefoucauld, étant souffrant, le Roi avait décidé simplement de « se servir du cardinal de Richelieu ». Il ne fut pas dressé de brevet de nomination du nouveau ministre, du moins ce brevet n'a jamais été retrouvé. Contrairement aux usages, aucune circulaire ne fut envoyée aux « officiers » du royaume leur faisant connaître la modification apportée au gouvernement. Écrivant à ses amis ou à ses correspondants, Richelieu ne parlera de ce qui vient de se passer qu'en disant : « Le Roi m'a appelé en ses conseils », « le Roi m'a mis dans son conseil ».

Ainsi, malgré ses sentiments d'antipathie, de crainte, « d'aversion » même à l'égard de Richelieu, Louis XIII avait fini par se décider contre son gré à l'admettre au nombre de ses ministres.

Montglat, dans ses *Mémoires*, a bien analysé quel était l'état d'esprit du souverain. Depuis sept ans le Roi voyait peu à peu monter ce prélat « d'une ambition démesurée », disait-on, qui pour accéder au pouvoir s'était servi d'abord de l'autorité de Concini, l'odieux Italien dont le souvenir laissait « les plus mauvaises impressions »; puis avait utilisé « les brouilleries de la Reine mère » et les guerres civiles qui en étaient résultées. Louis XIII impatienté contre « un ambitieux ainsi prêt à mettre le feu aux quatre coins du royaume » pour arriver, n'avait voulu avoir « aucun commerce avec lui ». Il le jugeait dangereux en raison de ses « souplesses », de ses « finesses », de sa « trop grande subtilité », ensuite « altier, dominateur ». On avait trouvé dans les papiers de Concini des lettres de Richelieu d'une obséquiosité excessive! Disgracié après la mort de l'Italien, il s'était attaché à la Reine mère pour servir d'intermédiaire entre cette princesse et la cour et, dans ce rôle, on avait cru constater qu'il avait joué double, trompant des deux côtés à la fois au point que son exil à Avignon en était résulté. Rappelé à cause des difficultés du moment, il s'était fait payer ses services du cardinalat, et depuis, dans l'ombre de la Reine mère, il cheminait afin de parvenir. Louis XIII, dit Mathieu de Mourgues, d'après les indications que lui a fournies plus tard Marie de Médicis, « le méprisoit et le détestoit! » Quand, après la mort du cardinal de Retz, en 1622, Marie de Médicis avait essayé de le faire entrer au conseil du Roi, Louis XIII avait refusé nettement disant « qu'il le haïssoit comme le diable! » Le public était au courant des sentiments du prince. Un libelle ayant pour titre : *Conversation de Maître Guillaume avec la princesse de Conti aux Champs-Élysées*, prêtait au chancelier de Sillery ce propos que : « Le Roi haïssoit de male mort le cardinal et qu'il ne pouvait souffrir qu'on lui en parlât. » On racontait que Louis XIII apercevant un jour Richelieu qui se dirigeait vers lui, lui avait tourné le dos en murmurant : « Voici venir le fourbe! » Et Fontenay-Mareuil rapporte que le souverain regardant Richelieu traverser la cour du Louvre, avait dit au maréchal de Praslin : « Voilà un homme qui voudroit bien être de mon conseil, mais je ne puis m'y résoudre après tout ce qu'il a fait contre moi! »

Et cependant il avait fini par céder! Exigences imprévues et fatales de la politique!

C'est que depuis plusieurs mois en effet, à diverses reprises, des ministres disgraciés ou morts, Retz, Caumartin, le président Jeannin, le chancelier de Sillery, Puisieux, avaient laissé des places vacantes, occasions dangereuses ! Au dire des ambassadeurs étrangers, tout le monde sentait que Richelieu, à côté de Marie de Médicis, guettait. Le chancelier de Sillery et son fils Puisieux craignant, dit l'envoyé florentin dans une de ses dépêches, « la dextérité et l'esprit dominateur » du cardinal, s'étaient opposés à lui de toutes les manières possibles. Leurs successeurs les avaient imités. Le ministre à ce moment le plus influent, le marquis de La Vieuville, surintendant des finances, était convaincu que Richelieu dans le conseil y serait « le maître » et que lui, disait-il, « serait ruiné ! » Des pamphlets venimeux paraissaient contre les ministres : on les attribuait au cardinal. Les auteurs de ces pamphlets écrivaient que le surintendant « craignant Richelieu, le haïssoit et le déchiroit secrètement partout comme son capital ennemi ». Et ce n'était un mystère pour personne que si, en 1622, à la mort du cardinal de Retz, on s'était hâté de le remplacer au conseil par La Rochefoucauld, c'était pour empêcher Richelieu d'être nommé !

Marie de Médicis allait parvenir à le faire arriver !

Depuis longtemps acquise à Richelieu, admirant son intelligence, son habileté, touchée du respect, du dévouement qu'il lui témoignait, elle n'aspirait qu'à le voir ministre. Elle l'avait mis à la tête de ses affaires personnelles comme surintendant de ses finances : elle le comblait de faveurs et de dons. De son côté Richelieu sentait ce qu'il lui devait. Il l'aidait de tout son pouvoir. Marie de Médicis assistant aux conseils du Roi, il lui rédigeait des notes sur ce qu'elle aurait à dire relativement aux questions débattues : nous avons de ces notes. L'historien Vittorio Siri prétend qu'en même temps Richelieu lui expliquait comment, parvenu au ministère, il serait en mesure d'appuyer son autorité, de contribuer à tout ce qui concernerait ses intérêts particuliers et s'appliquerait à entretenir la bonne intelligence entre le Roi et elle. Par là Marie de Médicis espérait redevenir toute-puissante dans le gouvernement et, Richelieu ministre, se retrouver, grâce à sa « créature », de nouveau la Reine régente qu'elle avait été jadis.

Alors elle assiégea Louis XIII. Ce fut dans les premiers mois de 1624, au moment du départ du chancelier de Sillery et de Puisieux, qu'elle redoubla ses instances. Elle vantait les mérites exceptionnels du cardinal, essayait de faire revenir son fils de ses préventions, faisait agir par d'autres. Mais Louis XIII, irrité, refusait obstinément et donnait ses raisons. D'après les dépêches de l'envoyé florentin, Marie de Médicis insistait, apportant à la poursuite de son projet une âpreté tenace de femme, d'Italienne, et de Médicis, déclare le Florentin. Elle s'adressa à La Vieuville : elle lui demanda de l'aider à décider le Roi. La Vieuville qui savait bien que Richelieu au pouvoir, il l'avait dit, ce serait sa ruine, se dérobait. Ce fut contre lui que Marie de Médicis reporta son acharnement. La Vieuville était un homme faible. Il fut submergé. Il chercha à se donner à lui-même des raisons de céder. Après tout, jugea-t-il, il était peut-être prudent de demeurer en bonne « intelligence avec la Reine », de ne pas l'irriter, de satisfaire ses désirs, afin d'éviter la rupture possible entre le Roi et elle. Lui-même se trouvait attaqué, menacé. Des affaires épineuses étaient en cours : négociations en Hollande et en Angleterre, dont on ne sortait pas. C'était peut-être se fortifier que de prendre

Richelieu au conseil, en tous cas s'alléger en se déchargeant en partie sur lui des responsabilités à encourir. Il se décida. D'après Guron, Richelieu mis au courant aurait été contrarié de cette intervention de La Vieuville qu'il jugeait un homme léger, prêt à tomber, le Roi étant mécontent de lui — Richelieu le savait par Marie de Médicis — et il ne se souciait pas de joindre sa fortune à la sienne.

A ce moment, hésitant tout de même, La Vieuville eut l'idée de proposer la création d'un conseil des dépêches que présiderait Richelieu et dont les membres n'auraient pas accès au conseil d'en haut, le conseil étroit, celui où l'on prenait les décisions. Ainsi on confinerait Richelieu. Le projet n'aboutit pas; Richelieu n'en voulait pas. Il ne restait à La Vieuville qu'à en prendre son parti. Il vint trouver Louis XIII. Il lui expliqua dans quelles conditions politiques se posait la question de l'entrée de Richelieu au conseil : le désir absolu de la Reine mère; le péril de complications avec elle qui résulteraient d'un refus; les attaques de la presse contre les ministres. Le Roi pourrait appeler Richelieu d'ailleurs comme il avait appelé le cardinal de La Rochefoucauld après la mort de Retz, c'est-à-dire en ne lui donnant pas « le secret des affaires », en lui demandant seulement ses avis sur des points déterminés. Louis XIII écoutait, mécontent. Il répondit avec humeur qu'il ne fallait pas faire entrer Richelieu au conseil si on ne voulait pas se fier à lui. Il le connaissait : c'était un homme habile qui ne prendrait pas le change, raconte Brienne dans ses *Mémoires*. S'il n'y avait pas moyen de faire autrement, mieux valait se décider franchement que d'essayer d'un biais inutile.

Ainsi Louis XIII ne se révoltait pas. Il semblait moins absolu dans sa résistance. Nous savons par les confidences de Marie de Médicis plus tard à Mathieu de Mourgues, qu'à ce moment il tenait beaucoup à conserver son union étroite avec sa mère — question de sentiment, de religion, de politique surtout, car il était hanté du souvenir des guerres civiles que ses mésententes antérieures avec la Reine avaient provoquées. — Il allait perpétuellement la voir, on le constate par le journal de son médecin Héroard, la ménageait. Puis il était troublé de l'insuffisance de La Vieuville. Des questions politiques graves étaient en suspens : l'affaire de la Valteline, le mariage de la princesse Henriette-Marie, sœur du Roi, avec le prince de Galles, les discussions avec le duc de Lorraine auxquelles pouvaient se mêler l'Espagne et l'Empereur. Dans toutes ces affaires le surintendant se montrait d'une médiocrité déconcertante. Les autres ministres étaient trop nouveaux ou trop âgés, sans autorité. Cette faiblesse du gouvernement inquiétait le Roi au possible. Et en regard, ainsi que l'explique l'envoyé florentin Gondi, Louis XIII voyait devant lui un homme dont tout le monde était unanime à vanter l'extrême valeur, l'intelligence vive, l'expérience, la dextérité, la prévoyance et qui ferait peut-être un remarquable ministre! Et le Roi hésitait. Le connétable de Lesdiguières étant venu le voir pour lui dire de Richelieu qu'il serait bien dangereux de le prendre au conseil, qu'il était capable de faire autant de mal que de bien, de n'apporter que des dommages, de diviser le gouvernement, Louis XIII répondit qu'il prendrait garde, qu'il aurait l'œil à tout, mais que cependant il devait obliger la Reine sa mère.

Cette parole était l'indice du sens dans lequel ses sentiments évoluaient.

Puis, brusquement, il prit son parti, sans consulter personne. D'après un récit provenant de l'entourage du Père Joseph, il fit avertir Richelieu qu'il désirait lui parler et que le cardinal se trouvât le dimanche 28 avril, à la nuit, sur la partie du rempart de Compiègne formant terrasse devant les fenêtres de la chambre du Roi. Richelieu fut exact. La cour saura ensuite qu'une entrevue mystérieuse a eu lieu avec le Roi sur cette terrasse, mais on croira qu'il s'est agi d'une rencontre secrète avec le comte allemand Mansfeld. Louis XIII expliqua à Richelieu ce qui l'amenait à l'entretenir : il avait l'intention de le prendre dans son conseil afin d'avoir ses avis sur les affaires de l'État, mais tout de suite il exprimait sa volonté que le cardinal ne se mêlât en rien de ce qui ne le regarderait pas; qu'il ne s'ingérât ni de ce qui concernait la justice, qui était l'affaire du garde des sceaux, ni des finances qui étaient dans les attributions du surintendant : il ne devrait pas recevoir de visites de gens venant traiter d'affaires avec lui : il ne s'occuperait en aucune sorte des intérêts des particuliers. Richelieu répondit respectueusement qu'il était « prêt à obéir aveuglément à tous les commandements de Sa Majesté ». Sa santé, il est vrai, était bien précaire; il lui était utile de temps en temps d'aller se reposer à la campagne; mais évidemment cela « avait peu de poids au respect de la volonté du maître ». Il obéirait. Son entrée aux affaires aurait pour résultat, continuait-il, d'assurer l'entente complète entre Sa Majesté et la Reine sa mère. Qu'il fût dispensé de recevoir des visites et d'accueillir les sollicitations des particuliers, il en était heureux : ces visites lui feraient perdre du temps et seraient nuisibles à sa santé. Il assurait le Roi de son dévouement absolu à sa personne et à l'État : il n'aurait d'autre but que la prospérité et la grandeur du royaume. Il suppliait Sa Majesté de croire à sa sincérité. Le Roi ayant invité Richelieu à ne rien dire à personne de ce dont il venait de lui parler, le congédia.

Lorsque quelques jours après le résident florentin ira féliciter Richelieu de sa promotion, il croira remarquer, dit-il dans la dépêche où il rend compte de sa visite, qu'au fond le cardinal paraît assez contrarié de la limitation de ses attributions. Richelieu lui dira que cette nomination s'est faite sans qu'il l'ait recherchée ni désirée, que l'initiative en appartient au Roi seul et que personnellement il eût préféré « une vie facile et tranquille aux travaux et dangers auxquels les jalousies et la malignité des hommes allaient l'exposer ». Mais le résident ajoutera qu'il n'en croit rien. Les *Mémoires de Richelieu* qui, on le sait, ont été rédigés après la mort du cardinal d'après ses papiers, disent que c'est le cardinal lui-même qui aurait demandé à Louis XIII de réduire ses attributions, pour des raisons de santé et, remerciant Ornano de ses compliments à propos de sa promotion, Richelieu lui déclarera qu'il aurait prié le souverain de le dispenser de se « mêler de son sceau, de la plume, de ses finances, ni des charges de sa maison » : il y a des raisons de croire qu'il faisait contre mauvaise fortune bon cœur!

Le lendemain matin, lundi 29 avril, de bonne heure, Louis XIII alla voir sa mère dans sa chambre : elle était encore au lit : il lui annonça sa décision. C'était, lui disait-il, un témoignage de l'intention qu'il avait de vivre avec elle dans une union parfaite. Marie de Médicis manifesta une « indicible allégresse ! » Elle dit à son fils que le cardinal n'aurait certainement d'autre but que la gloire de son règne et qu'il pouvait compter sur lui. Il fut convenu entre eux que la nouvelle demeurerait secrète.

Et c'est ainsi qu'à deux heures de l'après-midi, le jour même, lorsque Louis XIII installa Richelieu au conseil, personne ne se doutait de la mesure qu'il venait de prendre.

On vient de voir par tout ce qui précède que le cardinal n'était donc pas nommé « premier ministre » au sens dans lequel nous entendons ce mot. Au moment où sa grande fortune politique commence, il est nécessaire de préciser les conditions qui sont celles où il se trouve au pouvoir afin de mesurer les étapes de l'ascension qui va suivre.

C'est une vieille doctrine séculaire de la royauté en France que le Roi ne doit gouverner qu'avec l'avis d'un conseil, afin d'éviter, dit Claude de Seyssel, dans sa *Grant monarchie de France*, de 1519, « que le monarque ne fasse aucune chose par volonté désordonnée ni soudaine ». Ce conseil doit compter plusieurs membres, parce que « diverses personnes voient plus qu'une »; mais il est utile qu'il n'y en ait pas trop, attendu que « moins de conseillers sont plus forts qu'un grand nombre ». Le chiffre des membres du conseil reconnu le meilleur dès le XVIe siècle par l'expérience est celui de trois ou quatre. Dans son *Testament politique*, Richelieu dira quatre, la présence de trop de médecins, explique-t-il, amenant plus sûrement la mort d'un malade que sa guérison.

En 1624, lorsque Richelieu arrive au pouvoir, le conseil étroit du Roi se compose de cinq personnes : la Reine mère, le connétable de Lesdiguières, le garde des sceaux d'Aligre, le marquis de La Vieuville, surintendant des finances, le cardinal de La Rochefoucauld, digne prélat plein de zèle religieux qui aide à multiplier partout la création de nouveaux couvents et préfère ces occupations aux affaires de l'État. La Vieuville est surintendant depuis le 6 janvier 1623, date à laquelle a été disgracié son prédécesseur, M. de Schomberg. Le garde des sceaux d'Aligre, auparavant président au Parlement de Bretagne, est un personnage sans grand caractère, « s'évaporant en discours », d'ailleurs probe et intègre.

A ces cinq membres du conseil, devenus six avec Richelieu, se joignent, pour les séances, les quatre secrétaires d'État, anciens secrétaires particuliers du Roi au Moyen Age, dépouillant tous les jours son courrier, écrivant ses réponses et devenus au XVIe siècle des personnages officiels de l'État sous le nom de « secrétaires d'État du Roi et de ses commandements ». Tous les matins à cinq heures, suivant un usage traditionnel, le contrôleur de la poste apporte au Louvre les paquets, dépêches et lettres adressés au Roi, les remet au valet de chambre de service couchant dans la chambre du souverain : ce valet de chambre les entasse dans un sac de velours vert et ne laisse personne y toucher. Dès que le Roi levé est entré dans son cabinet, il lui présente le sac de velours en question. Arrivent les quatre secrétaires d'État qui ouvrent le sac, se distribuent les lettres chacun suivant les régions du royaume qui lui sont départies et les pays étrangers attenants. Ils décachettent les lettres, et en font connaître la teneur à haute voix, si le Roi l'ordonne.

Le conseil du Roi se réunissant, ils apportent la correspondance sur laquelle on doit délibérer, la lisent, prennent note des décisions arrêtées, en font faire les expéditions nécessaires, les donnent à signer au Roi, les contresignent, et ce sont ces documents seuls, sous cette forme officielle — nous insistons sur ce détail en vue de l'action prochaine de Richelieu — qui auront force d'autorité royale pleine et souveraine. Les officiers du royaume n'ont à obéir qu'à un ordre revêtu ainsi du contre-seing du secrétaire d'État authentiquant la signature royale mise au-dessus et que les secrétaires d'État finiront par écrire eux-mêmes contrefaisant la manière du Roi.

Le royaume a été divisé en quatre parties. Chaque secrétaire d'État doit s'occuper dans un de ces quatre territoires de toutes les affaires intéressant les provinces qui se trouvent dans ce qu'il appelle « son département » et celles qui ont trait aux pays étrangers attenants. Ce sont toutes affaires quelconques. On a compris sous Louis XIII les inconvénients de cette dispersion des efforts et on a eu l'idée de concentrer au moins ce qui concernait l'armée et les affaires étrangères entre les mains de deux des secrétaires d'État. Par règlement du 11 mars 1626, le Roi confiera à Phélypeaux d'Herbault, un de ces secrétaires d'État, la charge de dresser et expédier toutes les dépêches « qui lui seraient commandées » pour les pays étrangers et à Beauclerc, autre secrétaire d'État, ce qui serait décidé pour la guerre. Le 27 février 1626 d'Herbault annonçant la mesure à un ambassadeur lui dira : « Sa Majesté est sur le point de résoudre de mettre tous les départements des étrangers en une seule main d'un des messieurs les secrétaires d'État. Je fais tout ce qui m'est possible pour ne pas me charger de ce pesant fardeau, résolu néanmoins de rendre toute obéissance aux volontés de Sa Majesté. » Et dorénavant on dira « le secrétaire d'État qui a le département de la guerre », ou celui qui a « le département des affaires étrangères ». Le mot ministre qui s'emploie est une expression générique s'appliquant à l'ensemble des conseillers du conseil étroit du Roi.

C'est donc la réunion de ces six conseillers et des quatre secrétaires d'État qui, assemblés avec le Roi, constituent l'organisme politique central du royaume de France sous Louis XIII. On dit : « Le Roi et son conseil. » Le conseil donne des avis; le Roi décide. Le Roi n'est pas lié par son conseil; il peut décider contre son avis même unanime et prendre telle décision qui lui convient sans consulter personne.

Étant donné que les six conseillers proprement dits et les quatre secrétaires d'État forment en somme comme deux groupes un peu distincts de ministres par leur origine et leur situation morale, on désigne les premiers de l'expression de « principaux ministres ». On dira de chacun d'eux, quel qu'il soit, qu'il est « principal ministre ».

Or la grave question en ce temps entre les « principaux ministres » est l'ordre de préséance respectif de chacun d'eux par rapport aux autres.

La table autour de laquelle le conseil se réunit est un long rectangle. Le Roi, quand il préside, est à ce qu'on appelle « le haut bout ». S'il n'est pas là, c'est le chancelier de France, pierre angulaire de toute l'administration du royaume, qui doit présider, personnage inamovible, gardant les sceaux et scellant lui-même, prérogative souveraine qui authentique certains actes publics les plus solennels. Lorsqu'on est mécontent du chancelier on l'exile; il garde son titre, et ses fonctions sont remplies par un garde des sceaux, révocable, moins puissant, et alors le second grand personnage de l'administration, le surintendant des finances, peut prendre une influence prépondérante : c'est ce que nous trouvons en avril 1624 où le chancelier de Sillery étant disgracié, le garde des sceaux d'Aligre qui le remplace, sans grande autorité, le surintendant La Vieuville joue le rôle de personnage important.

Les conseillers sont placés à la table du conseil dans l'ordre de leur dignité d'abord et de leur réception ensuite. Les grands officiers de la couronne, comme le connétable, ont le pas sur les autres membres du conseil et par brevet spécial qu'il a obtenu, La Vieuville a été autorisé, comme surintendant, à prendre rang immédiatement après ces grands officiers. La Reine mère se met à la droite de Sa Majesté; les autres alternativement à droite et à gauche suivant leur rang. Les conseillers sont assis sur des pliants; ils gardent leur chapeau sur la tête. Le Roi seul a une « chaire » ou fauteuil. Tous, donnent leurs avis par ordre inverse d'ancienneté, en commençant par les plus récemment installés. Sous Louis XIII on vote et on compte les suffrages. Le Roi tient à cette pratique tout en ne se considérant pas comme contraint de suivre la majorité. Un règlement du 18 janvier 1630 édicte qu' « il ne sera rien résolu au conseil que par la pluralité des opinions lorsque le Roi ne sera pas présent ».

Nous venons de dire que les grands officiers de la couronne, tel le connétable et le chancelier, ont le pas sur les autres conseillers et que La Vieuville a obtenu par brevet de suivre immédiatement le dernier de ces grands officiers. Alors, quelle doit être au conseil la place d'un cardinal ? A peine Richelieu est-il installé, que le connétable de Lesdiguières soulève la question et réclame la préséance sur le nouveau conseiller malgré sa qualité de prince de l'Église, grave débat ! Richelieu croit devoir défendre la dignité de la pourpre romaine. Un membre du Sacré Collège, dit-il, ne peut céder le pas même à un connétable et à un chancelier. Des juristes cherchent et trouvent dans les registres du conseil des précédents en vertu desquels les cardinaux, depuis le XVe siècle, ont en effet la préséance même sur des princes du sang, à plus forte raison sur le connétable et le chancelier qui les suivent. Richelieu rédige un mémoire. Il invoque que le cardinal de La Rochefoucauld, entré avant lui au conseil, a la préséance sur tout le monde, qu'on a même consacré cette prééminence en lui octroyant le titre, d'ailleurs honorifique, de « chef du conseil ». Richelieu en déduit qu'il doit passer immédiatement après son confrère, puisqu'il a la même qualité que lui, et avant les autres conseillers.

L'affaire est mise en délibération. Les avis sont partagés. La discussion devient vive. Le connétable déclare qu'il quittera plutôt la cour que de céder. Le conseil décide de s'en remettre au jugement personnel du Roi et Louis XIII, sur les instances de Marie de Médicis, ayant fait venir Lesdiguières dans son cabinet et l'ayant écouté, juge que Richelieu doit prendre sa séance vis-à-vis du cardinal de La Rochefoucauld, après lui et donc avant les autres. Il a estimé que, puisqu'il y avait deux cardinaux au conseil, on ne pouvait traiter l'un autrement que l'autre et qu'il fallait se conformer aux précédents. C'est un premier succès pour Richelieu. Il va avoir pour lui une particulière importance.

Car s'il y a des préséances dans le conseil, c'est donc qu'il y a un ordre hiérarchique entre les principaux conseillers, et l'ordre hiérarchique finit par s'exprimer au moyen de chiffres. Le 16 août 1624, le Roi faisant revenir Schomberg au conseil à la place de La Vieuville disgracié, le secrétaire d'État Phélypeaux d'Herbault écrit à un ambassadeur du Roi à Rome : le Roi a rappelé M. de Schomberg afin de « l'establir, dit-il, en son conseil, pour *troisième ministre* avec messieurs le cardinal de Richelieu et le garde des sceaux ». Donc Schomberg est un *troisième ministre :* le garde des sceaux est traité dans d'autres documents de *deuxième ministre*, et Richelieu et La Rochefoucauld, puisqu'ils sont sur le même plan tous les deux, sont dits *premiers ministres :* et c'est dans ce sens, purement numérique, qu'apparaît donc ce mot destiné à un si haut éclat dans la suite. Les mêmes usages existent, d'ailleurs, dans des conditions identiques, au conseil des finances où siègent ce qu'on appelle des intendants de finances répartis aussi en : troisième intendant, deuxième intendant, premier intendant.

Or cet état de « premier ministre » dont le mot n'est ici qu'indicatif sous Louis XIII et n'a jamais été consacré par un acte royal quelconque de ce prince, c'est Richelieu qui, précisément, va en faire, grâce à sa supériorité et à sa maîtrise qui s'imposera à tous, virtuellement une fonction. Après lui, Mazarin, cette fois, en prendra officiellement le titre en vertu d'un acte public de Louis XIV qui, d'ailleurs, le supprimera après la mort de ce cardinal. Les auteurs du XVIIe siècle qui disent que Richelieu a été « premier ministre » sont ceux qui, écrivant sous Louis XIV, se sont laissé influencer par l'exemple de Mazarin : Dupuy, Arnauld d'Andilly, madame de Motteville, Retz, Saint-Simon, Amelot de La Houssaye. Mathieu de Mourgues, confident de Marie de Médicis et bien placé pour le savoir a, au contraire, écrit justement : « Il n'est pas vrai qu'à Compiègne, en 1624, le Roi déclara le cardinal de Richelieu premier ministre, ni directeur : il était conseiller. » Et lorsque l'abbé Richard, en 1750, publiant son livre sur *le Véritable Père Joseph*, y insérera une soi-disant lettre de Richelieu annonçant au Père Joseph en mai 1624 qu'il est nommé « premier ministre », il donnera un document apocryphe, ce que décèlent d'ailleurs des formules dans le texte qui ne sont ni du XVIIe siècle ni de Richelieu.

Le véritable titre, mentionné par les actes, que porte Richelieu durant le règne de Louis XIII est celui de « principal ministre », dans le sens où nous l'avons vu plus haut et qu'il partage avec les autres membres du conseil de son rang. L'ordonnance de janvier 1629 dite Code Michaud, révoquant par son article 61 tous les brevets de conseillers du Roi pour reviser la liste de ceux qui les détiennent, et prescrivant de donner à ceux qu'on maintient de nouvelles lettres de commandement, Richelieu recevra le 21 novembre suivant des lettres patentes consacrant sa situation au même titre que les autres, c'est-à-dire celle de « conseiller de notre conseil... principal ministre de notre conseil d'État ». C'est le titre que prenait La Vieuville. Dans les lettres d'érection de la terre de Richelieu en duché-pairie, en 1631, Louis XIII n'appellera en aucune façon Richelieu premier ministre et dans les lettres patentes du 15 mars 1627 donnant au cardinal rang et séance au Parlement, il dira de lui qu'il est « principal ministre de nostre conseil d'État » et non encore premier ministre. Écrivant au Roi, son frère Gaston, duc d'Orléans, ne parlera de Richelieu qu'en l'appelant « votre principal ministre ».

Mais ceci indiqué afin de bien marquer ce qu'a été officiellement, avec son titre, la véritable situation de Richelieu, il faut dire qu'en donnant à son action le lustre qu'elle a eu, à mesure, dans le public, l'expression de « premier ministre » qui n'était qu'un état de fait au sens numérique, s'est répandue peu à peu avec le sens de prééminente et unique autorité. En employant indifféremment comme ils le font les mots de principal ministre ou de premier ministre lorsqu'ils parlent de Richelieu, Scipion Dupleix et Bassompierre, — celui-ci quand il écrira par exemple : « J'allai trouver monsieur le cardinal pour savoir ce que j'avais à faire, comme au premier ministre en l'absence du Roi », — semblent faire croire que le mot est pris par eux pour désigner plutôt un titre que l'état de fait, ce que confirmera en quelque sorte J. Sirmond disant de Richelieu : « Ce grand homme qui tient aujourd'hui parmi nous le rang de premier ministre de l'État. » Inversement, lorsque les commis des finances écrivent dans un règlement des comptes de 1630 : « M. le cardinal de Richelieu, premier ministre de l'État, 1 500 livres par mois », ou en 1642 : « A monsieur le cardinal duc de Richelieu pour ses appointements de premier ministre d'État, 20 000 livres », on peut supposer qu'ils ne songent qu'au sens numérique du mot que nous avons dit plus haut, mais les apparences sont là qui marquent la déviation progressive de ce sens.

En tout cas, il faut le répéter, ce titre n'a aucun caractère officiel donnant droit, à celui auquel on l'attribue, à des pouvoirs spéciaux supérieurs, exceptionnels. Les ennemis de Richelieu le savaient bien; ils ne se sont pas fait faute de protester contre cette appellation. L'un d'eux dans un libelle de 1636 qui a pour titre : *Lumières pour l'histoire de France*, s'élève contre ce vocable qu'il prétend avoir été inventé par Scipion Dupleix. « Si cette qualité de premier ministre, dit-il d'ailleurs assez justement, regarde la plus relevée personne, on la doit à la Reine mère qui estoit pour lors dans le conseil. Si dans l'égalité des conditions elle appartient au plus ancien conseiller, on ne la peut oster au cardinal de La Rochefoucauld sans lui faire une injure : il étoit dans le Sacré Collège et dans les affaires avant le cardinal de Richelieu et avoit sa place au-dessus de lui... Qui a jamais ouï-dire qu'il y ait eu un directeur général des affaires de France, comme Oxenstiern l'estoit des Suédois après qu'ils n'eurent plus de roi? M. Dupleix nomme directeur le cardinal de Richelieu parce qu'il a honte de dire qu'il est simple ministre, ce nom étant trop commun. » L'auteur de ce texte, qui éclaire de façon précise ce que nous expliquons, a raison. Le cardinal de La Rochefoucauld aurait pu protester, ayant le titre de « chef du conseil » et la préséance sur Richelieu : il ne l'a pas fait. Homme simple et de goûts modestes, il va peu à peu se retirer prétextant son âge et Richelieu prendra sa place.

Il y a lieu de remarquer que Richelieu, d'ailleurs, a toujours professé la nécessité dans un gouvernement d'une tête pour le conduire. Il développe cette idée dans son *Testament politique* tout en se défendant de penser à lui-même, et de fait il l'a réalisée à la longue avec l'assentiment d'ailleurs et l'appui de Louis XIII. C'est ainsi qu'il deviendra peu à peu, avec ou sans le titre de premier ministre, le véritable chef du gouvernement.

Et dès 1624 le public a compris qu'il n'en serait pas autrement avec lui, tellement on a une grande idée de sa valeur et de sa personnalité. Dans les lettres de félicitations qu'à peine promu au conseil Richelieu reçoit de tous les côtés, émanant des personnages les plus divers : princes, grands seigneurs, ambassadeurs, magistrats, archevêques, évêques, gentilshommes — nous avons leurs lettres, — on voit à quel point tous se réjouissent « de ce bon choix, dit l'un d'eux, duquel les gens de bien espèrent pour le général de la France ». L'évêque d'Aire, Bouthillier, écrit : « Je ne doute point que toute la France ne s'en soit grandement réjouie puisqu'en ces quartiers éloignés tout ce que j'y connois d'honnêtes gens en a parlé comme d'une très grande bénédiction que Dieu a envoyée à cet État. » M. de Guron mande : « Cela fait espérer beaucoup de bien pour l'avenir et le rétablissement en beaucoup de désordres dont la postérité rendra votre nom célèbre... Pour moi, je confesse que ma joie est à son comble. » Et la presse à son tour se fait l'écho du sentiment public : « Tout Paris, lit-on dans une *Lettre du sieur Pelletier à un gentilhomme de ses amis,* a reçu avec applaudissement la nouvelle de l'élection judicieuse que le Roi a faite de M. le cardinal de Richelieu. Chacun jette maintenant les yeux sur ce grand cardinal comme sur un astre naissant. »

Mais aussi partout on paraît convaincu que Richelieu ministre ne travaillera que pour la France et le Roi, et nul autre. La Reine mère peut exulter du succès de son protégé. Si elle s'imagine, écrit le résident italien Pesaro, qu'elle va disposer du pouvoir à sa fantaisie, elle se trompe bien ! Le cardinal ne servira que le Roi seul et l'intérêt public. Il sera même probablement, ajoute l'envoyé italien, plus homme d'État qu'homme d'Église. L'auteur d'un libelle : *la Voix publique au Roi*, écrit qu'il ne cherchera nul autre appui dorénavant que celui de « l'autorité légitime du Roi » et ne se proposera aucun autre objet que « la bonne conduite des affaires publiques » : prudent, habile, il sera « bon Français ». Et le cardinal a confirmé lui-même ces indications dans une note que nous avons où il dit qu'il entendra ne se proposer « que le service du Roi et le bien de l'État, voulant y employer jusqu'à la dernière goutte de son sang et aimant mieux mourir que de penser à autre chose qui ne soit avantageuse au royaume ! » Certes « il ne trahira jamais la Reine mère, mais il ne fera rien non plus contre le service du Roi ! »

Et c'est un nouveau Richelieu qui apparaît, différent de celui que le Roi et beaucoup d'autres jusqu'ici ont vu ou cru voir ! Il faut donc l'étudier de près pour démêler le caractère véritable de sa personnalité.

II

LE VÉRITABLE CARDINAL DE RICHELIEU

Il existe sur le cardinal de Richelieu deux opinions traditionnelles d'allure plutôt légendaire. D'après la première, créée de son temps par ceux de ses adversaires qui l'ont le plus haï, le cardinal n'aurait été qu'un despote sanglant qui aurait fait emprisonner ou décapiter ses ennemis et imposé à tous, principalement au roi Louis XIII, sa tyrannie intolérable. D'après la seconde, tout à l'opposé, effet, à l'origine, de l'admiration qu'a inspirée le cardinal à son entourage et à de nombreux contemporains, Richelieu serait « un génie » aux conceptions sans égales. De nos jours, après le romantisme, cette dernière manière a prévalu. La personne et surtout l'œuvre de Richelieu ont pris une ampleur extrême. Au dire de Mignet, l'illustre homme d'État aurait eu « les intentions de tout ce qu'il a fait »; suivant d'autres, il serait l'auteur d'une grande politique qu'on a appelée

« la politique de Richelieu », sans doute parce que personne ne l'avait soupçonnée avant lui — Retz l'a écrit. — Il aurait imaginé ou repris la théorie des « frontières naturelles »; fondé « la monarchie absolue » en France; contribué fortement à la centralisation du royaume. Entre ces extrêmes, il appartient à l'histoire critique familiarisée, par une longue étude des documents, avec les réalités positives du XVIIe siècle, de tâcher de retrouver chez Richelieu l'homme tel qu'il a été, qu'il a vécu, pensé et agi. Prenons-le lorsqu'il est cardinal et ministre.

Au dire de tous ceux qui l'ont vu et dépeint, Richelieu est grand, mince, d'une taille souple et aisée. Sa figure fine et allongée a une extrême distinction. Ses grands yeux au regard calme, aigu, pénétrant, intimident, à ce qu'il paraît, par leur fixité. Le meilleur portrait de lui dans les trois têtes connues de Philippe de Champaigne est celui du profil droit, dit une note du temps. Il porte une barbe noire en pointe, élégamment tenue. Le front est large, les cheveux soyeux.

Sa santé sera toujours précaire. Constamment il se plaindra de sa débilité. Ce dont il souffre le plus c'est de maux de tête. Il est accablé de migraines. Elles me « tuent », écrit-il lui-même dès 1621. Louis XIII qui cherche à le rassurer lui répète que ces douleurs de tête sont signe de longue vie, « qui est la chose, ajoute-t-il affectueusement, que je désire le plus au monde, vous aimant comme je le fais ». Puis Richelieu aura des rhumatismes, la gravelle, subira en 1632 un terrible accès de rétention d'urine causé par un abcès dans la vessie, et tout le royaume croira qu'il va mourir. A cette occasion deux médecins réputés du temps, MM. Charles et

Citois, après examen, donneront une grande consultation sur son état physique : « Nous, soussignés, docteurs en médecine... » d'où il résulte, à travers des considérations d'un ton digne de celui des médecins de Molière, qu'en somme ce dont Richelieu souffre le plus, ce sont des nerfs.

Ceux qui l'approchent ne se lassent pas de dire à quel point sa nervosité est maladive. Il est d'une impressionnabilité extrême. « Je n'ai jamais été au milieu de grandes entreprises qu'il a fallu faire pour l'État, a-t-il écrit, que je ne me sois senti comme à la mort! » Les mauvaises nouvelles le démontent! Il recommande autour de lui, d'après V. Siri, qu'on ne les lui annonce pas avec brutalité, mais qu'on l'y prépare peu à peu. Il est sensible à tout. Au moindre incident qui le blesse, son trouble apparaît, même sur sa figure : un ambassadeur étranger causant avec lui, le notera dans une de ses dépêches : « Le cardinal m'a répondu avec une face troublée, tirant nerveusement sa barbe. » Chose singulière aussi, Richelieu pleure avec une facilité certainement maladive. Marie de Médicis, lorsqu'elle sera au plus mal avec lui, répondra dédaigneusement à quelqu'un qui lui en fait la remarque pour l'apitoyer : « Il pleure quand il veut! » Richelieu est affligé de cette faiblesse, qui l'humilie. Lorsque son accablement, dans les moments de détresse, est excessif alors il se met au lit, ce qui l'apaise un peu. Puis, il est vrai, il se reprend vite et dès lors se contracte, et affecte une froideur, une maîtrise entière de soi, comme il sait aussi, à force de volonté, demeurer ferme et intrépide en présence des plus graves événements.

Dès son enfance il a montré un grand fond de tristesse. Son frère Henri lui écrivant en 1611, lui parlait de son habituelle « humeur mélancolique ». Abra de Raconis, évêque de Lavaur, qui l'a beaucoup fréquenté, a écrit de lui : « Son esprit était mélancolique; il était infecté du foible de la bile noire. » Cette disposition a fait beaucoup de tort à Richelieu. On appréhendait de lui parler. Ses ennemis le traiteront d'hypocondriaque. Ils iront jusqu'à prétendre que, tous les mois, il s'enferme deux ou trois jours avec son valet de chambre et son médecin parce que son humeur triste le rend furieux; qu'il donne alors des signes d'aliénation mentale; qu'il est épileptique; que, dans ses crises, il hurle, écume, se cache sous les lits d'où on a toutes les peines du monde ensuite à le retirer. Celui qui nous rapporte ces faits assure les tenir d'un des valets de chambre du cardinal, Olivier, qui les aurait révélés après la mort de son maître. Nous verrons que ses adversaires en ont inventé bien d'autres!

Pour combattre ces dépressions nerveuses, les médecins Chicot et Bontemps lui prescrivent des bains, des clystères, des purgations. De lui-même, afin de se soigner, Richelieu a pris, d'instinct, par goût, des habitudes de frugalité. Il ne veut pas à ses repas plus de deux plats. Il préfère manger seul dans sa chambre, tandis que sa table officielle comporte régulièrement quatorze couverts où ont leurs places des cardinaux, des archevêques, des évêques et des seigneurs de qualité.

Autre pratique adoptée par lui : après ses repas il fait de l'exercice, se distrait. A Rueil, il se promène dans ses jardins, il aime écouter de la musique, surtout causer, allant et venant. Il faut qu'il y ait dans la conversation de la gaîté et de l'entrain et le facétieux Boisrobert a eu quelque succès auprès de lui pour cette raison.

Autre particularité encore : en raison de son hypersensibilité, Richelieu n'aime pas habiter Paris : le bruit et les odeurs l'incommodent. Il a peu résidé dans le bel hôtel qu'il a construit rue Saint-Honoré. Il lui faut la campagne, les arbres, le grand air. La vie aux champs est son plus sain divertissement. Il se déplacera souvent. Toute sa vie il sera par monts et par vaux, effet des guerres, des complications politiques, mais aussi de son humeur. Ce qu'il préférera, ce seront les environs de Paris, et ces « environs » seront plus près alors qu'aujourd'hui du centre de la ville; puisque, par exemple, il louera à M. de Castille une belle maison située à Chaillot en face le pont actuel d'Iéna, ou à Charonne, — sur la hauteur, en avant de la vieille église du village de ce nom qui subsiste, près du cimetière actuel du Père-Lachaise, — la maison d'un magistrat d'où on a une vue magnifique et de l'air. Mais ses prédilections iront surtout à Rueil, ce qu'il appelle « la solitude de Rueil ».

Aimant la solitude par goût et par besoin, une des choses qui le fatiguent le plus, ce sont les audiences. Son entourage cherche à le défendre à cet égard avec une ténacité qui a été une des causes de son impopularité. Les ambassadeurs étrangers le disent. Le Père Garasse avoue être venu quatre fois à Chaillot sans pouvoir être reçu. Le cardinal a bien eu le sentiment des rancunes inévitables qu'il provoquait ainsi par sa claustration. Il a écrit dans son *Testament politique :* « Ma mauvaise santé n'a pas pu souffrir que j'aie donné accès à tout le monde comme je l'eusse désiré, ce qui m'a donné souvent tant de déplaisir que cette considération m'a quelquefois fait penser à ma retraite. » Sentant le tort que son ministre se faisait, Louis XIII a fini par intervenir, et a chargé un de ses gentilshommes, M. de la Folaine, de régler lui-même les audiences du cardinal. L'impétueux Bassompierre sera vertement tancé un jour parce qu'en entrant dans l'antichambre de Richelieu, pour tâcher de le voir, il se laissera aller à dire cavalièrement à la Folaine : « Le montre-t-on ? »

Mais malgré sa santé fragile, quelque instable et maladive que soit sa sensibilité, une chose demeure toujours chez Richelieu nette, ferme, et d'une maîtrise incomparable : c'est son intelligence !

Tous ceux qui ont eu affaire à lui ne tarissent pas sur l'impression extraordinaire que leur fait ce qu'ils appellent « sa vivacité d'esprit ». Dès sa jeunesse, les maîtres du collège de Navarre où il avait été mis, étaient étonnés de cette intelligence et ils se disaient entre eux : « Que croyez-vous que sera cet enfant ? » Action continuelle, souplesse, finesse, clairvoyance, instantanéité de compréhension, imagination rapide, pénétration, telles étaient les qualités que l'on constatait en lui, révélant un sujet hors ligne.

A cette vivacité d'esprit, s'ajoutait surtout un jugement sûr et droit. Dans son *Testament politique* Richelieu a expliqué que « la raison doit être la règle et la conduite de tout ; qu'il faut faire toutes choses par raison sans se laisser aller à la pente de son inclination ». Et en effet, à lire attentivement les innombrables mémoires qu'il a laissés sur les affaires du règne, on voit avec quel degré de précision son intelligence savait tout saisir, et son jugement classer les faits exactement à leur place et dans leur valeur relative. Un de ses collaborateurs est confondu de ce qu'il appelle « la suffisance de cet esprit » qui toujours « va droit au point et pénètre jusqu'au fond des affaires ».

Qualité infiniment utile aussi, au milieu des questions les plus embrouillées, nous explique son intendant Le Masle, prieur des Roches, Richelieu a toujours la tête entièrement libre. Si à la première minute de l'annonce de complications soudaines, il éprouve un choc nerveux violent, il se reprend vite, et alors, avec sang-froid, fait face aux complications, les analyse, examine les côtés sans nombre sous lesquels se présentent les choses, les ordonne, voit le pour et le contre de chacune avec une abondance d'observations contraires qui font douter, chemin faisant, s'il pourra jamais prendre un parti, et finalement conclut avec une netteté qui ne révèle dans son esprit aucune hésitation tellement son jugement est sûr. Équilibre, bon sens, fermeté, exacte précision, voilà les qualités dont il fait toujours preuve.

Avec cela une extrême prudence. Il se défie beaucoup de sa nervosité. Il avoue quelque part que « les résolutions qu'il a prises en colère lui ont toujours mal réussi et qu'il s'en est repenti ». Les conseils de réserve et de calme qu'il donne aux ambassadeurs sont, pour cette profession, de tous les temps. Une des formes de cette prudence est le grand secret dont il veut que soit entourée la conduite des affaires diplomatiques. On connaît son mot : « Le secret est l'âme des affaires. » Il a inventé l'expression : « Une affaire secrétissime. »

A l'intelligence et au jugement se joint chez lui la fermeté. Dans son *Testament politique* il met la volonté tout de suite après la raison comme qualité essentielle de l'homme d'État. « Il faut vouloir fortement, dit-il, ce qu'on a résolu par de semblables motifs, puisque c'est le seul moyen de se faire obéir. » Toujours il a insisté sur la nécessité de l'énergie dans l'action. « Le gouvernement, écrit-il, requiert une vertu mâle et une fermeté inébranlable contraire à la mollesse. Par le passé, la plupart des grands desseins de la France sont allés en fumée parce que la première difficulté qu'on rencontrait dans leur exécution arrêtait tout court ceux qui par raison ne devoient pas laisser que de les poursuivre. » Et il donne l'exemple. Un ambassadeur étranger cherchant à le faire renoncer à ce qu'il a entrepris sur un point déterminé écrit qu'il s'est heurté chez le cardinal à ce qu'il appelle « la résolution obstinée et irrévocable » d'un homme qui déclare se boucher les oreilles et ne vouloir rien entendre.

C'est ce qui a donné aux contemporains l'impression d'autorité si exceptionnelle qu'a eu le gouvernement du cardinal. Ils le disent. Ils disent aussi que cette fermeté qu'ils constatent et que nous venons de voir appliquée par Richelieu aux affaires politiques générales, il l'a manifestée principalement dans les affaires de discipline intérieure. Mais ici il faut distinguer.

Toujours dans son *Testament politique*, Richelieu affirme la nécessité de la répression afin d'assurer l'ordre public. S'il faut choisir, dit-il, entre la peine et la récompense, il n'hésite pas, il préfère la peine : elle est plus efficace, « l'impunité ouvrant la porte à la licence » : on oublie les bienfaits, on oublie moins les châtiments, surtout en France où « l'indulgence et la facilité nous sont naturelles ». Théoriquement, donc, il est pour la rigueur.

Mais à côté de ces principes, qui répondent à ce que demande la raison et qui ont été dictés à Richelieu, du reste, par le besoin de justifier politiquement et de couvrir le roi Louis XIII, — en réalité, auteur personnel et inexorable des grandes exécutions du règne, — il y a, chez le cardinal, des sentiments beaucoup plus souples, sensibles et humains. Il est accessible aux considérations des faiblesses de la nature; il est pitoyable, et quoique l'on puisse croire, bienveillant.

Car il a écrit dans des lettres particulières vingt passages qui atténuent singulièrement la rigidité des déclarations imposées par la politique que nous venons de citer. Il dira au maréchal d'Effiat le 12 mars 1629 : il faut « de la prudence et de la patience », et « ne vouloir jamais user de l'autorité qu'à l'extrémité ». Il avouera dans une autre circonstance : « Il est impossible qu'un gouvernement subsiste où nul n'a satisfaction et chacun est traité avec violence. La rigueur est très dangereuse là où personne n'est content. » Dans le détail des affaires du règne nous le voyons plus souvent qu'on ne le croit pour l'indulgence et l'atténuation des peines. En mai 1631 Louis XIII extrêmement irrité de l'attitude du Parlement qui a refusé d'enregistrer certaine Déclaration royale contre l'entourage de son frère, Gaston d'Orléans, criminellement entraîné hors du royaume, entend châtier les magistrats et les a convoqués en corps au Louvre pour leur signifier ses décisions. Richelieu écrit au souverain : « Je crois que Votre Majesté pourroit user ici de son extraordinaire bonté et les dispenser de l'exécution qu'elle résolut hier. Il est beaucoup meilleur que les hommes reviennent d'eux-mêmes dans leur devoir que par la force qui est un remède dont Dieu et les hommes ne se servent jamais qu'au défaut du premier. » Ce n'est pas là le Richelieu inexorable de la tradition. Le cardinal parle plus fréquemment qu'on ne le supposerait « d'user de tempérament », d'employer « les voies de douceur ». En 1627, Fancan, ecclésiastique de Saint-Germain-l'Auxerrois, esprit hardi qui se dit « républicain », en tout cas écrit des libelles séditieux contre le gouvernement et insolents contre le souverain, est mis en arrestation sur l'ordre personnel de Louis XIII qui entend le faire pendre pour « ses crimes ». Richelieu vient « supplier humblement Sa Majesté de se contenter d'arrêter le mal que font les fautes de cet homme par l'emprisonnement de sa personne ». Dans une autre circonstance, on le voit solliciter du Roi que « sa bonté lie les mains à sa justice ». Nous expliquerons plus loin comment pour chacune des retentissantes décapitations du règne, les Boutteville, les Des Chapelles, les Marillac, c'est Louis XIII qui a agi seul dans les procédures, puis a demandé son avis au cardinal au moment des exécutions et on verra que Richelieu donnant ces avis dans des mémoires motivés, que nous avons, énumère longuement les raisons qu'il y a de frapper, celles qu'il y a de faire grâce et se prononce finalement pour l'atténuation de la peine.

Ce n'est pas un violent. Il n'a rien de brutal. Il n'était pas non plus vindicatif. Il a écrit ceci : « Ceux qui sont vindicatifs de leur nature, qui suivent plutôt leur passion que la raison, ne peuvent être estimés avoir la probité requise au maniement de l'État. Si un homme est sujet à ses vengeances, le mettre en autorité est mettre l'épée à la main d'un furieux. » Un peu surpris de ces paroles,

Sainte-Beuve les citant ajoutait : « Elles montrent à quel point l'esprit de Richelieu était loin de donner dans les extrémités violentes. Je laisse ces problèmes, ces contradictions apparentes de quelques-unes de ses pensées et de ses actes à agiter aux historiens futurs. »

Il arrive que le goût de la modération puisse paraître à certains l'effet obscur de la peur. Connût-on, ou ne connût-on pas cette modération de Richelieu, en même temps qu'on le traitait de cruel, on l'a accusé aussi de manquer de courage. Ses ennemis ont dit qu'il était « lâche ! » Il n'est pas aisé de concilier cette accusation avec ce que nous savons par ailleurs de l'intrépidité dont le cardinal a maintes fois fait preuve. A la Rochelle il s'exposera froidement au canon, à la mousquetade, monté sur les parapets des tranchées, et nous avons de nombreuses lettres de Louis XIII et de Marie de Médicis alarmés de le voir s'aventurer dans les pires dangers. Un soir de juin 1629, au siège d'Alais, prévenu inopinément de l'arrivée menaçante d'un secours ennemi, et voyant qu'il n'a aucun officier sous la main, Richelieu prendra la tête de deux cents cavaliers, ira se poster sur le chemin par où l'on craint de voir arriver la nuit ce secours et, la troupe ennemie avançant, Richelieu n'y tiendra pas et s'élancera dans l'ombre, entraînant son monde à la charge : on fit plusieurs prisonniers. Ce trait, s'il n'est peut-être pas d'un ecclésiastique, n'est surtout pas d'un homme qui a peur.

Mais approchons-nous de plus près encore de lui et cherchons à le voir dans son intimité, au cours de sa vie de tous les jours.

Nous avons dit quel est son aspect extérieur : distinction, grandeur, élégance. Au dire de beaucoup, il est intimidant. Un monsieur de La Roche Bernard lui écrit : « Monseigneur, je confesse que l'incomparable aspect de votre personne m'émeut de façon telle que je reste sans pouvoir parler. » Pontis nous avertit même dans ses *Mémoires* que si le cardinal a une certaine façon en vous recevant de vous dire sèchement : « Monsieur, serviteur très humble », cela veut dire, avertit l'entourage, que le visiteur n'a qu'à se retirer, l'humeur de son Éminence n'étant pas propice. Richelieu a conscience d'ailleurs de cette impression déplaisante qu'il fait et il en gémit. « La raison veut, a-t-il écrit, qu'un ministre traite chacun avec courtoisie et avec autant de civilité que sa condition et la diverse qualité de personnes qui ont affaire à lui le requièrent. Cet article fera voir à la postérité un témoignage de mon ingénuité, puisqu'il prescrit ce qui ne m'a pas été possible d'observer de tous points. »

Mais, en fait, la chose n'est pas si constante ni si absolue, car d'après nombre de témoignages, lorsque Richelieu reçoit, il s'applique au contraire à être très aimable et extrêmement séduisant. Malgré son grand air, son allure fière, sa « mine haute de grand seigneur », il accueille les gens avec une simplicité, un sourire et une bonne grâce qui enchantent ceux qui bénéficient de pareilles réceptions. Un de ses ennemis avoue qu'il sait se montrer « doux, affable, humain », tout en demeurant « noble » et sans familiarité. Pellisson nous racontant une audience de lui, écrit : « Son Éminence s'avança avec cette majesté douce et riante qui l'accompagne presque toujours. » Un secrétaire de Gaston, duc d'Orléans, Goulas, envoyé en mission auprès du terrible ministre qui a eu tant à se plaindre de ce prince, ne revient pas de « la grâce à ravir tout le monde » avec laquelle il a été reçu. « Je sortis d'avec lui, dit-il, tout parfumé de ses bontés et amoureux de son mérite. » Les mots qui reviennent le plus souvent sous la plume des interlocuteurs habituels ou d'occasion, sont ceux de grâce, majesté, douceur, affabilité, « conversation charmante », « façons agréables ». Omer Talon va même jusqu'à dire : « M. le cardinal de Richelieu qui nous reçut fort bien, était courtois et civil avec excès. » Recommandant à Richelieu un Anglais, Goring, qui va le voir à Paris, le maréchal d'Effiat lui écrit être certain qu'il le recevra « avec votre douceur accoutumée », dit-il.

Ceux des contemporains eux-mêmes qui, trompés par les pamphlétaires, ne voyaient le cardinal que sous le jour d'un tyran odieux, n'en reviennent pas lorsque l'occasion se présente pour eux de l'approcher de près. Le 21 août 1629, Richelieu fait son entrée solennelle à Montauban, après une campagne militaire au cours de laquelle ont été soumis les huguenots révoltés. La réception officielle terminée, il cause familièrement avec les consuls, les juges de la ville, les ministres protestants groupés autour de lui, et ceux-ci sont étonnés et ravis de ce qu'ils appellent « sa douceur et modestie », sa façon de leur parler avec gravité, mais « en leur faisant des caresses », « en sorte que ces gens s'en retournaient si satisfaits, que chacun ne s'entretenait d'autre chose et leurs discours n'étoient que continuelles louanges de ce grand personnage qu'ils trouvoient surmonter de beaucoup sa renommée ».

C'est qu'en effet, dans « le privé », Richelieu est, comme

le dit son confident et ami, Abra de Raconis, « doux et charmant ». Il représente ce type de la vieille tradition française aristocratique, courtoise, faite de bonté, d'égards, de prévenances, et de désir de plaire. Comme il s'exprime fort bien et qu'il est extrêmement intelligent, une conversation avec lui est un régal. Un de ses collaborateurs, Hay du Chastellet, écrit : « Où est le premier homme qui l'ait jamais vu sans l'aimer? » Un autre confirmera le mot en disant : « Le charme de sa parole et sa bonne grâce même ne permettoient pas de le voir sans l'aimer. » Singulière attirance produite par une sympathie spontanée qu'on éprouvait près de sa personne et l'attachement qu'il provoquait par son sourire rayonnant! Ceux, peu nombreux, qui pouvaient, dans les paisibles promenades des allées de Rueil, jouir de la faveur de son amitié, disent la joie qu'ils en éprouvaient et comment ils ne s'éloignaient de lui qu'avec un regret, une tristesse, une nostalgie mélancolique, ainsi que le dit celui qui écrivait : « Après lui, tout autre étoit non seulement insipide, mais importun et nul n'a eu l'honneur d'être reçu domestiquement (dans le sens d'intimité) à Rueil, et admis dans sa conversation familière qui n'ait cru tout autre climat barbare et quasi souhaité être ermite séparé du commerce des autres hommes. » Ainsi il savait établir autour de lui une atmosphère de facile et charmante amitié. On comprend que pour les privilégiés la figure du cardinal telle que les pamphlétaires la déformaient et telle qu'elle est restée pour beaucoup dans les siècles suivants fît l'effet, comme dit l'un d'eux, « d'un masque difforme et hideux propre à faire horreur à ceux qui ne savaient le voir tel qu'il était sans l'estimer et l'aimer ».

Cette douceur et ce charme ne pouvaient provenir chez Richelieu évidemment que d'un fond réel de bonté. Richelieu était bon. On en a douté, parce qu'il ne se prodiguait pas. On l'a accusé de sécheresse de cœur. Les hommes publics, accablés des occupations qui les absorbent, sont l'objet d'infinies sollicitations de personnes qui, escomptant leur toute-puissance, réelle ou supposée, croient pouvoir réclamer avec importunité de perpétuelles faveurs. Ils se défendent par le silence. On les accuse d'être indifférents : on les déteste et on s'écarte. Richelieu s'est trouvé dans ce cas. Ecclésiastique, ensuite, il avait reçu cette formation traditionnelle du clergé français, qui veut qu'un prêtre, s'il compatit à toutes les douleurs humaines, ne doit jamais, par dignité, extérioriser ses sentiments propres extrêmes, quels qu'ils soient. Hormis les surprises violentes de ses nerfs qu'il maîtrisait le plus qu'il pouvait, Richelieu, autrement que dans son intimité, demeurait froid, par devoir, par nécessité d'une discipline qu'il entendait s'imposer, certainement aussi par goût, car il aimait une grande correction de maintien. De ce qu'il s'exprimait sur ses sentiments avec une grande sobriété, on a douté de son cœur : c'était le méconnaître. Un de ses secrétaires écrivait au maréchal de Brézé le 5 novembre 1636 : le cardinal a parlé de vous en termes très affectueux. « Je vous avoue que je fus ravi d'entendre ainsi parler Son Éminence qui cache quelquefois son affection à ceux qu'elle aime le plus tendrement. » Richelieu savait donc « aimer tendrement ».

Et en effet d'abord, il aimait qui l'aimait : c'est le terrible Tallemant des Réaux qui le dit. On a noté combien profondément son entourage lui a été attaché. Il a gardé les mêmes serviteurs durant toute sa vie publique et son valet de chambre Desbournais, qu'il a eu à dix-sept ans, l'a suivi pendant son existence entière. C'est un signe. « S'il étoit si mauvais maître, écrivait un de ses familiers, il n'y aurait pas tant de presse à le suivre, ni entre ceux qui le suivent tant de débat à qui l'aimera le mieux. » Il a été considéré par tout son personnel comme « le meilleur des maîtres », bon, attentionné, soucieux de rendre service, constant, fidèle et sûr. Cherré, son secrétaire, écrivait : « Quand on était si heureux que d'être à Son Éminence, elle se déclarait le protecteur de ses domestiques à la vie à la mort. » Et il savait les obliger tous « de bonne grâce », avoue encore Tallemant des Réaux. Aubery a insisté sur sa grande libéralité, car il était, écrit-il, « naturellement libéral et magnifique ». Il donnait largement; il mettait une certaine coquetterie à ce qu'on fût moins touché de ce qu'il donnait que de la manière élégante dont il savait donner, ajoutant quelques mots infiniment obligeants.

Comme amis familiers, il avait plutôt autour de lui des ecclésiastiques, effet des habitudes du clergé du temps : l'archevêque de Bordeaux, Sourdis, le cardinal de La Valette, Lescot, évêque de Chartres, le Père Joseph, capucin, le Père Cotton, jésuite, les évêques de Nantes, de Mende, de Lavaur, ce dernier, dont nous avons déjà parlé, Abra de Raconis, docteur en théologie, prédicateur du Roi, qui nous a laissé dans des notes manuscrites précieuses le souvenir des conversations de Richelieu. Il les accueillait tous avec chaleur. Le Père Garasse nous raconte dans ses *Mémoires* comment le Père Cotton étant venu voir le cardinal à Rueil, après une longue absence,

Richelieu qui était en conférence avec deux ambassadeurs d'Angleterre, prévenu de son arrivée inattendue, « s'élança aussitôt qu'il entendit parler du Père Cotton » et s'excusant auprès de ses interlocuteurs, alla à sa rencontre, « lui sauta au cou et l'embrassa bien chèrement avec de belles paroles d'amitié ». Voilà un Richelieu plus expansif que l'on ne se l'imaginait! Il a eu aussi comme familiers des laïques. Les heures où il les voyait étaient fixées chaque jour. Après avoir travaillé jusqu'à onze heures du matin, il faisait, avant le repas, un tour de jardin avec eux. Après le « dîner » (qui était en ce temps le repas du midi) il revenait au jardin se promener, causait. Le soir, avant et après le souper, nouvelles promenades. Dans ces conversations, comme nous l'avons dit, il voulait de la gaieté afin de se délasser des affaires. L'abbé Mulot, son confesseur, le divertissait de ses facéties. Parmi les autres, son médecin Citois, Boisrobert, l'abbé de Beaumont — son camérier, — Rossignol, formaient un groupe particulier qu'on appelait « la petite faveur de son Éminence » et qui était réputé pour son entrain et ses reparties. Richelieu se mêlait à la conversation et à ses heures savait avoir quelque esprit, témoin cette lettre à Bassompierre où apprenant que le joyeux gentilhomme qui avait eu tant de succès auprès des dames, s'avisait, l'âge venant, de se convertir et tournait à la piété, Richelieu lui envoyait un chapelet « pour gagner les indulgences » dont il avait sans doute besoin, lui demandant en retour l'intention de son « premier *Ave Maria* », qui est toujours dit « avec dévotion », ajoutait le cardinal, et il le félicitait de faire désormais autant de cas de « la grâce du créateur », écrivait-il, qu'il en avait fait autrefois, disait-on, de celles « de ses créatures ». Dans ces conversations joviales, jamais, naturellement, on ne se permettait la moindre familiarité avec lui.

Par ses relations avec son entourage nous voyons donc quelques traits essentiels du caractère de Richelieu : la sincérité, la franchise, la droiture, la bonté. Il n'y a pas trace ici en lui du personnage de mélodrame qu'a créé la légende : sombre, perfide, fourbe, cruel, atrabilaire, despotique, cynique !

C'est qu'en effet il n'est rien de tout cela. C'est un gentilhomme, un prélat, un Français de tradition, d'éducation, d'instinct et très intelligent. Quelque surprise que puissent éprouver ceux qui cherchent chez les grands hommes des déformations morales pittoresques, il n'y a pas de doute qu'à lire attentivement ses écrits et à suivre de près ses actions, on est amené à la certitude que Richelieu est, dans le meilleur sens du mot, un « honnête homme », soucieux de bien faire et de ne rien faire surtout qui soit contraire aux lois de l'honneur, de la probité, aux règles divines et humaines. On lui a reproché de son vivant d'avoir « fait montre d'une grande vertu et d'une grande sincérité », sous prétexte qu'il était « merveilleux à donner de soi telles impressions qu'il voulait ». Ce reproche vaut un témoignage.

Des mots de lui caractérisent son âme, en définitive élevée, sereine, tout entière à son devoir, à la grandeur de son Roi, à l'intérêt de la France, et qui n'a eu, comme le constate l'ambassadeur vénitien Contarini, « aucune bassesse dans l'esprit ». Il répétera souvent : « Chacun n'est honoré que de ce qu'il mérite d'être. » Pour lui, « la netteté et la franchise sont les meilleurs moyens dont on puisse se servir ». Il protestera un jour dans une lettre au cardinal de La Valette du 24 mai 1629 de son souci scrupuleux de la loyauté : « Vous me connaissez trop, lui dira-t-il, pour croire que je sois personne à donner des assurances ou espérances sous main contraires à ce à quoi je suis obligé. Le si peu de cœur que Dieu m'a donné ne me permet pas un tel procédé quand même il irait de ma vie ! » Et ailleurs il dira : « J'ai pour maxime de dire franchement ce que je veux et de ne vouloir que la raison. Les caracols inutiles ne sont plus bons pour un homme de mon âge qui va droit à ses fins. »

Avant tout il tient à l'honneur. « Tout homme de bien, écrit-il en décembre 1630, doit mépriser sa perte pour l'intérêt de son honneur ! » Qu'on prenne garde aux engagements que l'on contracte et aux traités que l'on signe. Mais dès que la signature est donnée, il faut « l'observer avec religion ». « La perte de l'honneur est plus que celle de perdre la vie. Un grand prince doit plutôt hasarder sa personne et même l'intérêt de son État que de manquer à sa parole. » « La réputation est la plus grande force des souverains ! »

Après l'honneur, le bien public. Richelieu professe qu'un homme d'État né pour les grands desseins et décidé à tout y consacrer : esprit, cœur, ambition, ne doit se proposer qu'un seul objet : l'intérêt général, à l'exclusion de tout autre, soit personnel, soit de parti. C'est l'unique fin ! Et il affirmera avec fierté dans son *Testament politique* qu'il s'est lui-même détaché scrupuleusement de tout ce qui n'était pas cet intérêt général, pour ne se consacrer qu'à la France. Le Masle des Roches, son intendant, a écrit de lui : « Son cœur étoit du tout français », et le prince Henri de Condé, père du grand Condé, le proclamait aussi dans un discours d'ouverture aux États de Languedoc, à Toulouse, le 2 mars 1628, lorsqu'il disait, parlant du cardinal : « La France le reconnaît sans autre intérêt dans l'État que de bien servir et sans autre but que d'acquérir de la gloire au Roi, et, à lui, la réputation de bon Français. » Les familiers ont parfaitement compris à quel point le cardinal pensait à « la France ». L'évêque de Sarlat Lingendes dira de lui après sa mort : « Il n'a aimé la vie que pour servir Dieu et sa patrie. » « Il les a servis avec affection et noblesse. » D'avance Richelieu avait confirmé cet éloge lorsqu'il disait mélancoliquement à ses amis, vers la fin de son existence, dans les lentes promenades de Rueil : « D'autres peut-être, serviront mieux le Roi que je n'ai fait, mais non avec plus d'amour et de fidélité ! »

Ainsi, son ambition, car il en avait une, et passionnée, et ardente, ne visait qu'à employer toutes ses facultés au service de l'État. Ne s'y mêlait-il pas tout de même quelque souci de gloire personnelle ? Il a écrit : « La renommée est propre à payer les grandes âmes ! » Il n'y était donc pas insensible ! Mais comme il arrive dans les natures supérieures qui ne sont pas dupes des vanités, il redoutait la présomption. « La présomption, a-t-il écrit dans son *Testament politique*, est un des plus grands vices qu'un homme puisse avoir dans les charges publiques. » Il ajoutait : « Si l'humilité n'est requise dans ceux qui sont destinés à la conduite des États, la modestie leur est tout à fait nécessaire. » Au dire de son entourage, il étonnait un peu les siens par la simplicité avec laquelle il réduisait à peu de chose le bruit éclatant qui se faisait autour de son nom. Il ne semblait pas se rendre compte de la célébrité extraordinaire qu'il s'était acquise. Écho de ses conversations à cet égard, Abra de Raconis écrivait : « Jamais homme, en une vie plus longue que la sienne, n'a fait tant et de si grandes actions, et, néanmoins, personne ne s'en est moins élevé ni n'a plus témoigné d'appréhension de se méprendre aux choses mêmes qui n'étoient pas seulement dans l'approbation, mais dans l'admiration de tous ceux qui en pouvaient juger plus sainement. » Et le même confident raconte comment, un soir, ses amis l'entretenant de tant de grandes choses qu'il avait accomplies depuis qu'il était au pouvoir, des honneurs insignes que le Roi lui avait décernés pour reconnaître ses services, de sa renommée universelle, des éloges sans nombre dont il était l'objet de toutes parts, Richelieu, en réponse, hochait la tête, parlait de la vanité, de la fragilité de la gloire, que le monde idolâtre, disait-il, qui ne s'obtient qu'avec une peine infinie, ne s'assure qu'au milieu de tourments perpétuels et s'évanouit ainsi qu'une fumée à la mort! Et il ajoutait, continue l'évêque de Lavaur, « avec cette grâce de parler qui lui était toute singulière », qu'il resterait peut-être encore sur « ce haut théâtre » six ou sept ans, puis que la fatigue, la lassitude ou la mort l'en feraient descendre et il ferait place à d'autres qui peut-être agiraient mieux que lui. Et il revenait alors à l'idée de la mort en termes faisant comprendre à quel point il y pensait, « et nous nous regardions les uns les autres, achève Raconis, avec pareille admiration de la grandeur, de la vertu, de l'éminence de son esprit et de la douceur de son éloquence! »

Modeste, Richelieu l'était donc dans un certain sens.

Il ne se croyait pas tellement supérieur aux autres hommes. Il ne cachait pas qu'il avait besoin des avis et des conseils des autres. Nombre de lettres de lui témoignent qu'il n'aimait pas décider seul, qu'il consultait. « Il me fasche, écrivait-il un jour à Servien, secrétaire d'État, d'être seul à résoudre des affaires de si grande importance ! » Il convoquait ses collaborateurs du gouvernement afin, disait-il, « que nous prenions ensemble une bonne résolution ». Et au conseil du Roi, on délibérait sérieusement, chacun donnait son avis motivé, librement, à son rang. Richelieu qui donnait le sien le dernier, n'imposait rien, défendait avec chaleur ses propositions et, lorsque les avis se partageaient, Louis XIII tranchait. Il faut dire qu'il est arrivé souvent au Roi — et c'est son honneur — que voyant le cardinal seul ou à peu près seul de son sentiment, dans des cas difficiles, il se prononçait pour lui délibérément.

Cette modestie sera contestée par ceux qui songeront aux éloges dithyrambiques dont les libellistes qui écrivaient en sa faveur, et, pense-t-on, sur son ordre, l'accablaient. Il faut opposer à cette objection quelques témoignages directs. C'est Chavigny, par exemple, secrétaire d'État, homme de confiance — et même on a dit fils — du cardinal qui, écrivant un jour au ministre et lui parlant de sa nièce madame d'Aiguillon, sa parente préférée, la qualifiait de : « la plus habile femme et la meilleure que j'aie jamais connue », ajoutant : « Je sais que Votre Éminence n'aime pas de semblables exagérations. » Abra de Raconis confirme ce sentiment de Richelieu. Il constate que les éloges agacent le cardinal, soit qu'il les trouve exagérés ou faux, soit que le genre même le crispe comme une faute de goût. « Il ne pouvoit souffrir d'être loué », écrit-il. Dans les cérémonies publiques, lorsque quelqu'un, au cours d'une harangue, le couvrait de fleurs en termes excessifs, on sentait Richelieu énervé, écoutant avec peine et le plus souvent, « comme je l'ai vu plusieurs fois », ajoute Raconis, d'avance il envoyait « l'ordre exprès de sa part de s'abstenir de le louanger ». Balzac, de son côté, remarque aussi que Richelieu, « sage et modeste », dit-il, n'aimait pas les éloges outrés. Il devait le savoir par expérience, lui qui n'avait pas hésité dans certains écrits à exalter le cardinal. Le président de Bailleul, aussi bien informé des dispositions de Richelieu, lui écrivant le 19 avril 1630 pour lui faire part de la satisfaction générale de l'opinion à Paris devant les grands succès politiques qu'il remportait, ajoutait : « La modération avec laquelle vous voulez que l'on parle de vos actions m'a souvent imposé silence. » On sait que lorsque Richelieu lut dans le projet de statuts de l'Académie française un article 5 où il était dit que « chacun des académiciens promettoit de révérer la vertu et la mémoire de Monseigneur leur protecteur », il le fit aussitôt effacer avec humeur. Enfin dans les minutes de ses lettres rédigées par son secrétaire Charpentier et que corrige le cardinal, nous le voyons biffer à tout moment ce qui de près ou de loin pourrait ressembler à la moindre expression de vanité personnelle, comme des mots tels que : « Les services que j'ai rendus au Roi et à l'État. » Ces textes paraissent assez nets. Ils se concilient évidemment mal avec la thèse contraire exprimée ainsi par l'ennemi le plus acharné qu'ait eu Richelieu, Mathieu de Mourgues, lorsqu'il écrit au cardinal : « Vous êtes la personne du monde qui se laisse le plus piper par les louanges : les plus infâmes flatteries sont les meilleures pour vous! »

Cette question de la sincérité des sentiments de Richelieu nous mène à celle de sa religion. On l'a accusé d' « impiété », d' « athéisme ». D'après l'auteur de la *Lettre de M. le cardinal de Lyon à M. le cardinal de Richelieu*, de 1631, son athéisme même aurait été destiné à s'atténuer par sa conversion imminente au calvinisme. Pour l'avocat Gaultier, qui prendra à partie violemment Richelieu, après sa mort, dans le procès de la duchesse d'Aiguillon contre le duc d'Enghien, tout compte fait, le cardinal n'aurait eu « qu'une foi de protestant »; et Mathieu de Mourgues dira que Richelieu ne croyait pas à l'immortalité de l'âme. Quant au cardinal de Retz, expert en la matière, il veut bien concéder que Richelieu « avait seulement assez de religion pour ce monde ».

A ces insinuations, il n'est que d'opposer d'abord le détail de la vie quotidienne religieuse de Richelieu tel qu'il a été recueilli par l'historien Aubery d'après les témoignages du personnel de l'entourage du cardinal.

Richelieu, qui travaille la nuit de deux heures à cinq heures le plus souvent, se lève le matin entre sept et huit. Il prie Dieu, dit Aubery, travaille, reçoit, entend la messe vers dix ou onze heures. Le soir il se retire vers onze heures, se met à genoux à la ruelle de son lit, se recueille, et fait ses prières qui durent environ une demi-heure. Il se confesse et communie tous les dimanches. Il célèbre la messe seulement aux grandes fêtes et aux fêtes de la Vierge, ce qui est l'usage courant des prélats au XVIIe siècle : Bossuet lui-même ne célébrera pas la messe tous les jours, ni même tous les dimanches. Le confesseur de Richelieu, son maître de chambre, son aumônier, ses officiers des gardes et ses valets de chambre disent que, lorsqu'il célèbre la messe, il la célèbre pieusement, avec « une dévotion exemplaire », observe le Père Joseph. De temps en temps il fait prêcher dans sa chambre, et au moment des fêtes de Pâques, il se retire dans un monastère afin d'y passer le temps pascal dans le silence, le repos et le recueillement.

Il a eu quelques curieux scrupules. Nous savons que, devenu ministre, il a voulu obtenir de Rome l'autorisation spéciale d'assister aux conseils du Roi où on discuterait des résolutions relatives à des causes criminelles pouvant entraîner des « effusions de sang ». Bérulle, chargé de cette tractation, lui a rapporté la dispense sollicitée en février 1625, sous la forme d'un bref. Une affaire plus délicate a été celle du bréviaire. Évêque de Luçon, Richelieu avait recommandé à ses prêtres de s'acquitter avec conscience du devoir de l'office quotidien. Devenu ministre, accablé d'affaires, souffrant de ses migraines intolérables, il lui a été impossible de remplir lui-même cette obligation. Il a voulu en avoir l'autorisation régulière du pape, moyennant, proposait-il, une aumône assez élevée pour pouvoir fonder à Paris un séminaire destiné aux Écossais. Le pape, Urbain VIII, a commencé par dire non ! L'évêque d'Orléans, a-t-il répondu, lui avait demandé la même faveur et il la lui avait refusée. Est-ce que lui, pape, qui avait toutes les affaires de la chrétienté sur les bras, s'en dispensait ? Ne disait-il même pas la messe presque tous les jours ? Puis finalement le pape avait cédé et accordé l'autorisation de vive voix, à condition que Richelieu s'engageât au moins à dire tous les jours l'office plus court de la Croix. Richelieu avait voulu avoir de cette autorisation une attestation écrite de la main du pape ou de son théologal. Il ne la publierait pas, mais il aurait sa licence en règle pour ceux qui se scandaliseraient. Rome avait cédé. On jasa beaucoup à Paris de ce que Richelieu ne disait pas son bréviaire.

L'athéisme de Richelieu ne paraît pas vraisemblable. Cette affirmation, comme celle de ses prétendues tendances au calvinisme, en réalité, provenaient de l'indignation que causaient au parti des catholiques ardents, survivants de la Ligue, les sentiments du cardinal à l'égard de la liberté de conscience des huguenots. Si Richelieu a toujours traqué le parti politique des protestants en tant que sujets rebelles, formant un État dans l'État, prenant les armes contre le Roi, la paix faite, fidèle à la tradition qu'avait établie Henri IV, que Louis XIII entendait scrupuleusement maintenir et qui était devenue comme une loi fondamentale du royaume, il a toujours été d'avis, avec le Roi, par politique nécessaire et par sentiment personnel, de laisser les hérétiques croire et pratiquer paisiblement leur religion. Nous avons la preuve de ses propres dispositions à cet égard dans le récit que fait M. de Navailles racontant au cours de ses *Mémoires* comment, un jour, M. de Charost ayant proposé à son père de le faire prendre comme page, lui, Navailles, chez le cardinal, et le père, qui était huguenot, lui objectant qu'il n'y parviendrait certainement pas puisque l'enfant — qui avait quatorze ans — était lui aussi « de la religion », Richelieu prévenu avait fait dire à M. de Navailles qu'il se rassurât et que le jeune page « aurait chez lui une entière liberté de conscience ». « J'y entrai, ajoute Navailles, et il se passa un assez long temps sans que personne ne me dît rien sur ma religion. » Il en était d'ailleurs de même dans la maison de Louis XIII, qui suivait en cela l'exemple de son père.

C'est ce sentiment de tolérance, si détesté de ceux du parti des « zélés » réclamant avec véhémence la destruction de l'hérésie en France, qui, ajouté à bien d'autres causes, faisait mettre en doute chez ses ennemis, de bonne foi ou non, les convictions religieuses de Richelieu. Peu de grands ministres d'ailleurs ont été l'objet, de leur vivant, d'autant d'attaques violentes, de calomnies variées, d'injures ou d'insultes diverses que Richelieu. On lui a tout reproché : son excessive puissance, son ambition, son ingratitude. On a dit de lui qu'il était orgueilleux, insolent, sans foi, traître, dissimulé, vindicatif, avare, infâme, — nous nous bornons à recueillir dans les pamphlets les aménités qui s'y étalent. — Il avait banni, emprisonné, fait tuer des quantités de gens; institué à Paris une véritable terreur par une tyrannie sans pareille, grâce à laquelle la Bastille était toujours pleine et le bourreau perpétuellement occupé. Il avait empoisonné des personnages éminents, versé le sang des plus illustres familles de France. L'avocat Gaultier s'écriera après sa mort : « On voit partout les tristes restes de la désolation qu'il a portée en tant de lieux et sa violence est écrite dans le registre des cours souveraines d'un style de *fer* et d'une encre de *sang* qui épouvantera la postérité ! » Ainsi Richelieu était « un homme de fer et de sang », on ajoutait : « le fléau de Dieu »; « il déshonorait la France »; il entendait « usurper la monarchie ! » Et la plus basse grossièreté s'en mêlant, on allait jusqu'à le traiter de « mauvais homme », de « rustre », de « racaille », de « drôle ! » Cette littérature donne le ton des outrages sans nom dont Richelieu a été abreuvé.

Et devant un tel débordement, quelle était, au dire de son entourage, son attitude ? La patience et la résignation ! « C'est l'ordinaire, disait-il tristement, de trouver toujours à redire à ce que font les personnes publiques et plus en France qu'en autre État du monde, effet de la légèreté des propos, de la liberté de parler depuis longtemps pratiquée dans le royaume, du mépris ordinaire des gens pour le gouvernement et du besoin quotidien de le décrier ! » Il répétait mélancoliquement : « L'envie est née de la corruption des hommes. » — « J'aime mieux être blâmé pour faire bien qu'aimé pour faire mal. » Et tout de même, un jour où il avait été blessé plus profondément, il se relevait et, fièrement, il écrivait à Bouthillier le 27 février 1630 : « Ce m'est gloire d'être en butte à tout le monde pour le service du Roi ! Grâce à Dieu ce qui me console est que je n'ai pas un seul ennemi pour mon particulier, que je n'ai jamais offensé personne que pour le service de l'État, en quoi, je ne fléchirai jamais, quoiqu'il me puisse arriver ! » Belles et fortes paroles !

Et c'était dans la religion qu'il cherchait la consolation et le réconfort. « Il faut se laisser calomnier et passer outre », écrivait-il en 1626. Il mandait en 1630 au garde des sceaux Michel de Marillac se plaignant des injures dont il était l'objet : « Vous savez comme j'en ai été moi-même persécuté. Il n'en faut faire aucun état ; elles exercent ceux contre qui on les répand et servent à la gloire de ceux à qui on veut nuire. » Un ministre, a-t-il écrit dans son

Testament politique, doit savoir « qu'il n'appartient qu'aux grandes âmes de supporter les calomnies que les méchants et ignorants imputent aux gens de bien, sans dégoût et sans se relâcher du service qu'on est obligé de leur rendre ». Quelque effort que l'on fasse, le public ne vous rendra pas justice. « Les grands hommes qu'on met au gouvernement des États sont comme ceux qu'on condamne au supplice, avec cette différence que ceux-ci reçoivent la peine de leurs fautes et les autres de leurs mérites. » Il fallait donc se résigner en silence et accepter la volonté divine! Le garde des sceaux Marillac lui écrivait le 4 février 1630 : « J'ai appris de vous un rare exemple de patience aux médisances publiques : je la demande à Dieu de tout mon cœur. » Richelieu disait à Chavigny : « En toutes choses une confiance générale en Dieu est un meilleur remède que toutes les thériaques du monde. » Et il priait les ecclésiastiques de son entourage de lui trouver dans l'Écriture les passages qui se rapportaient à ses épreuves pour se fortifier et se consoler. Il se réfugiait dans la pensée de la mort; il la considérait comme une délivrance! Dans ses conversations, nous dit Raconis, il répétait : « Il faut marcher courageusement dans les sentiers épineux de la vie et recevoir la mort avec résolution quand elle se présentera, ne l'appeler pas pour finir une vie que votre faiblesse vous rend insupportable, mais aussi ne la fuir pas quand elle viendra à vous, comme si vous n'aviez rien à espérer après cette vie mortelle. » Et il terminait, songeant à la manière obscure dont nos existences se déroulent au milieu d'événements imprévisibles et d'éventualités inattendues : « Nous ressemblons aux bateliers qui tournent le dos au lieu où ils tâchent d'aller : nous éloignons autant que nous pouvons la pensée de la mort et ne faisons pourtant autre chose que d'y marcher! » — « C'étaient là, achève Raconis, les pensées les plus fréquentes qui passoient par l'esprit de notre grand et très pieux cardinal! »

Richelieu n'était certainement pas « un athée! »

Puis, après tout ce que nous venons de dire de ses sentiments, de sa santé, de l'accablement des affaires, de son goût de solitude, de ses habitudes de vivre hors de Paris, de son existence quotidienne si occupée et entourée, y a-t-il quelque vraisemblance dans l'accusation qui a été formulée contre lui d'une vie dissipée et légère, d'aventures romanesques? Il existe, manuscrites ou imprimées, un nombre notable d'*Histoires des amours du cardinal de Richelieu*. Dans son *Testament politique*, Richelieu a écrit qu'il n'y avait rien de plus dangereux pour un homme public que ce qu'il appelle : « l'attachement pour les femmes » : « Il faut être libre, ajoutait-il, de semblables attachements. » Vaguement ses ennemis ont commencé par dire « qu'il avait aimé les voluptés dans sa jeunesse » et qu'évêque de Luçon, « il s'étoit voulu mettre dans l'amour ». Mais l'entourage du cardinal observait que si ses ennemis avaient eu des faits précis à articuler, ils « n'étoient point si modestes qu'ils ne se fussent retenus d'en dire ce qu'ils en savaient ». Et ils n'ont rien précisé. On a raconté que, simple abbé, Richelieu avait vécu « assez familièrement » avec madame Bouthillier, femme de l'avocat de la famille, habitant à Paris, rue de l'Éperon, où il était reçu et que de là serait né M. de Chavigny. Nous avons une nombreuse correspondance du cardinal avec les Bouthillier : il n'y a pas trace directe ou indirecte de la vraisemblance du fait, qui d'ailleurs n'a jamais été prouvé.

On a répété que Richelieu avait aimé Anne d'Autriche. M. de Chizay assure que le bruit du moins de cet amour courait et qu'Anne d'Autriche s'en moquait. Le garde des sceaux Châteauneuf signalant à Richelieu que madame du Fargis était une de celles qui contribuaient le plus à répandre ce bruit, qualifiait ces propos de « résultats de l'effronterie diabolique de cette femme qui savoit mieux que personne la fausseté de ce qu'elle disait ». Plus tard, le Père Caussin se fera l'écho, toujours d'après madame du Fargis, de ces prétendus amours du cardinal et de la Reine et Richelieu indigné mettra en marge de cette information : « Cela justifie la plus noire et damnable malice qui ait jamais été! Il m'accuse d'une chose fausse sur la simple relation d'une personne qui est convaincue de plusieurs faux serments! » Madame de Motteville, confidente d'Anne d'Autriche, dira vrai, lorsque faisant allusion aux relations orageuses de Louis XIII et de Richelieu avec la jeune reine, à propos des imprudentes correspondances secrètes de la princesse en Espagne, elle écrira, au sujet des prétendues amours du cardinal : « Les premières marques de cette affection ont été les persécutions qu'il lui fit. On vit durer cette nouvelle manière d'aimer jusqu'à la fin de la vie du cardinal. Il n'y a pas d'apparence de croire que cette passion causât de si étranges effets dans son âme! » Elle avait raison.

Les pamphlétaires ont prêté à Richelieu madame de Chevreuse. Comme madame de Chevreuse a toujours cordialement détesté Richelieu et a passé sa vie à intriguer contre lui, subissant de ce fait des exils prolongés, il faudrait de meilleures autorités pour croire à un attachement sentimental entre les deux personnages.

Celui qui a été le plus prolixe c'est encore le cardinal de Retz. Il en jugeait sans doute par lui-même. D'après lui, Richelieu aurait eu madame du Fargis chez laquelle l'auraient mené « en habit de couleur » Buckingham et M. de Pienne, tous deux amants de la dame; Marion de l'Orme, Marie de Cossé-Brissac, duchesse de La Meilleraye, « qui ne l'aimait point, l'estimant, dit Retz, encore plus vieux par ses incommodités que par son âge » (cinquante-quatre ans) et « pédant en galanterie, ridicule ». M. de Chizay ajoute la duchesse de Chaulnes. Gui Patin, pour couronner, parle de la duchesse d'Aiguillon, la propre nièce de Richelieu. En l'absence du moindre commencement de preuve de ces affirmations dont on n'a pas l'ombre d'un indice, l'histoire ne peut retenir ces fantaisies incertaines. C'est aux partisans de ces contes à en prouver la véracité.

Mais si le *Mercure françois* de 1629 s'indignant des calomnies des pamphlétaires, au sujet de Richelieu, se portait garant de « la pureté de sa vie », il ne faudrait pas cependant se faire du cardinal l'idée d'un personnage austère, menant sous la pourpre une vie sévère de moine. Il avait des côtés de grandeur et de magnificence qu'il faut aussi indiquer.

Ainsi que tous les grands ministres de l'ancien régime, Richelieu a été extrêmement riche. Chose singulière, on a peu mis en cause à ce sujet son honnêteté, comme si l'on supposait qu'il ne dût sa fortune qu'à des moyens réguliers. Richelieu n'a pas été en effet un homme d'argent dans le sens spécial d'un homme avide et intéressé, comme a été Mazarin. Il n'entendait rien, d'ailleurs, aux finances, pas plus aux siennes propres qu'à celles de l'État. C'était à son intendant Le Masle, prieur des Roches, qu'il abandonnait le soin de gérer sa fortune. Lui, il dépensait sans compter : il n'y regardait pas. Il répétait : « Il est nécessaire de fermer les yeux à la dépense. » Il les avait toujours fermés. Lorsqu'il était entré au service de Marie de Médicis en 1617, il déclare lui-même qu'il avait de patrimoine, en fonds de terre, venu de tous ses parents après de longues liquidations et des procès, 25 000 livres de rentes, et la même somme en bénéfices ecclésiastiques, en tout 50 000 livres de revenus. Marie de Médicis qui s'était vivement attachée à ce jeune prélat, l'avait, par une tendance fréquente chez des personnes de son genre, comblé de bienfaits. Richelieu a reconnu que « s'il dépensait grandement, il ne subsistait que par des libéralités de la Reine mère ». Dès que Louis XIII après l'avoir pris dans son conseil, avait apprécié sa valeur et constaté les très grands services qu'il lui rendait, il avait imité sa mère, et, comme elle, multiplié ses donations à son ministre. Ainsi se sont accumulés pour Richelieu, sans qu'il les ait sollicités, les revenus, dans des proportions telles que, inquiet, un jour, et sa conscience s'alarmant, il avait décidé de refuser dorénavant ce qu'on lui offrirait et même de renoncer à des profits qu'il eût pu légitimement recueillir tels que, ainsi qu'il l'explique dans un document de 1629, 100 000 pistoles que des financiers, suivant l'usage, lui offraient; les gages annuels de l'amirauté dont il avait pris la charge, 40 000 livres; les bénéfices de ses fonctions de grand maître de la navigation, 100 000 écus. Il déclinera l'offre de 20 000 écus de pension extraordinaire nouvelle que le Roi voudra lui donner, des abbayes que Louis XIII lui réservait, se contentant, disait-il, de six grandes abbayes qui lui avaient été déjà attribuées, dont Cluny, Marmoutiers, La Chaise-Dieu.

Cet argent qui s'accumulait ainsi dans ses coffres, Richelieu le dépensait largement, magnifiquement. Il avait des goûts de grand seigneur. Il a acheté des domaines comme Limours, Bois-le-Vicomte, Rueil; il y a bâti. Il a construit : à Paris, l'hôtel de la rue Saint-Honoré; en Poitou, le château de Richelieu. Il tenait au luxe. Il voulait porter des vêtements élégants. Pontis nous a décrit son costume dans la campagne d'Italie de 1630 : cuirasse de couleur d'eau, habit de ton de feuille morte aux broderies d'or, grande plume au chapeau, l'épée au côté. En voyage, trente mulets chargés l'accompagnaient. Une belle litière le suivait doublée de « drap de Monsieur écarlate de Hollande ». Richelieu tenait à avoir du linge très fin, nous le savons par une lettre que lui écrit Bullion.

Dans sa maison il voulait toutes les opulences des personnages du plus haut rang. Il se fit envoyer d'Italie des tableaux et des statues. Il goûtait Philippe de Champaigne et appréciait la tenue et la sincérité de sa peinture : il le chargera de décorer ses appartements du Palais Cardinal. Il se procurera de beaux meubles, de superbes tapisseries des Flandres, des tentures somptueuses, tout un luxe presque royal.

Son train de maison était celui d'un très grand seigneur : il avait des gentilshommes, des secrétaires, des estafiers, des officiers, une garde comme les grands gouverneurs de province du temps, tel le duc d'Épernon, une musique, 36 pages. Ses ennemis prétendront que lorsqu'il venait au Louvre, ce n'était pas sans peine qu'il sortait de sa maison tellement elle était encombrée de courtisans et que la rue était à ce point remplie de carrosses que la foule se méprenant criait : « Vive le Roi ! »

Ce sens de l'apparat qui correspondait d'ailleurs aux habitudes du temps et à une politique habile, s'alliait chez Richelieu avec les goûts délicats d'un esprit raffiné et cultivé. Il était très instruit, parlait latin, composait élégamment dans cette langue, savait l'espagnol, l'italien, le grec. Il avait énormément lu. On voyait au château de Richelieu en Poitou, dans la salle dite de M. le Cardinal, qui précédait sa chambre, un emblème peint représentant une lunette d'approche au travers de laquelle un œil regarde et autour, la devise : *Eminus prospicienti nihil novum.* Richelieu songea à réunir une conférence à l'Arsenal pour fixer « le premier méridien d'où l'on commence à compter les degrés de longitude ». Il eut l'idée de créer une école des sciences politiques d'où, en sortant, « on eût pu entrer dans les plus importantes charges de l'État ». Il avait même désigné d'avance le directeur, M. de La Ménardière. Nous avons le catalogue de sa bibliothèque. Ses préférences vont visiblement à l'histoire, à la description des différents pays de l'Europe, à la philosophie, à la médecine, pour ce qui concerne plus spécialement les passions de l'âme et l'intelligence.

Il aimait les vers et le théâtre. Nous avons expliqué ailleurs (*Revue des Deux Mondes*, avril 1923), à propos de ses rapports avec Corneille, — qu'il n'a pas le moins du monde jalousé, comme on l'a dit, au contraire, qu'il a profondément admiré, comblé de faveurs et dont il a fait jouer le *Cid* sur son théâtre du Palais Cardinal, — dans quelle exacte mesure — étant donné ses occupations innombrables — il avait pu s'occuper de composition de tragédies et y participer.

Surtout il avait un talent de parole remarquable. Appelé à s'expliquer devant des assemblées — notables, clergé, — à convaincre et improviser, il a fait preuve de qualités éminentes de sobriété, de force, de netteté et de « grâce naturelle ». On l'a vu plusieurs fois, écrit un contemporain, répondre *ex abrupto* à des discours sans oublier un seul des points qui avaient été traités devant lui et cela avec une habileté telle que les auditeurs en demeuraient « surpris ». Pellisson raconte, d'après le récit que lui en a fait Conrart, une réception accordée par Richelieu à une délégation de l'Académie française venant le voir à Rueil. M. de Serizay, directeur de l'Académie, lit une harangue. Richelieu répond, et, dit Conrart, il a répondu comme s'il avait lu d'avance le discours qu'il venait d'entendre et qu'il eût préparé avec soin tout ce qu'il aurait à dire. Sa réponse était faite avec tant de grâce, « de civilité, de majesté et de douceur qu'elle ravissait d'admiration tous ceux qui s'y trouvaient ». Richelieu eût été un orateur parlementaire moderne excellent car non seulement il pouvait charmer ses auditeurs par sa diction élégante, mais il savait aussi les persuader et les gagner par la force, le nombre de ses arguments et surtout l'habileté souple et enveloppante avec laquelle il les amenait à ses conclusions. Nous avons les impressions d'un auditeur assistant à un de ses discours. Richelieu entre à l'assemblée des notables de 1626. Son port, sa démarche harmonieuse pleine de dignité et de grandeur, frappent, dit notre auteur, tout le monde. Il parle. Son discours est « si fluide », ses raisons si nerveuses, si solides, et les résolutions qu'il propose ont tellement l'apparence « de lois et d'oracles » qu'il donne à tous le regret que son discours soit trop bref. Le cardinal, continue-t-il, n'est pas seulement « puissant » par la force de ses arguments, mais il met à les présenter tant de « dextérité », qu'insensiblement les gens « les plus farouches » et « les plus contraires à ses sentiments » cèdent étonnés et se rangent à ses avis. Quelle assemblée politique moderne ne goûterait ou ne redouterait pareil orateur !

Mais il y a encore dans cette nature si complexe d'autres côtés ! On les lui a beaucoup reprochés.

Nous avons dit que Richelieu avait un tempérament extrêmement aristocratique. Ses adversaires n'ont pas manqué de s'en prendre à cette disposition pour lui faire un crime de ce qu'ils ont appelé son arrogance, son naturel hautain et son insolence méprisante.

Du fait de son état de santé et des soucis qui l'obsédaient il était, nous l'avons dit, inégal d'humeur, tantôt aimable, tantôt froid, sans qu'on sût pourquoi, terrible grief contre un puissant qui se crée par là des inimitiés irréductibles. On ignorait qu'il était ainsi pour tout le monde, même pour sa famille, ses serviteurs, ses familiers, qui, le sachant, ne s'en formalisaient pas. Richelieu le sentait. Il en souffrait.

Richelieu avait ensuite des colères. Nous avons expliqué qu'en général il se tenait. Mais, au cours d'une discussion, devant un détail soudain l'irritant, il lui arrivait de ne pouvoir se contenir. Alors apparaissait ce qu'un ambassadeur étranger appelle « sa nature de feu, sèche et furieuse ». Son nez se pinçait, son front se ridait, il pâlissait, ses lèvres tremblaient; la colère était brusque, courte et forte. Richelieu écrivait à l'archevêque de Bordeaux en 1632 : « Mes colères ne sont fondées qu'en raison. » Étaient-elles donc voulues? Peut-être, pour quelques-unes, car on le voit, dans certaines circonstances, par suite de brusques considérations nouvelles qui s'imposent à son esprit, s'arrêter soudain et reprendre un calme froid. Mais ces sorties lui faisaient du tort auprès de beaucoup de gens.

On l'a accusé d'être fourbe. Les ambassadeurs étrangers prétendent qu'il savait donner de bonnes et courtoises paroles et qu'on ne pouvait pas compter sur lui. C'est le rôle, hélas! des diplomates de tous les temps d'être obligés de dire des mots conciliants qu'on prend pour des assurances et de ne pouvoir agir ensuite comme l'interlocuteur l'imaginait. On disait de lui : « Il ne fait point ce qu'il dit, ne dit point ce qu'il fait et n'accomplit point ce qu'il promet. » Difficile situation!

On a reproché encore à Richelieu des imprudences, des imprévoyances dues à l'agitation impatiente de son esprit. Impatient, il l'était, lorsque les choses n'allaient pas comme il le voulait. Il attribuait les retards à ce qu'il appelait « les longueurs de France », c'est-à-dire la légèreté des uns, la négligence des autres, le manque de conscience de beaucoup. Pour ce qui est de ses imprudences, elles étaient dues, assurait-on, à ce que Richelieu entreprenait trop de choses à la fois, voulait les voir aboutir à la hâte, et ne les examinait pas avec assez d'attention. Ses adversaires accusaient alors le cardinal d'être téméraire, hasardeux, de concevoir des « projets infinis » et de ne pas les achever, surtout d'être brouillon et d'empêtrer l'État dans des multitudes de mauvaises causes, allant « comme le singe qui ne sait pas marcher droit ». A tout cela le fils du secrétaire d'État, Brienne, devait répondre : « Je sais de feu mon père que le cardinal de Richelieu étoit un très habile négociateur, fort prévoyant et qui ne faisoit guère de fautes ou les réparait sagement. » Les résultats semblent donner raison à cette appréciation.

Car aujourd'hui, à distance, dégagé des animosités du temps, on est bien obligé de reconnaître ce qu'il y avait dans les entreprises de Richelieu d'essentiellement réaliste, concret et remarquablement judicieux. Il ne se préoccupait pas dans la direction des affaires de l'État de se donner comme programme de grandes théories imaginatives, construites, *a priori*, fût-ce en invoquant par exemple le passé. « Le passé, disait-il, ne se rapporte pas au présent et la constitution des temps, des lieux et des personnes est différente. » Il se méfiait de ce qu'il appelait « les capacités pédantesques », les « trop grands esprits », c'est-à-dire les intelligences « abondantes en pensées, fertiles en inventions », exposées par là à de faux jugements ou « si variables en leurs desseins que ceux du soir et du matin sont toujours différents ». Il ne s'occupait que des faits réels immédiats, ceux qui étaient à régler dans le cadre des événements généraux de l'heure. Il a eu au plus haut point ce qu'on appelle « le sens des réalités ». Il n'a pas songé à de vastes réformes de l'État destinées à réaliser une perfection idéale. « Nous, Français, disait-il, sommes mal propres à l'austère perfection. » — « Le temps est père de toute corruption. » — « Dans une ancienne monarchie dont les imperfections ont passé en habitudes, le désordre fait, non sans utilité, partie de l'ordre de l'État. » On croirait qu'il y a de l'ironie dans cette observation. Ce n'était chez Richelieu que la constatation d'une vérité d'expérience.

Il n'a pas été un précurseur. Il n'a pas prévu les temps modernes. S'il a utilisé des assemblées en vue d'une action à exercer sur l'opinion publique, ses sentiments à l'égard de grandes réunions délibératives ont été plutôt défavorables. « La raison en est, disait-il, que comme les bons esprits sont beaucoup moindres en nombre que les médiocres ou les mauvais, la multitude de ceux de ces deux derniers genres étouffe les sentiments des premiers dans une grande compagnie. »

Il n'a voulu s'appliquer qu'à des entreprises qui ne fussent ni vaines, ni chimériques, mais immédiatement nécessaires, s'imposant, et, par ailleurs, réalisables. Pratiquement il professe qu'il faut être attentif à tout et bien « profiter de tout »; car, « en politique, ajoute-t-il, on est plus conduit par les nécessités des choses que par une volonté préétablie », ce qui est la réponse au mot de Mignet qu'il « a eu les intentions de tout ce qu'il a fait ». Esprit positif, il a agi en conséquence. Voyons brièvement les grands projets qu'on lui a prêtés.

On lui a attribué l'idée de la réalisation des « frontières naturelles » de la France. Nous avons montré ailleurs (*Revue historique*, 1921, t. CXXXVIII) à propos de l'Alsace, que sa pensée fondamentale comme celle de tous les juristes du temps a été que le Roi ne pouvait désirer acquérir que des territoires sur lesquels il eût des droits sûrs, établis par des titres certains : privilèges de souveraineté (ainsi en Lorraine), héritages, donations, achats, traités. Ces juristes, les Dupuy, les Godefroy, les Lebret, les Cassan, lui ont rédigé de solides dissertations, que nous avons, où sont énumérées les régions que la France est en droit de revendiquer légitimement à ces divers titres et ces régions sont : la Lorraine, la Franche-Comté, l'Artois, la Flandre et même des pays plus étranges tels que le Milanais, Naples, la Sicile. Jamais ne figurent dans ces listes la Rhénanie ou l'Alsace. Les juristes ne parlent pas de frontières naturelles. Ils ne connaissent pas ce titre à invoquer et Richelieu n'en a pas parlé non plus, le prétendu *Testamentum politicum* qu'on lui prête, où il en est question, n'étant pas de lui, mais l'œuvre, après sa mort, d'un jésuite, le Père Labbé. Sans doute il connaît le droit de conquête, le droit de guerre, mais il considère, comme il l'écrit au maréchal d'Estrées en 1636, que ce droit « n'est ni fondé, ni plausible », qu'en tout cas il n'est pas digne du Roi Très-Chrétien, qu'on surnomme « le Juste » de l'invoquer, et il ne s'y arrête pas. En fait dans ses papiers nous voyons qu'il s'est fixé comme « buts de guerre » de rompre tous les liens juridiques qui rattachaient à l'empire germanique la Lorraine et les Trois Évêchés, Metz, Toul et Verdun, pour les incorporer à la France. Au traité de Westphalie, Mazarin obtiendra les Trois Évêchés mais substituera l'Alsace à la Lorraine.

On a dit qu'il avait fondé la monarchie absolue en France par diverses mesures telles que la suppression des États provinciaux et leur remplacement par des « Élus ». C'est Henri IV qui a songé le premier à cette réforme pour des raisons de caractère, nous dirions aujourd'hui « administratif » : parce que ces États levaient de lourds impôts dont ils n'attribuaient qu'une très faible partie au Roi ; qu'ils gratifiaient en revanche avec profusion nombre de personnages de la province, d'où : charges pour les sujets, peu de profit pour le gouvernement et scandale public. Le cardinal qui ne s'occupait pas de finances s'est-il même beaucoup intéressé à cette réforme ? Il n'y paraît pas, car on lit dans les *Mémoires de Richelieu* que lorsque le cardinal en 1630 apprit à Grenoble que le Roi avait décidé d'appliquer cette réforme à la Bourgogne, « la nouvelle l'affligea » pour des raisons de prudence politique. La mesure avait été prise en dehors de lui et sans lui.

Autre témoignage de sa préoccupation, dit-on, de fonder la monarchie absolue : l'établissement des intendants. Ils existaient avant lui. Le 11 novembre 1618, — à cette date il était loin du pouvoir, — le Roi nommant M. Olier intendant à Lyon, disait : « Nous avons jugé à propos d'envoyer quelque personnage de notre conseil en la dite province et le faire résider principalement en la dite ville de Lyon avec la charge d'intendant de la justice et police en icelle province, ainsi qu'il a été fait plusieurs fois, selon que l'état des affaires et les occurrences nous en ont fait reconnaître le besoin et la nécessité. » Richelieu ministre, on a, « selon l'état des affaires et les occurrences » nommé de même, çà et là, des intendants. On eût continué à en nommer si Richelieu n'avait pas été au pouvoir, l'habitude étant prise. On ne peut affirmer qu'il y ait eu chez lui à cet égard un système voulu et arrêté de changer systématiquement l'organisation du royaume. Il n'y a pas pensé.

La destruction des châteaux fortifiés a été encore invoquée comme preuve de la même préoccupation d'unifier le royaume. L'idée n'est pas non plus de lui. Depuis le XVIe siècle les États généraux réclamaient cette destruction parce que les châteaux, disaient-ils, coûtaient cher d'entretien — bâtiments et garnisons, — qu'ils étaient devenus des repaires de brigands et des « nids de voleurs » qui pillaient les populations et aidaient aux guerres civiles. Après de nouvelles et vives réclamations des États généraux de 1614, on avait commencé en 1617 en démantelant Pierrefonds — Richelieu n'était pas ministre. — On continuera dans la suite. Ces destructions dont on dédommageait les propriétaires après entente à l'amiable, Richelieu les laissa faire. L'opération ne se rattache chez lui à aucun système politique préconçu de transformer l'État.

Mais s'il n'a pas eu les vastes projets qu'on lui prête, ce qui fait son exceptionnelle valeur, c'est qu'il a eu une manière à lui, une méthode de gouverner, qui, comme intelligence pratique et volonté, font de lui un maître de tous les temps !

On pourrait dresser un recueil de ses maximes. On verrait qu'elles constituent comme une sorte de « manuel » ne visant qu'au côté réaliste de l'art de conduire l'État.

Il veut qu'on ait, au gouvernement, de la clairvoyance, du sang-froid, de la dextérité, du jugement ; qu'on cherche à « prévoir et pénétrer de loin pour ne pas appréhender tout ce qui paraît formidable aux yeux » ; qu'on soit « hardi », car « il est quelquefois impossible, dit-il, de se garantir de certains maux si l'on ne commet quelque chose à la fortune, ou pour mieux dire à la Providence de Dieu, qui ne refuse guère son secours lorsque notre sagesse épuisée ne peut nous en donner aucun ». Ensuite, agir, agir fortement et « quant on agit fortement, suivre de même », ne pas « se démentir, ce qui ne se peut faire sans danger ». Assurément la grande préoccupation est la difficulté qu'il y a à gouverner des Français, étant donné leur caractère. Les Français, dit Richelieu, sont légers; ils n'ont d'ardeur dans les entreprises qu'au début. Pour les conduire il est nécessaire d'être patient, car ils ont « plus de cœur que de tête »; ils aiment trop la nouveauté; un étranger dira même que pour eux la nouveauté est « comme un dieu tutélaire »; ils sont changeants!

C'est à ces défauts des Français que Richelieu rattache la complexité des questions intérieures qu'il a eu à traiter : l'orgueil et l'indiscipline des grands, les rébellions des huguenots. On lui a fait un mérite d'avoir conçu un programme de gouvernement qui comportait le règlement de ces deux problèmes. Ce programme s'imposait, de lui-même, avant lui. Homme d'État pratique, il n'a vu dans ces deux questions que l'ordre public à assurer.

Il estime que le Roi doit établir dans son royaume la discipline, la paix réglée : c'est son premier devoir : sa conscience l'y oblige, la nécessité de ses peuples le demande et son intérêt le réclame car il n'aurait pas sans cela la liberté d'agir dont il a besoin au dehors pour parer aux entreprises menaçantes des étrangers. En raison des complications politiques qui se sont produites en France durant la minorité de Louis XIII et à la faveur de la faiblesse du gouvernement d'alors, l'anarchie s'est établie dans le royaume. Il faut la faire cesser. Richelieu le dit nettement au Roi qui d'ailleurs le sait mieux que personne.

L'orgueil des grands doit donc être « rabattu ». On sait qu'il l'a été et durement. On a même attribué à Richelieu le caractère inexorable de la répression. Cette sévérité est, nous l'avons dit, l'œuvre personnelle de Louis XIII.

En ce qui concerne les huguenots, ceux-ci, dit Richelieu, doivent cesser de former un parti politique en France. « Ils sont nés et ont été nourris dans l'anarchie. » « Ils partagent l'État avec le Roi depuis cent ans. » Il faut « les réduire aux termes où tous sujets doivent être en un État, c'est-à-dire de ne pouvoir faire aucun corps séparé et dépendre des volontés de leur souverain ».

Idées simples, claires; pensée ferme. L'exécution a été conforme à cette netteté. On trouve le même caractère dans les conceptions de Richelieu relativement aux affaires étrangères qui ont été, spécialement, son domaine particulier.

A l'étranger, Richelieu veut que les gouvernements de l'Europe aient, à l'égard de la France, « la considération qu'ils doivent avoir d'un si grand État ». De son côté, le Roi, lui, doit agir justement, pratiquer « l'exacte justice ». Or « l'exacte justice » consiste, dit le cardinal, à « ne jamais attaquer, mais toujours à se défendre des entreprises de ses ennemis, car, en suivant cette voie, Dieu est avec nous ! »

Ce qu'on appelle « la grande politique » du cardinal à l'égard de la maison d'Autriche, n'a pas été inventé par lui. Cette politique était une nécessité depuis un siècle pour tous les gouvernements qui se sont succédé en France à dater du jour où Charles-Quint, roi des Espagnes, étant devenu empereur du saint empire romain germanique avait encerclé le royaume de ses possessions et risquait de l'étouffer. Se dégager de cette étreinte, même après la séparation de l'Espagne et de l'empire à la suite de l'abdication de Charles-Quint (les deux branches de la maison d'Autriche demeurant, en politique, unies), était une obligation qui était apparue clairement à nos rois du XVIe siècle. Dans les instructions qu'il donnait à Rosny, envoyé ambassadeur en Angleterre, le 2 juin 1603, Henri IV expliquait que la maison d Autriche, par sa position en Europe, menaçant tout le monde de sa « domination universelle », il fallait que la France et l'Angleterre restassent unies pour résister contre cette domination; que les Pays-Bas s'étant révoltés contre l'Espagne à laquelle ils appartenaient, et voulant se séparer d'elle, on devait les soutenir; qu'en Allemagne des princes protestants étant contre l'empereur catholique, dont ils avaient tout à craindre, il y avait lieu de les aider et de s'allier à eux. Ainsi tout ce qui a été exactement la politique de Richelieu était, mot pour mot, formulé avant lui. Les événements le commandaient. Plus tard Lionne confirmera que c'est Henri IV, aidé « du bon sens des Jeannin et des Villeroy », qui a esquissé le plan à suivre. Les entreprises en Allemagne de l'empereur catholique Ferdinand II contre les princes allemands protestants pour les dépouiller de leurs États, les chasser et unifier l'Allemagne, allaient fournir à Richelieu l'occasion d'agir : il ne la laissera pas échapper.

Et il établit bien, au début de 1629, le caractère uniquement défensif, conformément à ses principes, qu'à son action : « Arrêter le cours des progrès de la maison d'Autriche ». Pour cela, — et voici le détail précis du plan d'exécution qu'il dresse — : « La France, dit-il, doit penser, premièrement, à se fortifier chez elle. » Puis il faut qu'elle soit en mesure d'aller au secours de ses alliés. A cette intention, il est de toute nécessité qu'elle occupe des portes sur le pays ennemi par où elle pourra entrer aisément chez l'adversaire dès que les circonstances l'exigeront : Strasbourg, par exemple, qui donne accès dans l'Allemagne (on sait que toute l'Alsace s'étant offerte à lui, Richelieu a accepté de l'occuper, toujours dans la pensée d'avoir par là un accès de l'autre côté du Rhin et en même temps de couvrir, « fortifier » les frontières du royaume; mais cette occupation avait dans sa pensée un caractère temporaire et le cardinal n'avait aucune intention de garder le pays à la paix, pour beaucoup de raisons : il l'a dit vingt fois), Versoix, encore, du côté de de la Suisse; Saluces, du côté de l'Italie, etc.

L'idée essentielle de soutenir partout ses alliés a hanté constamment l'esprit de Richelieu. Dans un avis qu'il rédige le 20 avril 1628, il l'explique. La France, dit-il, est l'objet de la jalousie universelle. Elle ne peut compter sur personne. On la trahit perpétuellement. Or les petits États ont besoin d'elle et se tournent vers elle. Cette clientèle est une force : il faut s'y attacher. Cela donnera un rôle glorieux à la France et s'accordera avec l'intérêt positif du royaume pour qui il est préférable de soutenir les ennemis de son adversaire que de mettre à elle seule l'épée à la main. Les pamphlétaires ont fait un crime à Richelieu d'avoir, lui, cardinal de la Sainte Église, protégé des hérétiques contre l'empereur catholique. Mais il a toujours répondu qu'il ne s'agissait pas pour lui « d'aider les protestants allemands dans leurs desseins pernicieux contre la religion », seulement de « maintenir

la Germanie dans ses libertés » pour assurer la sécurité de la France. Sous Louis XIV Lionne reprenant cette thèse dira que depuis François Ier la théorie a été constante, que Henri IV l'a soutenue et qu'il n'y a pas lieu de « s'arrêter aux discours contraires des esprits préoccupés de superstitions ou de quelque autre passion ».

En même temps qu'en Allemagne, Richelieu a agi de la même sorte en Italie où la maison d'Autriche, qui y possédait le Milanais, menaçait de sa domination tous les États de la péninsule. Il a professé qu'il fallait que l'Italie, libre et indépendante, appartînt aux Italiens qui en devaient expulser les Allemands. « Le vrai secret des affaires d'Italie, écrit-il dans une note de 1625, est de dépouiller la maison d'Autriche de ce qu'elle y tient pour en revestir les princes et potentats italiens. » Puis les Italiens, afin de se protéger eux-mêmes, s'uniront entre eux et formeront une ligue que la France assistera. Dans une lettre à M. de Béthune, son ambassadeur à Rome, du 3 mars 1629, Louis XIII parlait de « l'union pour la conservation de l'Italie » qu'il fallait réaliser; « véritable confédération, disait-il, où tous les États italiens réunis garantiraient à chacun son intégrité », la France promettant à tous « secours et assistance en cas d'attaque de quelque part qu'elle vînt ».

Il n'y a pas dans toute cette politique de réalisations, déterminée uniquement par des nécessités auxquelles il fallait parer en vue de la sécurité de la France, quoi que ce soit qui révèle la moindre pensée, secrète ou non, d'étendre les frontières du royaume jusqu'aux limites où celles-ci se trouvaient du temps des Romains. Le cardinal écrivait au duc palatin de Neubourg le 29 avril 1630 :

« J'ai plus de désir d'une bonne paix dans la chrétienté que n'ont tous ceux qui vous ont dit en avoir si grande envie. Je sers un maître qui ne prétend point augmenter ses royaumes des dépouilles de ses voisins et qui n'a fait voir ses armes aux pays étrangers que pour défendre les princes et États qui ont été injustement attaqués. » Il répétera que la France ne vise qu'à « la diminution de la maison d'Autriche », cette diminution étant « le seul partage, ajoutera-t-il, qu'elle doit désirer en toute cette conquête ». Et voilà les conditions générales de la paix qu'il veut obtenir, ce qu'il appelle une paix « honorable et sûre, une juste paix » à négocier « avec bonne foi ». Il n'en a pas d'autre. « J'ai pour maxime, a-t-il écrit, nous le rappelons, de dire franchement ce que je veux et ne vouloir que la raison. »

Ainsi le rôle pour la France de soutenir et protéger les petits États afin d'assurer leur sécurité et la sienne, en dehors de toute idée d'acquisition territoriale injustifiée, au surplus irréalisable, pour de nombreuses raisons juridiques, politiques et autres, telle est la pensée claire, ferme et entière de Richelieu.

Et c'est dans la poursuite continue de cette politique de sagesse, de mesure, de réalités, qu'il a donné par sa maîtrise incomparable à ceux qui l'ont vu de près ou à ceux de ses contemporains qui en ont éprouvé les effets, cette impression d'homme d'État supérieur, hors ligne qu'il a été à tous égards.

Le Père Joseph le comparait à un aigle qui approche du soleil « sans cligner les yeux ». Un familier, J. Sirmond s'écriait : « Il est vraiment un de ces hommes extraordinaires que la Providence divine suscite dans un État lorsqu'elle veut le remettre dans sa première splendeur. »

à subir. Quand il cause il a l'habitude de secouer la tête, dit un ambassadeur étranger.

Sa santé est très fragile. Un médecin moderne, le docteur Guillon, dans une thèse de médecine, conclut qu'il a été atteint de tuberculose générale compliquée d'entérite chronique. On le traite avec des lavements, des purgations, des bains, des tisanes et on ne prescrit pas la diète, ce qui fait, peut-être, que le prince, — on le constate du moins par le journal de son médecin, — se remet vite de ses crises et, très énergique, reprend rapidement sa vie ordinaire.

Sa nervosité est extrême, comme celle de Richelieu, son impressionnabilité maladive. Assez ferme devant les grandes affaires, il se déprime sous le coup des déceptions journalières. Richelieu regrette qu'il n'ait pas dans ce cas assez de « flegme » et dans ses lettres il recommande au prince de ne pas trop s'affliger des déboires inévitables. Mais c'est un état physique qu'il est difficile à Louis XIII de dominer quand les choses ne vont pas comme il le désire. « Je vois tout le monde dans une telle lenteur, écrit-il une fois à Richelieu, que cela me met au désespoir! Je vous assure que la mélancolie me mange de voir les malheurs qui nous arrivent tous les jours! »

De nature en effet il est mélancolique. Ses ministres et son entourage s'en inquiètent parce qu'ils croient cette mélancolie « préjudiciable à sa santé », ce qui est prendre l'effet pour la cause, en réalité parce qu'alors la mauvaise humeur du Roi est pénible pour tous. Dans ces cas Louis XIII demeure muet des jours et des semaines, dans une « tristesse morne », dit-on, dans une « rêverie profonde ». Il le sait bien : il se rend compte que « le chagrin de son esprit, les afflictions de l'âme sont ses plus fâcheux ennemis », comme l'écrit le médecin Bouvard; qu'alors il « s'ennuie de tout », qu'il prend en grippe les gens, « éprouve de l'aversion pour les personnes qui déplaisent à ses sens ». Sur son lit de mort il avouera « qu'il ne croit pas, en quarante ans de vie que Dieu lui a donnés, avoir eu un seul jour de véritable et solide contentement » et que son existence « s'est presque toute passée en une profonde nuit de mille cuisants chagrins et importunes inquiétudes! »

Aussi, à l'égard de son entourage, Louis XIII demeure-t-il plutôt un peu distant, avec même une tendance à de vives réactions. Richelieu souffrait de cet état. Madame de Hautefort causant un jour avec Louis XIV lui racontera comment toutes les fois que son père Louis XIII revenait à Paris, « il grondait tellement, dira-t-elle, que nous (les demoiselles d'honneur) craignions toutes son retour ».

Alors Louis XIII cherche un dérivatif dans le mouvement. Il aime monter à cheval, chasser, voyager! Il déteste le séjour à Paris. Il écrit à Richelieu le 22 février 1636 : « Je ne peux demeurer à Paris sans être malade. » S'entretenant avec un ambassadeur étranger, il lui confie ses préférences pour le grand air de Saint-Germain-en-Laye, où il a été élevé, nourri, où il se porte mieux. Il a créé Versailles sur une petite hauteur, d'où la vue étendue vers le couchant le charmait. Toujours prêt à partir, il prescrit à ses gardes et aux compagnies de sa maison militaire d'être parés à toute marche imprévue. Il paraît au dire d'un étranger ne pouvoir rester plus de six semaines au même endroit.

Toutes ces diverses circonstances font que Louis XIII

n'a pas produit sur beaucoup de ses contemporains une impression très sympathique, si l'on en juge du moins par les pages dures et même injustes que lui a consacrées, dans ses *Historiettes*, Tallemant des Réaux, écho en cela de certains milieux très hostiles au Roi. En réalité Louis XIII valait mieux que ce que les apparences permettaient de penser de lui. Madame de Motteville l'a dit. Elle écrit qu'il avait « de grandes vertus qui pour son malheur n'ont point été assez connues ». Il ne pouvait, suivant le mot du Père Griffet, être un grand roi puisqu'il avait un grand ministre. Néanmoins les vertus dont parle madame de Motteville étaient connues de ceux qui l'approchaient. Richelieu, dans une note de 1629 où il énumère les défauts qu'il trouve chez son souverain — nous y reviendrons, — ne peut s'empêcher de reconnaître qu'il était « bon, vertueux, secret, courageux et amateur de gloire »; qu'il avait un esprit modéré, ne s'inspirait que d'intentions droites, était juste, d'un courage ferme. Le prince de Condé vantait publiquement l'extrême conscience de Louis XIII, sa vaillance, sa prudence judicieuse : il le déclarait le souverain « le plus juste et équitable qui ait jamais régné sur nous »! Saint-Simon a vu exactement lorsque, relevant la défiance de lui-même qu'avait Louis XIII, il insiste sur sa modestie qui le faisait peu tenir aux louanges, dit-il, et le décidait même à accepter de paraître faible parce qu'on croyait qu'il se laissait gouverner.

Était-il intelligent ? Les ennemis de Richelieu, irrités de la façon dont Louis XIII a soutenu systématiquement son ministre, en ont douté. Ceux qui le voyaient de près n'étaient pas de cet avis.

« Le feu Roi auprès duquel j'ai eu l'honneur de passer vingt-cinq ans de ma vie, a écrit M. de Bourdonné dans ses *Pensées d'un gentilhomme*, avait beaucoup plus de lumières que la plupart du monde ne l'a cru. » Richelieu, bien placé pour savoir ce qu'il en était, a maintes fois exprimé ses sentiments sur ce point. Dans une lettre à Marie de Médicis du 27 juillet 1625, à propos d'une décision importante spontanément prise, lui annonce-t-on, par le Roi, il dit : « Cela me confirme de plus en plus dans la connaissance que j'ai de la bonté de son esprit et de la force de son jugement. » Au conseil, tous les jours, le cardinal expérimentait combien Louis XIII savait se prononcer constamment pour les résolutions les plus judicieuses. « Le cardinal de Richelieu, écrit madame de Motteville, a dit plusieurs fois du Roi, que dans son conseil il était toujours du meilleur avis et trouvoit souvent des expédients sur les choses les plus embarrassées. » « Le Roi est prudent et avisé, mandait Richelieu à Chavigny le 29 octobre 1636, affectionné au bien de ses affaires et à la conservation de ses créatures : *satis est!* »

Là où l'on peut juger de son intelligence, c'est dans ses conversations avec les ambassadeurs étrangers, ceux-ci, le soir même, relatant à leurs gouvernements dans des dépêches prolixes le dialogue même de l'audience. Or ces ambassadeurs rendent à tout instant justice à ce qu'il y a de rectitude, de bon sens et de fermeté dans les jugements du Roi. Le prince de Condé parlera un jour à Louis XIII qu'il connaît bien, de « l'admirable clarté de votre esprit, dira-t-il, à discerner les bons et les mauvais conseils ». Le Roi a une conception nette et solide des choses, dit Dupleix; il raisonne bien et avec sagesse. Pour la postérité le plus sûr témoignage de son jugement est en définitive la façon dont il a compris le grand mérite de Richelieu et a soutenu le cardinal durant tout son règne avec une constance dont rien n'a pu avoir raison. Les amis du cardinal le reconnaissaient. Si Richelieu avait pu remplir sa tâche, disaient-ils, il le devait à « l'inclination et à la bonté du Roi », sans doute, mais surtout à « son jugement ». L'absolue confiance qu'avait Louis XIII dans « la capacité » de son ministre, ajoutaient-ils, était la raison de sa volonté à le maintenir à la tête des affaires, et c'était là « une des plus grandes parties que pût avoir le plus grand Roi du monde ! » Les historiens du XVIIe siècle et du XVIIIe l'ont senti de même. Le Père Griffet dira : « Sa fermeté inébranlable à soutenir le cardinal est une marque de sagesse, de discernement et peut-être de grandeur d'âme qui fait honneur à sa mémoire. » Si Louis XIII n'a pas eu de « génie », il a eu au moins dans les affaires d'État « la résolution et la volonté d'un grand roi ! » et cela est considérable !

Une preuve aussi de son jugement, dans un certain sens, est la simplicité de ses goûts. Au milieu du cadre soigneusement conservé de l'organisation somptueuse de la cour royale du temps, avec son personnel innombrable, ses charges séculaires, son cérémonial rendu plus pompeux par Henri III, Louis XIII entendait mener une vie modeste sans trop d'apparat. Richelieu le lui reproche un peu, lui qui aimait assez la magnificence. Il regrette que le Roi n'ait jamais eu de beaux chevaux, qu'il ne se fît pas servir uniquement par des gentilshommes, qu'il fût indifférent aux meubles précieux, qu'il acceptât un certain laisser-aller autour de lui de menus officiers, pages, valets de pied, encombrant les appartements royaux au moment, par exemple, des réceptions solennelles d'ambassadeurs, au lieu de n'avoir que des princes, des ducs et pairs et des grands officiers de la couronne. Il n'en était pas ainsi, disait-il, dans les cours étrangères. Assurément, c'était un privilège des rois de France de se laisser approcher librement de leurs sujets, mais tout de même, il fallait bien maintenir la distinction de la noblesse et des personnes qualifiées « pour faire remarquer la grandeur et la singularité de notre État par cette prérogative ».

La vie quotidienne de Louis XIII était réglée simplement : vie droite et saine. Le matin, la messe, visites à sa mère, à sa femme, le conseil ; l'après-midi, la chasse, les exercices militaires, les revues, rarement de fêtes ou de galas. A la chasse, Louis XIII se montrait d'une endurance et d'une rusticité à toute épreuve, savait rester des demi-journées entières à cheval sous la pluie, revenir trempé et refusait l'hiver qu'on lui bassinât son lit. Il était très économe, voire même près-regardant. Il entendait d'ailleurs être aussi économe des deniers de l'État que des siens propres.

Avec le peuple, il se montrait naturel et bon enfant. Il aimait parcourir à cheval les campagnes, peu accompagné, s'arrêtant aux assemblées de villages, se mêlant à la foule, dînant n'importe où. Si emporté par la chasse il s'égarait et se trouvait surpris par la nuit, (ce qui lui arrive par exemple le lundi 7 octobre 1624 dans la forêt de Rambouillet, sous la pluie, courant le cerf), il allait droit devant lui, à l'aventure, et gîtait à la première auberge qu'il rencontrait. Ce sont les mœurs de son père. On le voit le lundi 14 juin 1627 à Versailles se lever à quatre heures du matin pour aller chasser et, sans façon, déjeuner debout, dans sa cuisine, de pigeonneaux froids, de pois verts, de vin clairet et de pain.

Cette simplicité plaisait au peuple. Richelieu en usera lorsque, entrant par exemple dans une ville protestante du Languedoc qu'on vient de soumettre, il conseillera au Roi de s'avancer à pied dans les rues, de se laisser approcher et les huguenots « contemplant Sa Majesté, admireront sa facilité, sa bonté, se trouveront si ravis qu'ils oublieront leurs craintes, leurs haines passionnées et tout remplis de tel amour pour lui qu'ils ne pourront le perdre de vue, sa présence leur tirant les larmes des yeux ». Il se produira parfois même, dans ces entrées familières, de petites scènes gracieuses telle que celle qui arrive lors de la visite de Louis XIII à Troyes en 1629 où une jeune fille, toute blanche, venant lui offrir un cœur en or, gravé d'une fleur de lys, couronné et garni de perles, en lui disant : « C'est le cœur de nos cœurs », Louis XIII, touché du geste ainsi que du charme de la jeune fille, lui répondra avec un sourire : « Ma petite mignonne, je vous remercie, vous avez bien fait »; et le soir il enverra M. de Saint-Simon, gentilhomme de sa chambre, faire don de ce cœur à celle qui le lui a offert.

Il avait un fond certain de bonté. Bien qu'il n'aimât pas donner, il se montrait libéral envers ceux qui le servaient, le personnel de sa maison, surtout les officiers de ses armées auxquels, à propos de blessure grave, il savait envoyer 500 écus, un brevet de pension de 200 écus et la promesse, en cas de mort, de laisser la pension à la veuve et aux enfants. Sa bonté se traduisait aussi par la difficulté qu'il éprouvait dans certaines circonstances, à refuser ce qu'on lui demandait par peur de déplaire aux gens. Richelieu le suppliait de « se fortifier contre cette bonté » qui avait pour effet, disait-il, d'enhardir les solliciteurs à revenir à la charge.

L'hésitation à déplaire aux gens, que nous verrons n'être qu'occasionnelle, provenait en partie, chez Louis XIII, de sa timidité, timidité qui faisait, par exemple, qu'il parlait peu : on disait alors de lui qu'il avait la conversation « sèche », en quoi il tenait de sa mère. Richelieu eût voulu qu'il fît davantage « bonne chère aux grands » et les « payât d'un bon visage ».

Et c'est cette timidité qui, jointe à ses scrupules religieux, explique ses relations embarrassées avec les femmes. Il a été à leur égard un peu comme un adolescent craintif. S'il a été ému, et il l'a été, par mademoiselle de La Fayette et mademoiselle de Hautefort, ces émotions n'ont été pour lui qu'une source de souffrances ! Madame de Motteville l'a dit : « Cette âme accoutumée à l'amertume n'avait de la tendresse que pour sentir davantage ses douleurs et ses peines ! » Il était gauche, hésitant, maladroit. Mademoiselle de La Fayette le trouvait « bizarre et changeant ». A la fin il éloignera mademoiselle de Hautefort, parce que, dit encore madame de Motteville, il était « lassé de tant souffrir ! » Nous avons un écho des troubles de ses passions dans une note anonyme datée de : « Ce dimanche à minuit », qu'envoie à Richelieu un indicateur tenant le cardinal au courant. Il y a entre Louis XIII et mademoiselle de Hautefort des scènes ressemblant à celles du *Dépit amoureux*. Le pauvre prince tourmenté accable celle qu'il aime de ses jalousies et de ses reproches, dont ensuite il est très malheureux. Nous ignorons quel est le confident à qui Louis XIII donne ces détails et qui les rapporte ensuite au cardinal. Il conte que le Roi lui a dit avec douleur de mademoiselle de Hautefort : « Je l'aime plus que tout le reste du monde ensemble!.. Je veux me mettre à genoux pour lui demander pardon!... Perdu!... Perdu!... Je suis en impatience de la revoir!... » Ces affections que ses principes, sa timidité, les circonstances l'ont empêché de mener très loin, ont quelque chose de touchant et de bizarre.

A défaut des femmes, ce besoin de tendresse qui se révèle ici chez Louis XIII, il a cherché à le satisfaire avec des amis. Il a eu des « favoris », question troublante! Ses confesseurs, Richelieu, le reste de l'entourage ecclésiastique, personne ne paraît avoir vu de danger dans cette tendance. Tallemant des Réaux, lui, donne un récit plein d'insinuations brutales, calomnieuses, qui sont invraisemblables, car il est le seul à en parler, pas un témoignage certain ne confirmant ses dires. Mais il y a des lettres de Louis XIII, surtout à Cinq-Mars, d'un tel accent de passion, révélant ici aussi des scènes de dépit amoureux si étranges, qu'on ne peut douter que Louis XIII n'ait eu, au moins, une prédisposition physique à des attachements de nature inquiétante. Richelieu l'a deviné : il le laisse entendre dans un passage de son *Testament politique*. Mais, ne pouvant heurter de front le sentiment du Roi trop volontaire, il n'a veillé qu'à ce que ces passions, aussi courtes qu'ardentes, n'aient aucune influence sur la politique et le gouvernement de l'État, entre autres en tâchant d'éviter que le souverain ne donnât de trop grandes charges à des favoris. Si Richelieu ne paraissait pas s'inquiéter outre mesure des

6

suites possibles de ces affections, c'est qu'il comptait sur le profond esprit de religion du Roi. Et là-dessus il ne se trompait pas.

Louis XIII a été un roi très religieux. Nous savons par son confesseur le Père Caussin, qu'il s'était composé à son usage personnel, — il savait assez de latin pour cela, dit le jésuite, — de petits offices à dire aux principales fêtes de l'année et à celles des saints les plus illustres de son royaume. On voyait par le choix de ses prières que ce qu'il recherchait le plus, ajoute le Père Caussin, c'était « la paix du cœur, la vraie pénitence, la pureté de l'âme ». Un autre religieux, le Père Dinet, analysant ces prières avec attention, y croyait trouver de plus intimes préoccupations : « La chair, l'avarice, la superbe, les mauvaises pensées, les péchés de la langue. »

La religion de Louis XIII est celle du temps. Il a un petit oratoire où il conserve des reliques qu'il a recueillies un peu partout. Il communie les premiers dimanches de chaque mois et aux fêtes de Notre-Dame. Le jour de Pâques, il assiste à une messe basse puis à une « haute messe », après quoi, — dans la cour du château de Saint-Germain-en-Laye, ou dans la grande galerie du Louvre à Paris, — par devoir de roi très chrétien, il touche les écrouelles à des files de six, sept et huit cents malades. Pendant les vêpres il participe aux chants, de son fauteuil, et « fait ordinairement la basse d'une voix fort accordante et agréable », dit Dupleix. Il a dédié son royaume à la Vierge en instituant une procession du 15 août qui subsiste encore et par une lettre du 15 août 1624, il a demandé au pape que « la feste de l'Immaculée Conception fut célébrée et solennisée en toute la chrétienté comme elle l'est en notre dit royaume ». Il a été le plus religieux de tous les rois Bourbons.

Il en a été aussi le plus tolérant. Si avec Richelieu il a fermement voulu mettre un terme à l'organisation politique des huguenots en France et à leurs soulèvements perpétuels, fidèle à l'esprit de son père et à la doctrine de l'Édit de Nantes, il a tenu à ce que, les armes déposées, les protestants fussent libres de pratiquer leur religion. Le 26 mai 1628, sur son ordre, l'archevêque de Paris enverra « à tous les curés, vicaires et prédicateurs de la ville et faubourgs » une circulaire où il sera « enjoint et ordonné » à chacun d'eux, de la part du Roi, « d'avertir le peuple aux prônes des messes paroissiales et prédications... de ne molester, soit de fait ou de parole, en aucune manière que ce soit, ceux de la religion prétendue réformée... et conserver l'union et concorde que Sa Majesté veut et entend être gardée entre tous ses sujets ». Il y a évidemment ici, sans doute, dans cette recommandation, chez Louis XIII, le souci politique de maintenir l'ordre et la paix publique dans son royaume, office essentiel à son avis de son autorité royale, qu'il entend faire respecter.

Car, souverain, il a eu à un très haut degré le sentiment de cette autorité royale! Après la terrible tourmente du XVIe siècle et la crise du temps de Henri III où l'idée monarchique avait presque sombré dans le chaos des guerres civiles, la conception traditionnelle de la royauté se rétablissait lentement. On se reprenait à voir dans le Roi « l'oint du Seigneur », « notre Dieu sur la terre ». « Attaquer le Roi, disait un écrivain, c'est attaquer Dieu. » Il faut « regarder le Roi comme on regarde le soleil, en baissant les yeux devant Sa Majesté ». Et l'idée théologique se dégageait. Pour Hay du Chastellet c'était une sorte de sacrilège que de discuter les ordres du souverain. L'assemblée du clergé proclamera en 1625 que c'est « la divine Providence qui a imposé la nécessité d'obéir au Roi » : « On ne pourrait le nier sans blasphémer, et en douter sans sacrilège. »

Juridiquement aussi, l'idée royale regagnait sa force. On invoquait à l'appui « les lois, ordonnances, coutumes, pratiques et maximes de France », séculaires. Le crime de lèse-majesté était considéré comme le plus grand de tous les crimes.

Pratiquement on voyait revivre à l'égard de la royauté les sentiments de respect, de vénération, d'obéissance de jadis. On parlait de « la sacrée personne du Roi ». Ainsi l'évolution de l'esprit public, soucieux, après tant de troubles et de guerres, de retrouver une autorité stable assurant la paix, facilitait singulièrement la restauration du pouvoir royal. Or Louis XIII s'est trouvé à point nommé le prince qui, par ses qualités et son action, était le mieux à même de réaliser cette restauration.

Car, malgré sa timidité en d'autres cas, autoritaire il l'est ici à un degré extrême pour tout ce qui concerne ses droits de souverain et ce qu'on lui doit à cet égard. Aubery, écho de son entourage, a écrit qu'il « était né pour commander et ne pouvait souffrir aucune contradiction ou résistance à ses volontés ». Un ambassadeur vénitien donne, dans une de ses dépêches de 1631, cette impression qu'il a après une conversation avec lui : « Le Roi veut être et sera roi et maître ! » Nicolas Goulas, secrétaire de Gaston d'Orléans, écrivait que Louis XIII était « extrêmement jaloux de son autorité », parce que

« passionné pour la gloire de son État et pour la sienne! »

« Jaloux de son autorité », c'est le mot qui revient perpétuellement sous la plume de ceux qui approchent Louis XIII afin de marquer le sens de cette volonté inflexible au sujet de son pouvoir royal. Louis XIII tiendra le mépris de cette autorité « pour le dernier des malheurs qui puisse arriver à un grand prince », écrira quelqu'un de la cour. Nul ne l'a mieux su et, malgré la légende contraire, n'en a plus souffert que Richelieu qui a senti à quel point, auprès de lui, le Roi redoutait de voir son ministre, qu'il savait ardent, « gagner de la main ». C'est ce qui a été le sujet troublant du problème de leurs relations : le ministre désireux d'agir avec la latitude qu'il jugeait nécessaire, et le souverain soucieux de maintenir le principe de son autorité inviolable, et il l'a maintenu! Omer Talon l'a bien vu. Il a écrit à quel point le cardinal s'alarmait « des inquiétudes de l'esprit du Roi qui était jaloux de son autorité et plein de soupçons, en telle sorte, ajoute-t-il, que le maître et le valet se sont fait mourir l'un l'autre à force de s'inquiéter et de se donner de la peine! » A certains moments, Louis XIII, en effet, bien qu'il admirât et aimât profondément Richelieu et qu'il tînt absolument à le garder, savait lui donner quelque coup brusque de « caveçon » pour l'avertir qu'il allait trop loin et Richelieu interdit se soumettait. Un autre personnage a aussi subi durement les effets de cette jalousie de Louis XIII, c'est son frère, Gaston duc d'Orléans, qui, par tant de légères et criminelles entreprises, d'ailleurs, la justifiait. Nous en avons un curieux témoignage dans le récit d'une scène que raconte Richelieu. Gaston a demandé au Roi de lui donner le commandement de l'armée qui va, en 1629, descendre en Italie pour délivrer Casal assiégé. Louis XIII est à Versailles. Cette demande le contrarie au point qu'il en est déprimé. N'y tenant plus, il se rend à Chaillot où réside Richelieu et lui dit qu'il a désiré venir « décharger son cœur ! » Il ne peut pas accepter que son frère aille faire lever le siège de Casal ! Il aura tout l'honneur pendant que le souverain, lui, restera aux « bagages »; il sera acclamé de la foule, qualifié de « libérateur de l'Italie » tandis que le Roi, qui aura tout fait, sera oublié. Il n'en dort pas. Il faut en sortir et trouver un prétexte. Richelieu cherche à calmer Louis XIII, à lui dire qu'en général les plus grands princes ont toujours fait exécuter leurs actions les plus notables par des lieutenants. Mais, ajoute-t-il dans la note où il raconte l'incident : « Je reconnus par cette expérience que la passion surmonte toutes sortes de raisons et que la jalousie est une maladie que le temps guérit plutôt que des remèdes qui aigrissent souvent le mal. » Gaston n'aura pas son commandement ! Dans son *Testament politique* Richelieu laisse entendre avec quelle prudence, aux séances du conseil, devant ces dispositions de Louis XIII, il était obligé de parler, bien que le Roi demandât à chacun de s'exprimer librement.

Le caractère autoritaire de Louis XIII, il nous est révélé par quantité de faits. Une lettre de lui à Richelieu, du 12 février 1632, va nous le montrer à cet égard tel qu'il est. A la suite d'une manifestation de la première chambre du Parlement de Paris qu'il a considérée comme une insolence, Louis XIII, — Richelieu n'est pas là, — par arrêt du conseil du 13 décembre 1631, a fait suspendre de leurs fonctions deux présidents de chambre et trois conseillers, auxquels il a commandé de venir le trouver pour lui faire des excuses. Louis XIII est en voyage en Champagne. Les magistrats le rejoignent. On les laisse à la suite de la cour et on ne les reçoit pas. Les malheureux sont obligés d'accompagner le cortège royal à leurs frais dans une position humiliante. Cela se prolonge. Richelieu averti finit par intervenir et écrit respectueusement au Roi pour lui demander de faire fléchir sa juste irritation et de mettre un terme à ce pénible calvaire. Voici la réponse de Louis XIII datée de Sainte-Menehould : « Mon cousin (le terme « mon cousin » est l'expression protocolaire dont le Roi doit se servir à l'égard d'un cardinal ou d'un duc), je vous accorderais volontiers ce que vous me demandez pour les cinq robes longues. Mais outre qu'il y a plaisir à les voir se promener à la suite de ma cour, plus on se relâche avec de telles gens, plus ils en abusent. Quand un mousqueton manque à se trouver à l'exercice d'un quart d'heure, il entre en prison. S'il désobéit à son capitaine lorsqu'il lui fait quelque commandement en sa charge, il est cassé, et s'il désobéit encore, il perd la vie ! Et il sera dit que les robes longues me désobéiront librement et hardiment et que je demeurerai du côté du vent ? Et les dits seigneurs gagneront leur cause sous ombre qu'ils déjeunent le matin à leur buvette et sont trois heures assis sur mes fleurs de lys ? Par arrêt donné à Sainte-Menehould, il n'en sera pas ainsi ! Il est ordonné que vous serez moins facile et moins capable d'avoir pitié des dits seigneurs parce qu'ils sont en peine pour avoir méprisé ce qu'ils doivent au *maître de la boutique !*... qui vous aime plus que jamais ! Je me porte bien et suis fort gaillard ! Je serai lundi à Versailles où je vous attendrai avec impatience ! »

« Le maître de la boutique ! » Cette expression un peu familière qu'il tient de son père Henri IV, et qui a une origine italienne, Louis XIII l'a employée plusieurs fois. Elle est une réalité. Il entend être le maître !

Il n'est pas commode ; il faut être prudent avec lui ! Le comte de Nogent est venu lui conter une histoire pour savoir quelque chose que le Roi ne veut pas lui dire. Louis XIII écrit à Richelieu : « Ce fourbe de Nogent se mêle de sonder les gens. Je vous prie de lui faire connaître qu'il n'a pas affaire à un sot, et qu'on le voit venir de loin. » Il a des mots comme ceux-ci dans une lettre à Richelieu : « M. de Saint-Luc vient d'arriver pour me parler encore de ce capitaine que vous savez. Je lui répondrai si sec qu'il n'y reviendra plus une autre fois ! » Encore à Richelieu, à propos d'un ordre expédié sans qu'il en ait eu connaissance : « Il faut savoir quel est le secrétaire d'État qui a signé cette expédition pour l'en châtier et lui apprendre à faire de ces choses-là à mon insu ! » Il rabroue les gens quand il trouve qu'on lui parle trop hardiment, « ou plutôt insolemment ». Il envoie à la Bastille le comte de Guiche qui s'est oublié dans son antichambre à faire une scène à un huissier. Il chasse de la cour Halluin et Liancourt pour s'être querellés dans son cabinet. Et lorsqu'il estime qu'on passe les bornes avec lui, il a des ripostes à la Henri IV qui font sentir à quel point il entend être roi et le demeurer. Richelieu lui écrit que des courtisans parlent à tort et à travers des affaires de l'État et ajoute : « Il est important de fermer la bouche à tels seigneurs par une incartade vigoureuse telle que Votre Majesté les sait faire quelquefois. » Et nous avons en effet de notables exemples de ces sortes d'« incartades vigoureuses », notamment à l'égard des Parlements dont les incursions dans la politique irritent Louis XIII. Louis XIII écrit le 24 août 1628 à Richelieu : « J'ai vu ceux du Parlement de Bordeaux; je leur ai lavé la tête! » En 1629, recevant les magistrats du Parlement de Paris, il leur dit rudement : « Vous pensez être mes tuteurs. Je vous montrerai bien que vous vous trompez! » Dans une autre circonstance, il a convoqué une délégation du Parlement à propos d'une mesure que celui-ci a prise qui exaspère le Roi. Il déclare à la délégation : « Votre compagnie cherche tous les jours à entreprendre sur mon autorité royale, mais je lui rognerai les ongles de si près que je l'en empêcherai bien! Vous êtes établi pour rendre la justice entre M. Pierre et M. Jacques et non pour vous mêler des affaires d'État et du soulagement de mon peuple. Je vous le défends, car j'en prends un plus grand soin que vous! » Et il signifiera au premier président en 1638, à propos d'un incident analogue : « D'autorité absolue et comme roi, je veux être obéi! » Il a déjà dit en 1636 aux mêmes magistrats à propos de demandes qu'on lui faisait : « Je ne capitule pas avec mes sujets et mes officiers! Je suis le maître et veux être obéi! » Louis XIV ne dira pas mieux aux heures les plus glorieuses de sa toute-puissance!

Malgré sa piété, Louis XIII a la même rudesse à l'égard du clergé. Il raconte à Richelieu dans une lettre du 11 mai 1628, comment il a reçu une délégation de l'assemblée des évêques de France à laquelle il avait demandé des subsides pour l'aider à poursuivre le siège de La Rochelle. L'assemblée n'a accordé que deux millions : c'est insuffisant! Le Roi déclare à la délégation : « J'en veux beaucoup davantage ou n'en veux point du tout! Ce vous est une grande honte que, pour le bien de l'Église et du royaume, comme est la prise de La Rochelle, vous n'y contribuiez pas pour un tiers de vos biens. Il serait mieux employé que non pas aux festins que vous faites tous les jours. Deux millions ne sont que pour un mois! Je vous le dis encore une fois que j'en veux davantage ou point du tout. Ce sera une grande honte à tout le clergé qu'on dise par toute la France qu'il n'y aura eu que le clergé et les huguenots qui n'aient point contribué au siège de La Rochelle! Vous me remontrez votre nécessité? Et n'êtes-vous pas tant de prélats et d'ecclésiastiques qui avez des cent, des vingt-cinq, et des trente mille livres de rentes? C'est sur ceux-là qu'il faudrait lever des décimes et des levées nouvelles et non sur les pauvres curés! » Louis XIII continue dans sa lettre à Richelieu : « Ils ont été si étonnés de la façon que je leur ai parlé qu'ils s'en sont allés honteux sans oser regarder personne et avaient tous le nez aussi long que M. l'archevêque de Sens qui portait la parole de leur part. J'ai cru que vous seriez bien aise de savoir ce qu'ils m'ont dit et ce que je leur ai répondu. C'est pour cela que je vous l'ai voulu mander au long. » On ne pourra pas penser ici que ce soit Richelieu qui ait dicté au Roi ce qu'il a dit!

Il est bien un maître! Son entourage parlant de lui ne l'appelle pas autrement. Le maréchal d'Effiat écrira à Richelieu : « Les affaires du maître... Le service du maître » et Bullion dira : « Vivre sous l'obéissance du maître... »

Si quelqu'un a commencé à établir la monarchie absolue en France, ce n'est pas Richelieu, c'est Louis XIII! L'évêque d'Uzès, Nicolas Grillié, prononçant son oraison funèbre après sa mort le proclamait. « Soixante-trois rois, disait-il, l'ont devancé dans son empire, mais lui seul l'a rendu absolu. » Il l'a rendu tel simplement par le mot qu'il a répété constamment, à savoir « qu'il voulait être obéi », ce qui était, pour lui, la formule gouvernementale de l'ordre public. Le garde des sceaux d'Aligre écrivait au procureur général du Parlement de Paris le 22 octobre 1624, parlant de lui : « Ses volontés nous sont des lois; le moindre retardement l'offense grandement. » Plus tard, sous la Fronde, au milieu du désordre et de l'anarchie sanglante qui suivront, le premier président Molé répétera tristement : « Le changement en la conduite politique depuis la mort du feu roi Louis le Juste a été la véritable cause des malheurs de la France! Il avait établi l'autorité royale à tel degré qu'il n'y avait plus qu'à continuer et à suivre ses traces. » En poursuivant ce qu'il appelait « l'entière réunion du royaume à son obéissance », Louis XIII ne cherchait pas à satisfaire une vaine ambition de commander, ou la gloire d'un souverain désireux d'assurer sa toute-puissance, il ne visait qu'à restaurer l'ordre et la paix en France, pour la tranquillité de ses sujets, sentiment qu'il exprimait bien lorsque, sollicité un jour de faire grâce à des fauteurs de guerre civile qu'il avait exilés et dont on lui disait qu'ils « étaient bien las de l'état où ils étaient », il répondait : « Je suis bien las aussi des maux qu'ils m'ont fait et à la France! »

Tallemant des Réaux a écrit de lui « qu'il était faible et n'osait rien faire de lui-même ». D'après tout ce que nous venons de dire on voit qu'il le connaissait mal. Les documents montrent au contraire que Louis XIII tenait à être au courant de tout. Les secrétaires d'État lui envoyaient des notes brèves le renseignant sur l'état des affaires. Il écrit lui-même par exemple à Richelieu le 15 juillet 1633 : « Je vous prie que, s'il est venu des nouvelles de Hollande ou Lorraine, je les sache promptement », ou bien au même : « Je trouve étrange que nous n'ayons aucune nouvelle d'Allemagne et Hollande et vous prie que, dès qu'il y en aura, je les sache promptement. » Le secrétaire d'État d'Herbault informe l'ambassadeur à Rome, Béthune, le 14 février 1626, que le Roi souffrant garde le lit, mais « j'ai pu, cependant, dit-il, lui rapporter les principaux points de votre dépêche : pour les choses particulières, elles ont été remises ». Un autre secrétaire d'État, Bouthillier, mande à Feuquières : « Le Roi lui-même lit toutes vos lettres. » Louis XIII annote en marge. Ses annotations sont sobres et fermes.

Louis XIII assiste à tous les conseils. Richelieu a écrit dans son *Testament politique* « que le meilleur gouvernement est celui qu'inspire le souverain lui-même doué d'assez de modestie et de jugement pour ne rien faire sans bons avis ». Il indiquait ce qui se passait devant lui. On applique exactement sous Louis XIII la doctrine traditionnelle qui veut que l'État soit conduit par « le Roi et son conseil », celui-ci donnant son avis, le souverain prenant les décisions. L'expression protocolaire qu'emploie Louis XIII pour indiquer le rôle que Richelieu joue auprès de lui est celle-ci « qu'il reçoit ses conseils ». Prudent, ayant un juste sentiment de son insuffisante compétence pour les graves affaires compliquées, Louis XIII ne s'avance jamais lorsqu'il est question de celles-ci : il dit qu'il prendra au préalable avis de son conseil. Il ne faudrait pas supposer d'ailleurs qu'il n'y joue qu'un rôle passif. Il intervient et ses interventions sont notées de la façon suivante : Bassompierre rendant compte d'un conseil tenu devant la Rochelle le 4 août 1628, dit : « Le Roi parla très bien et M. le cardinal aussi. » Tallemant des Réaux lui-même consent à reconnaître que Louis XIII « quelquefois a raisonné passablement dans son conseil et même il semblait qu'il avait l'avantage sur le cardinal ». Au cours de ses promenades dans les jardins de Rueil, Richelieu a donné son impression sur l'action personnelle qu'exerçait le souverain aux séances des conseils, Abra de Raconis, nous le rapporte; le cardinal dit que « dans toutes les importantes et difficiles affaires à résoudre et à exécuter qui se présentaient devant lui en son conseil », Louis XIII comprenait clairement, jugeait avec bon sens et décidait sainement. Nul entêtement chez lui : une large ouverture d'esprit. Le pape, dans des instructions données à son nonce Spada se rendant à Paris en janvier 1624, prévenait son envoyé qu'il allait trouver un prince qui n'était pas « altier », mais « très humain », nullement obstiné dans ses propres opinions, mais très disposé à écouter les avis.

Avec les conseils, les audiences données aux ambassadeurs sont une grosse part des fonctions royales en ce temps. Louis XIII a beaucoup plus reçu les envoyés étrangers que ne l'a fait Henri IV et que ne le fera Louis XIV. Au dire de ces ambassadeurs dans leurs dépêches, il est prudent, courtois, digne, aimable. Il écoute. Ses réponses sont brèves, précises, témoignent qu'il connaît bien les détails des affaires difficiles comme celle de la Valteline. Il reste dans les lignes tracées au conseil. Le secrétaire d'État Bouthillier, rendant compte à Richelieu dans une lettre du 12 août 1629 d'une audience qu'a donnée Louis XIII, écrit : « Les réponses du Roi ont été très à propos et très judicieuses. » Si quelque incident imprévu se produit, il dit qu'il réfléchira. Il questionne et ses questions sont habiles. Surtout il a une grande circonspection; il est très discret. Dans le cas où la conversation doit être épineuse, il veut avoir un secrétaire d'État près de lui, Bouthillier, qui écoute et il ne répond qu'après s'être concerté avec celui-ci à voix basse, ou bien il dira brièvement : « Voyez le cardinal, parlez-lui. »

Richelieu, dans une heure d'amertume et de découragement où il a même voulu abandonner le pouvoir, en 1629, a dicté une longue note dans laquelle, comme en une sorte de testament, il donne au Roi des conseils. Ce document est d'un ton tel qu'on ne peut penser qu'il ait été réellement soumis à Louis XIII qui, étant donné le caractère du prince, ne l'eût pas accepté sous cette forme et d'une pareille longueur. Richelieu énumère les défauts dont il voudrait que le Roi se corrigeât. Ces observations sont instructives.

Richelieu reproche à Louis XIII de ne pas s'appliquer assez aux affaires, de se lasser quand il trouve qu'elles se prolongent trop et de s'ennuyer. Il faut s'entendre. Henri IV et Louis XIII ont été des rois d'action et, pour ainsi parler, de plein air. Henri IV disait à Sully qui le rapporte dans ses *Économies royales :* « Je n'ai jamais eu l'humeur bien propre aux choses sédentaires. Je me plais beaucoup plus à vêtir un harnois, piquer un cheval et donner un coup d'épée qu'à être toujours assis dans un conseil à signer des arrêts ou à examiner des états de finances, tellement que si je n'étois secouru de Bellièvre, de Sillery et de vous-même, je m'estimerois plus malheureux en temps de paix qu'en temps de guerre ! » Tel père tel fils. On voit le grief que fait Richelieu à Louis XIII. Il est certain que Louis XIII n'aimait pas les longueurs. Richelieu le reconnaît dans la lettre au Roi qui précède son *Testament politique*. Il écrit que le prince veut qu'on en vienne au fait avec lui en peu de mots. Malheureusement, en raison de la complexité des affaires extérieures et intérieures, les conseils du Roi doivent être tenus fréquemment : on les voit parfois durer, dit de Mourgues, jusqu'à des cinq heures de suite ! Richelieu y lit des notes que nous avons : elles sont très précieuses, mais interminables ! Quelle patience faut-il à un jeune prince, qui a besoin d'activité physique, pour les écouter ! On comprend qu'il ait pu à maintes reprises manifester quelque énervement. La critique de Richelieu n'est pas très équitable.

Richelieu reproche ensuite à Louis XIII d'être trop défiant. C'est de sa mère, dit le cardinal, que le Roi tient ce caractère « ombrageux et soupçonneux ». Richelieu a beau se dire « qu'il n'est pas croyable que le Roi puisse entrer en soupçon et ombrage d'une personne qui a fait ce que j'ai fait pour son service », il redoute les sautes d'humeur du prince. En raison de cette défiance, Louis XIII, ajoute Richelieu, aime trop écouter ce qu'on lui dit de bien ou de mal des uns et des autres, sans excepter Richelieu. C'est le supplice de celui-ci. Le cardinal sait qu'on le dénigre près du prince, que le Roi laisse dire, il est vrai sans rien répondre, mais n'est-ce pas trop que d'écouter? Il voudrait que le souverain fît taire les interlocuteurs pour ce motif que « qui ouvre l'oreille aux calomnies mérite d'être trompé », ou, plus justement, parce qu'à la longue les calomnies impressionnent et peuvent porter. Richelieu remarque en effet que Louis XIII, étant susceptible, a une tendance à se laisser aller à des premières impressions défavorables dont il est ensuite difficile de le faire revenir, en raison de ce qu'on appelait dans son enfance son « opiniâtreté ».

Nous avons parlé de la volonté de Louis XIII, si différente de la faiblesse que la légende lui a prêtée. Dans le détail de la vie quotidienne on le trouve en effet souvent opiniâtre, d'humeur difficile, plein de résistance. Richelieu aura l'occasion d'écrire à Bouthillier à propos d'une affaire en cours : « Le Roi ne peut souffrir, à ce qu'il dit, qu'on emporte sur lui une chose qu'il s'est résolu de ne pas faire. » Il arrive au Roi, en guise de réponse quand on lui demande en insistant une faveur qu'il ne veut pas accorder, de dire qu'il défend « qu'on lui en parle ». « Brisons là, signifiera-t-il un jour au maréchal de La Force, et ne m'en parlez plus : contentez-vous que je ne vous veuille point de mal et me servez fidèlement! »

Au fond il est plutôt sévère. Richelieu explique cette sévérité par le spectacle de l'anarchie que le Roi a eu sous les yeux durant sa jeunesse et qu'avait provoquée dans le royaume l'impunité dont jouissait la foule des agités auxquels avait été donnée libre carrière. A ces désordres persistants Louis XIII voulait appliquer les « derniers remèdes ». On le voit écrire de sa main au chancelier pour qu'il châtie sans rémission des excès commis : « Vous n'avez point à craindre, lui dit-il, qu'aucune grâce arrête le cours de la justice, puisque tant s'en faut que j'en veuille donner, que je m'engage à vous servir de second et à vous maintenir contre qui que ce puisse être. Conduisez-vous en telle sorte que ni ma conscience ni la vôtre ne soient responsables devant Dieu ! »

Il a des colères. On les voit venir chez lui par le tremblement de son menton. Bassompierre raconte une scène à laquelle il assiste au conseil du Roi et que d'ailleurs lui-même a provoquée. Il a irrité Louis XIII par quelque propos imprudent, et, piqué de cette irritation, refuse de donner son avis sur l'affaire en délibération. Le Roi lui dit en haussant le ton : « Et moi je vous forcerai de me le donner, puisque vous êtes de mon conseil et en touchez les gages ! » Richelieu qui est assis à côté de Bassompierre, se penche vers celui-ci : « Donnez-le, au nom de Dieu ! et ne contestez plus ! » Bassompierre s'exécute et dit quelque chose comme une impertinence. Le Roi se lève courroucé : « Vous vous moquez de moi ! et je vous ferai bien connaître que je suis votre roi et votre maître ! » Bassompierre se tait et Richelieu arrange l'affaire. Nous avons vu plus haut des exemples du ton autoritaire du Roi. Il lui arrivera de dire des mots très durs ! Une délégation du clergé vient le trouver, conduite par l'évêque d'Autun, à propos des disputes infinies auxquelles donne lieu une affaire Santarel relativement aux pouvoirs respectifs du pape et du Roi. Le Roi, mécontent du parti trop en faveur du pape que prennent les évêques, leur dit : « Vous autres, messieurs du clergé, vous ne savez donc pas parler en véritables Français ? » Dans une autre circonstance où le clergé veut s'occuper des affaires du royaume, Louis XIII enverra dire à la délégation

7

d'évêques qui est venue le trouver à cet effet, qu'il refuse de la recevoir, « qu'il trouve très mauvais qu'ils s'ingèrent des affaires de son État sans son congé; qu'il leur défend pour l'avenir d'entreprendre semblable chose et qu'ils se mêlent de gouverner leurs moines! » Voici une scène plus rude encore : Louis XIII pendant le siège de la Rochelle a eu des raisons de se plaindre du Parlement de Bordeaux qui prend des délibérations provocantes. Il convoque le premier président, M. de Gourgues. Celui-ci introduit, il lui ordonne de se mettre à genoux. Le magistrat refuse, ce geste inusité et nouveau pour un magistrat de son rang, dit-il, n'étant pas dans le cérémonial. Le Roi se lève en colère et, prenant le premier président par sa robe, veut le contraindre à obéir. M. de Gourgues en sera si ému qu'il en mourra quelques heures après subitement!...

Tallemant des Réaux affirme que Louis XIII a été plus que sévère, qu'il a été cruel! Richelieu a écrit que M. de Luynes avait fait la même remarque : il se hâte d'ajouter que personnellement il ne l'a jamais constaté. En réalité les grandes exécutions du règne, si retentissantes, — Louis XIII a voulu qu'elles fussent telles parce qu'il entendait faire des exemples — ont bien laissé de lui dans une partie du public confusément cette impression. Lefèvre d'Ormesson raconte que, se promenant plus tard à la Chevrette dans le jardin de Particelli d'Emeri où celui-ci s'entretenait avec le commandeur de Souvré, Bautru et Beringhen, la conversation tomba sur Louis XIII et il leur entendit dire que le Roi avait été « malfaisant et cruel ». Ne s'appliquerait-il même pas au Roi ce passage du *Testament politique* où Richelieu affirmant qu'il y a lieu de détourner un souverain d'une « fausse clémence », a commencé par dire « qu'il se trouvait des princes qui avaient besoin d'être divertis de la sévérité pour éviter la cruauté à laquelle ils sont portés par leur inclination ? » En tout cas ces imputations s'accorderaient mal avec l'idée d'un Louis XIII débile, esclave d'un ministre qui le ferait agir à sa volonté.

Ces diverses indications, l'action et l'attitude de Louis XIII dans le détail de ses rapports avec le cardinal de Richelieu vont les vérifier, les commenter et achever de nous éclairer sur la vraie physionomie et le caractère du prince.

IV

LES DÉBUTS DE RICHELIEU AU POUVOIR

En raison des conditions précaires dans lesquelles Richelieu avait été admis au conseil du Roi, son premier devoir était de se montrer d'une prudence extrême et de chercher, grâce à une conduite habile, à faire revenir le souverain de ses préventions à son égard. Il étudierait avec soin les avis à donner sur les affaires, afin de laisser une bonne impression de lui : pour cela, il « se donnerait du tout au public et ne penserait point à soi-même », a-t-il écrit; puis il traiterait le Roi avec la plus entière déférence. Ses collaborateurs remarqueront en effet, avec quelle application le cardinal témoignera toujours à Louis XIII « crainte et respect » et tâchera de ne rien faire, dit Fontenay-Mareuil, « qu'avec la participation du Roi et par son ordre ».

Le programme, ainsi que l'expliquera l'évêque de Sarlat, Jean de Lingendes, est donc tracé : forcer l'estime et la bonne opinion de Louis XIII, gagner ensuite sa confiance, arriver enfin à lui inspirer de l'affection, grâce à un dévouement et une fidélité à toute épreuve.

Il y avait, il est vrai, la Reine mère, qui avait fondé sur le succès de Richelieu des espérances de participation au pouvoir dangereuses. Richelieu serait à son égard réservé et attentif. Le Roi tenait beaucoup à sa mère, allait la voir soir et matin, la consultait : leur entente était complète. Richelieu conserverait soigneusement le contact avec Marie de Médicis, multiplierait les protestations de dévouement, dissiperait les ombrages, s'il s'en produisait, mais se garderait et demeurerait très prudent. A ce moment d'ailleurs, Marie de Médicis soutenait fermement Richelieu auprès de son fils.

Envers tout le monde, Richelieu se montrerait courtois, ménagerait chacun, éviterait de se mettre en avant. (Nous ne faisons pas état ici d'un document qu'on lui attribue : *Instruction que je me suis donné pour me conduire à la Cour*, puisqu'il a été démontré en 1905 que cet écrit n'est pas de lui.) Dès le mois de mai, il avait bien fallu revenir sur l'interdiction qui lui avait été faite par le Roi de recevoir au moins les ministres étrangers, car ceux-ci, constatant que Richelieu ne manquait aucun conseil, jugeaient nécessaire de s'entretenir avec lui des affaires en cours. Louis XIII avait cédé. Les ambassadeurs écrivaient dans leurs dépêches que Richelieu, avec qui ils causaient maintenant, allait certainement acquérir, par la connaissance approfondie des questions dont il faisait preuve et son jugement, une part chaque jour de plus en plus grande au conseil.

Dans le gouvernement même Richelieu serait soucieux de rester à sa place comme le lui avait commandé le Roi. Les secrétaires d'État continueraient à s'acquitter de leurs fonctions sans qu'il s'en mêlât. Avenel, dans sa publication de la correspondance de Richelieu, attribue au cardinal les documents émanés des secrétaires d'État depuis avril 1624. C'est une erreur! Les lettres que Richelieu a l'occasion d'écrire aux secrétaires d'État à cette date, montrent qu'il les traite avec déférence, les remercie des moindres renseignements qu'ils veulent bien lui communiquer. Il y a aux Archives nationales quelques quatre à cinq mille lettres de Phélypeaux d'Herbault, secrétaire d'État, expédiées au nom de Louis XIII de 1624 à 1627, en Espagne, Suisse, Valteline, Malte, le Levant. Pas une, reconnaît Avenel, ne porte la trace de l'intervention de Richelieu.

Mais le cardinal a besoin d'être informé afin de pouvoir donner ses avis au conseil en connaissance de cause. Il ne peut consulter les dossiers des « Affaires étrangères » qu'on ne garde pas. Nommé secrétaire d'État en 1616, il a été obligé d'expédier une circulaire aux envoyés du Roi à l'étranger pour leur réclamer copie des instructions qu'ils avaient reçues. Il va donc organiser, pour lui seul, sans titre officiel, une correspondance privée avec tous les personnages au dedans et au dehors susceptibles de le renseigner. Il ne craindra même pas de s'adresser directement aux ambassadeurs du Roi en spécifiant bien, avec insistance, qu'il le fait à titre personnel et qu'en rien il n'engage le souverain dont les volontés seront toujours notifiées par la voie officielle des secrétaires d'État. C'est dans ces conditions que dès 1624 nous le voyons en correspondance avec M. de Béthune, ambassadeur à Rome, le Père de Bérulle en mission près du Saint-Siège, d'Effiat, du Fargis, ambassadeur à Madrid, le comte de Tillières, ambassadeur à Londres, le duc de Lorraine, le comte Mansfeld, l'évêque de Verdun. A tous, il demande des informations. Pour les affaires intérieures, il sollicite des mémoires de gens bien placés. Il annote ces mémoires. Les intéressés au courant de ses désirs, lui envoient d'eux-mêmes des exposés pour qu'au conseil il veuille bien soutenir telle ou telle thèse : « S'il plaît à monseigneur le cardinal représenter au Roi... » « Raisons nécessaires à représenter au Roi par M. le cardinal... » Les autres principaux ministres d'ailleurs reçoivent des communications analogues, qu'on retrouve ainsi libellées : « Mémoires baillés de vers nos seigneurs du conseil... », etc.

Richelieu entretient cette correspondance par des voies spéciales, le cas échéant avec un chiffre, « inclus dans votre paquet », écrit-il en août 1624 à l'archevêque de Lyon, Marquemont, en mission à Rome. Il répète constamment qu'il ne se sert des avis reçus que pour les faire valoir au Roi au conseil, ce qui incitera les correspondants auxquels il s'adresse à une collaboration confiante. Richelieu ajoutera : « Je fais cela comme je dois pour le service du Roi et pour votre contentement. » On voit son action. Il y faut de la prudence, de la discrétion, car ces correspondances doivent rester secrètes. Écrivant en chiffre à Marquemont, il se désigne lui-même du signe de 41 et donne à son correspondant celui de 49. Il dira le 12 septembre 1624 : « Les lettres de 49 seront assurément secrètes. Il fera le même, s'il lui plaît, de celles de 41. » Et Marquemont répondra le 20 octobre : « Tout ce qui viendra de 41 à 49 sera absolument secret sans exception d'aucune personne »; on désire en effet, « ôter tout sujet d'ombrage » aux secrétaires d'État.

Richelieu est trop prudent pour n'avoir pas prévenu Louis XIII de ces correspondances. Il lui en a expliqué les motifs et les conditions et même lui a donné lecture de certaines des lettres, les plus importantes, qu'il reçoit. Louis XIII a compris et accepté! Le même 12 septembre 1624, Richelieu écrit à Marquemont : « J'ai fait voir au Roi la lettre dernière que vous m'avez écrite, laquelle je vous puis assurer avoir été bien considérée. Vous verrez par effet qu'on fera toujours autant d'estat de vos avis qu'ils le méritent. » Par là il rassure ses correspondants.

Il ne s'adresse pas qu'à des chefs de mission pour se renseigner. Il envoie par exemple en Angleterre un simple capucin, le Père Ange de Raconis, en Allemagne un autre religieux, le Père Basile de Lure, en Bavière, en décembre 1624, Fancan. De Constantinople lui écrira un M. de Monthoulieu. On sait que le plus célèbre de ces collaborateurs confidentiels a été le Père Joseph, capucin.

Il le connaît depuis longtemps. Étant évêque de Luçon il l'a vu fréquemment. Ensemble ils ont eu de longues conversations politiques. Le capucin a une extrême activité, une grande information, beaucoup d'idées, peut-être n'a-t-il pas toujours le jugement très sûr. Dès qu'il a été appelé au gouvernement, Richelieu lui a écrit de venir le rejoindre par une missive qu'a portée au capucin M. du Tremblay, son frère, et dont Lepré-Balain nous donne le sens et l'analyse. Et il a organisé méthodiquement sa collaboration avec le Père Joseph. Entre eux le secret sera aussi absolu. Richelieu emploiera le Père Joseph à Rome en 1625, toujours en informateur, chargé d'agir en dehors de l'ambassadeur, M. de Béthune, et sans que celui-ci le sache : « Nul ne connaîtra, mandera-t-il au capucin, que vous m'écrivez : je vous en assure. Faites-en de même de ce que je vous écris, d'autant que Béthune est extrêmement jaloux et chatouilleux. » Et de son côté, pour s'informer lui-même, le Père Joseph enverra en mission de ses confrères capucins, le Père Alexandre d'Alais en Bavière, le Père Hyacinthe de Casal dans l'empire.

Ainsi abondamment informé, Richelieu est en mesure de donner au conseil du Roi des avis fortement motivés dans des notes rédigées qu'il lira, ou, s'il est malade et absent, qu'il fera lire — les autres conseillers, d'ailleurs, rédigeant des notes de ce genre. — Richelieu laissera, le cas échéant, copie de ces notes entre les mains de Louis XIII, pour que le Roi puisse, à tête reposée, les lire et se faire une opinion sur son ministre. Les *Mémoires de Richelieu* contiennent nombre de ces notes que les rédacteurs y ont insérées.

Grâce à cette forte préparation, dès la première heure, Richelieu prenant part à chacune des discussions engagées, s'impose immédiatement à tous par sa connaissance minutieuse des affaires mises en discussion, la clairvoyance et l'autorité de ses avis, la fermeté de ses conclusions. Celui qui paraît tout de suite le plus frappé de cette maîtrise remarquable, c'est Louis XIII. Compétence, sûreté, force, netteté d'esprit, le Roi découvre chez son nouveau ministre toutes les qualités qu'il n'a rencontrées avec une pareille valeur chez aucun autre. Sa confiance en lui s'établit bientôt et se manifeste. On voit dans les dépêches des ambassadeurs étrangers qui causent avec le cardinal, à quel point Richelieu tout de suite prend de l'importance. Le cardinal leur explique qu'il entend agir avec générosité mais de façon libre, sincère, forte et faire que toutes les décisions soient exécutées vigoureusement. L'italien Pesaro écrit dans une de ses dépêches : « C'est un homme d'État ! » Et un autre, Morosini, dit le 22 août : « Intelligence, promptitude, chaleur, volonté, sincérité, il a tout pour être un grand ministre ! »

Dès la fin de mai 1624, à la suite d'un important conseil relatif à des affaires difficiles en Suisse, Louis XIII décide qu'à l'issue de la réunion trois ministres convoqueront à Compiègne l'ambassadeur du duc de Savoie et celui de Venise afin de discuter et s'entendre directement avec eux, et il désigne ces trois ministres qui sont : le surintendant des finances, le garde des sceaux et Richelieu assistés du secrétaire d'État d'Herbault. La conférence se tient chez Richelieu. On voit dans la discussion que c'est Richelieu qui, parfaitement maître de la matière, conduit, oriente et conclut. Les deux ambassadeurs étrangers se confient en sortant qu'ils sont « émerveillés » et qu'ils comprennent bien que toutes les affaires vont à l'avenir être traitées surtout par le cardinal. Ainsi Louis XIII en désignant Richelieu pour cette conférence marque déjà ostensiblement le cas qu'il fait de son ministre.

Au lieu d'indiquer cette façon du cardinal, si à son honneur, de justifier dès la première heure son accession au pouvoir et de s'y établir, en général les historiens aiment mieux s'étendre sur la manière dont Richelieu, d'après eux, se serait d'abord préoccupé de chasser tous les ministres qui le gênaient, La Vieuville le premier, de façon à rester seul le maître. Cette action ne s'accorde guère avec tout ce que nous venons de dire de la prudence et de la circonspection que commandaient au cardinal les circonstances dans lesquelles il venait d'entrer au conseil. Les faits et les textes ne contredisent pas moins cette version.

Si La Vieuville a été, au bout de quelques semaines de présence de Richelieu, chassé, ce n'est pas au cardinal qu'il le doit, mais à lui-même et à Louis XIII. C'était un homme léger. A plusieurs reprises et dans des documents officiels le Roi énumérera les griefs qu'il avait contre lui. La Vieuville parlait à tort et à travers, s'imaginait avoir le droit de changer de sa propre initiative les décisions prises au conseil, s'exprimait sur le compte du Roi et de la Reine mère en termes impertinents. Tout le monde trouvait qu'il était « extravagant », uniquement occupé de bavardages, de puérilités, de mensonges ! Par surcroît, le bruit courait qu'avec son beau-père Beaumarchais, trésorier de l'Épargne, il avait volé 600 000 écus ! La cour entière le détestait, le trouvait orgueilleux, méprisant. Des libelles paraissaient, le prenant à partie violemment. Il avait fait réduire les pensions données par le Roi et c'étaient les intéressés qui l'attaquaient de la sorte. On a attribué ces libelles à Richelieu : c'est une hypothèse qu'il n'a pas été possible de vérifier. Il se trouve que le plus célèbre d'entre eux, *le Mot à l'oreille*, s'en prend au cardinal aussi bien qu'à La Vieuville et le malmène pour avoir accepté d'entrer au conseil afin de soutenir le surintendant. Un autre, *la Voix publique au Roi*, qui fait d'abord l'éloge de Richelieu, lui reproche ensuite de n'avoir pas résisté à Concini et de n'avoir rien fait pour brider La Vieuville au point que, depuis qu'il est aux affaires, « on ne remarque pas que les choses aillent beaucoup mieux ». Ce n'est certainement pas le cardinal qui a écrit ou fait écrire sur lui-même ces lignes désagréables. La Vieuville croyait même si peu que Richelieu eût la moindre part dans ces attaques, que, faisant répondre à ces libelles, il recommandait à ses collaborateurs de prendre la défense du cardinal et de faire son éloge.

Bassompierre affirme que c'est Louis XIII qui a frappé La Vieuville, et ne parle pas de Richelieu.

Le 12 août 1624, Louis XIII qui depuis longtemps subit avec impatience l'insuffisance de son surintendant, a résolu d'en finir avec lui. Il convoque ses ministres à Rueil. Il réunit d'abord Marie de Médicis, le garde des sceaux d'Aligre, Richelieu et un secrétaire d'État. Il leur annonce qu'il a décidé non seulement de révoquer La Vieuville mais de le faire arrêter : on mettra les scellés sur tous ses papiers ainsi que sur ceux de son beau-père, Beaumarchais. Tout le monde s'incline. La Vieuville arrive à Rueil inquiet : il sent l'orage. Il interroge Richelieu et d'Aligre qui lui répondent de façon évasive. Il va trouver le Roi et lui dit qu'il voit bien que Sa Majesté se lasse de ses services, du fait des mauvais offices que lui rendent ses ennemis. Il sollicite l'autorisation de se retirer et demande son congé, ajoutant, un peu imprudemment, d'après le récit qu'en a laissé Richelieu, que « le Roi lui fît cet honneur qu'il pût sortir sans cette infamie d'être éloigné par autre voie ». Louis XIII répond qu'il refuse sa démission. La Vieuville ne comprend pas et croit qu'on tient à lui. Il prie Louis XIII que si jamais il se décide à se priver de sa collaboration, il veuille bien le lui dire lui-même de vive voix. Froidement le Roi lui répond qu'il peut y compter. Ceci se passe vers cinq heures de l'après-midi.

Le lendemain matin, à Saint-Germain-en-Laye, vers sept heures, le Roi envoie chercher par un valet de chambre La Vieuville. Celui-ci arrive et Louis XIII lui déclare sèchement qu'étant mécontent de lui « il lui commande de se retirer ». Le ministre confondu supplie le Roi de penser à tous les services que lui et les siens ont rendus à l'État, notamment à son père le roi de Navarre. Il n'y a pas à insister. La Vieuville sort, descend l'escalier, parvient dans la cour où il trouve le comte de Tresmes, capitaine des gardes du corps, accompagné de vint-cinq archers, qui lui annonce avoir l'ordre de l'arrêter et de le conduire à Amboise où il sera écroué. Un carrosse à six chevaux est là. On y fait monter La Vieuville et le cortège part. Beaumarchais est exilé. On met les scellés chez l'un et chez l'autre. Une lettre de cachet au Parlement et une circulaire à tous les ambassadeurs ou des avis aux envoyés étrangers à Paris, le 13 août 1624, donneront les raisons d'État qui ont déterminé le Roi à disgracier son ministre. Richelieu n'a été pour rien dans cette affaire.

La chose est si vraie, que La Vieuville, convaincu de la pitié et de la sympathie qu'au fond, le cardinal, pense-t-il, doit éprouver pour lui, fait appel à son intervention afin d'améliorer son sort. Nous avons une lettre de Richelieu à d'Effiat, ambassadeur en Angleterre, qui lui a recommandé le surintendant disgracié auquel des personnages anglais s'intéressent et dont ils sollicitent « la liberté et le rétablissement ». Le cardinal répond : « Pour la liberté de La Vieuville, je la voudrais... Je le favorise autant que je puis », mais « il faut changer le cœur du Roi et universellement de toute la France, pas autrement ! » Il a été question de mener La Vieuville à la Bastille et de lui faire son procès. Ce projet est écarté à la demande de Richelieu. En septembre 1625, La Vieuville s'enfuira d'Amboise. A ce moment Louis XIII décidera de le faire passer en jugement par contumace sous huit chefs d'accusation. La Vieuville écrira à Richelieu afin de le supplier d'intervenir à nouveau en sa faveur. « Vous en savez assez, lui dira-t-il, et vous en avez assez vu pour dessiller les yeux du Roi sur mon sujet. Vous le pouvez, vous le voudrez, monseigneur ! » La Vieuville sera gracié le 1er juin 1626 et il écrira le 1er octobre suivant à Richelieu, lui disant sa reconnaissance « de tant de bonne volonté qu'il vous plaît de me témoigner... » et lui offrant à nouveau « les remerciements très humbles que mon cœur vous rend tous les jours hautement. Je me sens vivement pressé de l'honneur de votre amitié ». On ne peut pas dire que Richelieu soit l'auteur de la disgrâce et de la chute du surintendant !

Comme suite à cette affaire, le beau-père de La Vieuville, Beaumarchais, financier en vue, se trouvant compromis et les désordres du ministre disgracié faisant présumer des dilapidations dans les finances, l'opinion publique réclame avec véhémence une vaste enquête sur ces gens d'affaires. Une chambre de justice est créée pour faire « rendre gorge aux traitants ». Des listes de coupables sont dressées, Beaumarchais trésorier de l'Épargne en tête, et, après lui, des personnages destinés à quelque fortune dans l'avenir : de Lionne, de Bragelongne, de Villoutreys, Ardier, Habert de Monmort, Barentin, Particelli d'Emeri, en tout cinquante-deux noms. La foule réclame des peines sévères, la confiscation, des condamnations à mort ! Tout cela est un peu excessif ! L'affaire est portée devant le conseil du Roi. Nous avons l'avis de Richelieu ; il l'a écrit. Il y déclare « qu'il a grande répugnance à voir terminer cette affaire par cette voie, si ce n'est à toute extrémité ». L'enquête est nécessaire, certes, mais les sanctions réclamées peuvent avoir des inconvénients : elles porteront les gens compromis au désespoir, d'où des troubles possibles. Mieux vaut décider les coupables à se taxer eux-mêmes d'une somme à verser dont le prix sera assez élevé pour satisfaire le peuple. Par ailleurs on a beaucoup d'affaires extérieures sur les bras qui exigent de l'argent. Il est donc préférable d'arranger ainsi à l'amiable celle-ci. Le Roi suit l'avis de Richelieu. Les financiers s'en tireront en payant une dizaine de millions de livres. Richelieu ici a recommandé la modération. L'ambassadeur vénitien a l'impression que le public ne lui en a su aucun gré. Mais Louis XIII, au contraire, lui, a apprécié la prudence de son ministre et l'a écouté. Il va sans tarder lui donner une preuve nouvelle de la confiance qu'il éprouve de plus en plus à son endroit.

Il y a à remplacer La Vieuville. En général le Roi ne consulte jamais son conseil pour des désignations de ce genre. Or, d'après le récit qu'en a fait Richelieu lui-même, le Roi, un soir, se trouvant chez la reine Anne d'Autriche et causant avec le cardinal, aborde brusquement la question du remplacement de La Vieuville et demande à Richelieu son avis. Richelieu surpris se dérobe prudemment. Le Roi insiste. Le cardinal prononce alors le nom du comte Henri de Schomberg, son ami, qui a déjà été surintendant. Louis XIII objecte : « Il n'est pas propre aux finances », puis il est trop lié avec le prince de Condé que le Roi n'aime pas. Richelieu répond que cette liaison n'a été que momentanée, effet de la politique, mais qu'il est très dévoué à Sa Majesté. Pour ce qui est de la compétence financière il n'y aurait qu'à lui adjoindre deux ou trois personnages entendus qui assureraient la charge : le surintendant seul assisterait au conseil, les deux ou trois autres ne feraient qu'exécuter ce qui aurait été décidé. Louis XIII demande les noms des deux ou trois personnages qu'on pourrait prendre. Richelieu désigne : Bochart de Champigny, déjà contrôleur des finances, Michel de Marillac, un homme de robe d'une probité parfaite, M. Molé, procureur général au Parlement. Richelieu, continue-t-il lui-même dans son récit, exprime sa très vive gratitude au Roi de la marque insigne de confiance qu'il veut bien lui donner en lui faisant cette communication. Louis XIII dit qu'il accepte Schomberg : c'est un homme de bon sens, reconnaît-il, ferme, ayant du courage et qui a bonne réputation auprès du public.

Schomberg se trouve dans une de ses maisons en Anjou, à Durtal, où il a été envoyé en disgrâce. Le Roi lui fait dire de revenir immédiatement à la cour. Schomberg s'empresse d'accourir. Le dimanche 18 août à cinq heures du soir, à Saint-Germain-en-Laye, Louis XIII l'installe au conseil. Richelieu fait grand cas de Schomberg. Il le tient pour un homme fidèle, heureux; il a confiance dans son jugement. Leurs relations vont être sûres. Richelieu parlera dans une de ses notes « de l'affection qu'il porte à M. de Schomberg ». Bouthillier révélera à M. de Schomberg « l'affection tendre » qu'éprouve le cardinal pour lui. Schomberg sera pour Richelieu « un bon ami » et lui rendra de grands services. Dans les affaires il aura du mordant, de l'activité. Au conseil, il parlera librement, fortement. Il plaira au Roi qui appréciera en lui particulièrement l'esprit d'économie et surtout le très bon soldat qu'il est, « valeureux capitaine », utile à consulter pour les affaires militaires; il le fera même maréchal de France en 1625!

Puis Louis XIII annonce au conseil qu'il a désigné pour les finances MM. de Champigny et Marillac. Six semaines après, le chancelier Sillery étant mort, Louis XIII nomme le garde des sceaux d'Aligre chancelier à sa place, le 3 octobre 1624.

Voilà donc le conseil refait, et il a été refait sur les avis demandés par le Roi à Richelieu. Ainsi les sentiments du prince pour son ministre évoluent peu à peu de façon singulièrement sensible. Le secrétaire d'État d'Herbault écrit à Béthune : « Vous pouvez juger ce qu'on doit espérer d'un conseil composé de tels ministres où toutes choses se passeront avec ordre et dignité et la liberté des fonctions de chacun », c'est-à-dire tous égaux, sans la prépondérance de l'un d'eux plus éminent, allusion aux manières autocratiques de La Vieuville. Louis XIII, à une des premières séances de ce nouveau conseil, a dit avec fermeté à ses ministres que : considérant l'état présent des affaires et leur importance, leur gravité, il les invitait à le servir fidèlement et qu'il les soutiendrait. Dans les grandes affaires pendantes Richelieu va tout de suite faire vigoureusement sentir son intelligence et son esprit de décision.

La première est l'affaire du mariage de la sœur du Roi, Henriette-Marie, avec le fils aîné du roi d'Angleterre, incident d'apparence familiale, en réalité d'une grande importance politique et qui traîne depuis longtemps.

C'est Henri IV qui a songé le premier à ce mariage et l'a vivement désiré. Les négociations ont commencé il y a treize ans, dès 1611. Dans l'état général où est l'Europe, la France doit chercher tous les moyens de rester unie avec l'Angleterre pour lutter contre l'hégémonie de la maison d'Autriche. Un lien matrimonial entre les familles royales des deux pays est un de ces moyens. Le gouvernement espagnol, de son côté, souhaite le mariage du même prince anglais avec une infante, ne fût-ce que pour faire échec à la France. La grosse difficulté du côté français est de faire accepter par le pape l'union d'une fille du Roi Très Chrétien avec un prince hérétique. Les catholiques zélés de la cour ont proposé d'obtenir que la future reine d'Angleterre fût accompagnée à Londres d'un nombre important d'ecclésiastiques français qui, sous la conduite d'un évêque, entreprendraient de convertir l'Angleterre au catholicisme romain! Par le contrat de mariage on tâcherait, d'abord, d'avoir des garanties pour la liberté des catholiques de Grande-Bretagne, et le zèle de la colonie des missionnaires entourant la Reine aidant, on atteindrait le but désiré. Rome accepte. Cette pensée de « planter la religion en Angleterre », comme dit une note de Richelieu, est devenue une idée fixe en France.

Lorsque Richelieu entre au conseil les tractations sont assez engagées dans ce sens. Il ne peut que les suivre. D'ailleurs Marie de Médicis tient passionnément à ce mariage pour sa fille. Le roi d'Angleterre accepte l'idée du mariage afin de se servir de la France dans ses affaires du continent, entre autres, le rétablissement de son gendre, le prince électeur palatin, dans ses États allemands, et s'assurer une alliance contre l'Espagne. Dès février 1624 des ambassadeurs anglais sont venus causer à Paris. Richelieu au conseil donne son avis sur ce mariage. Le roi d'Espagne désirant pour une infante cette union, il faut s'opposer à tout prix à son projet. L'alliance de la France avec l'Angleterre est désirable : Français et Anglais ont les mêmes alliés, les mêmes adversaires. Il faudra dans le contrat de mariage spécifier la liberté de conscience de la princesse française et tâcher d'obtenir que cesse en Angleterre la persécution des catholiques. Richelieu est d'avis que la jeune reine ait auprès d'elle un grand aumônier français, évêque, que sa chapelle soit desservie par des ecclésiastiques français « doctes et de sainte vie ». Il ne parle pas de la conversion de la Grande-Bretagne et conclut à la poursuite ferme de ce projet de mariage en vue de l'alliance politique nécessaire. Il adopte donc le projet préparé avant lui. Louis XIII charge Richelieu de discuter lui-même avec les ambassadeurs anglais.

Les tractations sont difficiles et ardues. Les Anglais ne veulent accorder pour la liberté de conscience de leurs catholiques que des assurances verbales. Richelieu tient à un écrit afin d'obtenir la dispense de Rome. Puis, le principe de l'écrit obtenu, nouvelles discussions sur la forme de la rédaction. Finalement Richelieu aboutit, et le contrat est signé en novembre 1624. Il a mené l'affaire en jouant habilement des deux ambassadeurs, lord Kensington et le comte de Carlisle, l'un contre l'autre et a pu réussir grâce à sa dextérité et à sa souplesse. Le roi d'Angleterre Jacques lui a écrit personnellement deux fois, ce dont le cardinal dans ses réponses témoigne être profondément touché. Le prince de Galles et Buckingham lui ont écrit aussi.

C'est un succès pour Richelieu ! Il lui a fallu, il est vrai, imposer au roi d'Angleterre auprès de la Reine un grand aumônier évêque et vingt-huit ecclésiastiques français, plus une centaine de Français dans le personnel de la maison de la souveraine, singulière imprudence, qui va être dans l'avenir une source de difficultés sans nombre et très graves avec les Anglais. Ne l'a-t-il pas vu ? A-t-il cru à la chimère de convertir l'Angleterre avec ce groupe d'ecclésiastiques à la cour de Londres ? C'est peu probable. Mais, politique avisé, il a compris que, eu égard aux sentiments de ceux qui entouraient Marie de Médicis et en raison de la dispense à obtenir en cour de Rome, il ne pouvait pas faire autrement.

Le mariage décidé le 17 novembre 1624, on a envoyé le Père de Bérulle solliciter cette dispense du pape qui arrive en janvier 1625. Les cérémonies fastueuses du mariage ont lieu en mai à Paris. Le cardinal de La Rochefoucauld bénit les époux. Le 27 mai Richelieu donne aux souverains et à la cour une grande fête dans la galerie du Luxembourg récemment décorée par Rubens, avec musique, collation, feu d'artifice. Le Père Garasse dit que la fête a coûté à Richelieu 40 000 livres et que trois personnes y ont été étouffées !

Après le mariage, seconde grande affaire pendante, celle des menaces d'hégémonie de la maison d'Autriche. Depuis un siècle la France est hantée par l'appréhension de ces menaces. Richelieu le sait. Le 25 novembre 1624 il déclare au conseil : « Les affaires d'Allemagne sont en tel état que si le Roi les abandonne, la maison d'Autriche se rendra maîtresse de toute l'Allemagne et ainsi assiégera la France de tous côtés. » Il n'y a, d'après lui, qu'un remède immédiat : aider les princes allemands opprimés, assister, soutenir fermement nos alliés : c'est la politique d'Henri IV : il faut la continuer.

Dès juillet 1624, les Hollandais étant mal avec les Espagnols, Richelieu propose nettement de renouveler avec eux le traité signé sous Henri IV et de leur prêter de l'argent, à condition qu'ils ne fassent ni paix ni trêve avec les ennemis sans l'entremise du Roi. Les ambassadeurs sont venus à Compiègne solliciter cet appui. Jusque-là on leur a refusé de renouveler cette alliance par crainte de Rome qui ne veut pas qu'on soutienne des hérétiques. Richelieu est plus hardi. « Courageusement », écrit-il lui-même, il déclare qu'il faut savoir prendre des résolutions « hautes et généreuses », ne pas témoigner qu'on redoute tant que cela Rome, « parce qu'en matière de princes, on interprète souvent à faiblesse la déférence que les uns rendent aux autres ». Henri IV a donné l'exemple. Il y a lieu de le suivre. Louis XIII accepte et le traité avec les Hollandais est signé, le 28 juillet 1624.

Autre aspect de la lutte contre la maison d'Autriche :

l'affaire de la Valteline, petite vallée encaissée des Alpes, traversée par le cours supérieur de l'Adda, allant du Stelvio au lac de Côme, qui peut permettre de faire communiquer le Tyrol, possession au XVIIe siècle de l'empereur germanique, avec le Milanais, qui appartient au roi d'Espagne. La Valteline est aux Grisons, alliés de la France. En 1620, les Espagnols du Milanais ont fait soulever la Valteline qui est catholique contre les Grisons qui sont protestants et se sont emparés du pays. Il faut, pour la France, empêcher à tout prix cette mainmise sur la petite vallée. Jusqu'ici on n'a pas abouti : discussions, projets, traités, rien n'a réussi. Tout au plus l'Espagne a-t-elle permis, vague moyen terme, que des troupes du pape tiennent certaines places du centre de la vallée. Ainsi, en France, « on a gauchi et biaisé doucement, sans bruit, selon la coutume ». Il faut en finir.

Richelieu propose un plan clair et énergique. Louis XIII l'accepte encore. En novembre 1624, le marquis de Cœuvres à la tête d'une armée française de 10 000 hommes envahit la Valteline, occupe les forts du nord, descend sur Tirano où sont les troupes du pape sous les ordres du marquis de Bagni, assiège la place, l'enlève, en fait autant à deux autres forts et tient tout le pays où il s'installe. Le roi le nomme maréchal de France. Ainsi Richelieu, comme l'écrit un contemporain, « cardinal de l'Église romaine, dans l'entrée du ministère, et peu affermi encore dans sa faveur », a été jusqu'à chasser les soldats du pape des places qu'ils détenaient!

Le pape Urbain VIII manifeste une irritation extrême. Bérulle, à ce moment à Rome, tâche de l'apaiser. Le pape se calme, consent à examiner la chose : il enverra un légat en France. Ce légat, François, cardinal Barberini, arrive à Paris en mai 1625. Mais Richelieu a ses idées arrêtées : il faut que la Valteline soit rendue aux Grisons, les forts rasés et que, Espagnols comme troupes pontificales, tout le monde quitte le pays. Au fond, le pape ne veut pas rendre les Valtelins catholiques aux Grisons protestants. Louis XIII charge encore Richelieu de traiter cette affaire avec le légat. Le cardinal est heureux de cette confiance grandissante du Roi. De Limours, il écrit en réponse au Roi : « Je n'ai point de parole pour reconnaître l'honneur que Votre Majesté me fait. »

Dans la discussion les choses ne vont pas toutes seules. Le légat résiste. A Paris, des catholiques ardents s'élèvent maintenant contre la politique suivie et n'admettent pas l'attitude provocante de Richelieu à l'égard du pape. Ici va commencer une opposition au cardinal qui conduira à tous les drames des années suivantes. Richelieu rédige un mémoire au Roi afin de justifier sa conduite. Il l'accompagne d'un « réquisitoire vigoureux contre ceux dont les artifices rendent le légat intraitable ». Puis, hardiment, il propose à Louis XIII, s'il a quelque doute, de ne pas s'en tenir à son seul sentiment, de convoquer à Fontainebleau une grande assemblée « des premiers de votre royaume » afin de leur exposer la question et de leur demander leur avis. A cette assemblée, seront appelés les princes, ducs, officiers de la couronne, maréchaux, grands seigneurs, représentants de l'assemblée du clergé, premiers présidents et procureurs généraux des parlements, cour des aides, chambre des comptes et prévôt des marchands de Paris. Louis XIII consent. Le légat mécontent dit qu'il s'en va en Avignon attendre le résultat.

L'assemblée se tient à Fontainebleau le 29 septembre 1625. Le Roi est assis sur un fauteuil, sa mère à côté de lui : le reste de l'assistance est debout. En quelques mots brefs, le Roi explique pourquoi il a réuni cette assemblée. Il donne la parole au chancelier qui lit un mémoire exposant ce qu'est l'affaire de la Valteline : les Espagnols, dit-il, n'ont jamais été de bonne foi : le légat les soutient et fait des propositions inacceptables; le Saint-Siège demande que les forts de la Valteline soient remis au pape et que les Grisons renoncent au pays : c'est livrer celui-ci indirectement aux Espagnols. Le chancelier requiert l'avis de l'assemblée sur ces propositions. Schomberg prend la parole : il dit avoir souvent causé avec le légat qu'il a toujours trouvé entièrement acquis aux Espagnols : mieux vaut faire la guerre que de lui céder! Le premier président du Parlement de Paris, M. de Verdun, au nom des cours souveraines, déclare qu'ils ont tous confiance dans les ministres du Roi dont les résolutions « seront approuvées et suivies de tous les bons sujets ». S'expriment dans un sens analogue : le cardinal de La Valette, Bassompierre, le cardinal de Sourdis. Alors Richelieu s'avance. Il est souffrant et ne comptait pas venir; il a dû faire effort sur lui-même. Il se tient debout, la barrette dans la main droite, s'appuyant de la main gauche sur le bras d'un fauteuil. Son discours, qui a pour objet de montrer que le Roi ne peut faire autre chose que ce qu'il a fait, est, au dire des assistants, remarquable d'éloquence, de force, de sobriété. « Il est applaudi par tous. » Personne ne demandant à présenter des objections, Louis XIII conclut qu'il fera connaître au légat l'impression de l'assemblée à laquelle il décide de se conformer et il lève la séance.

Les discussions diplomatiques reprises dans ce sens se termineront en mars 1626 par le traité de Mouzon avec l'Espagne, qui donne à peu près satisfaction à la France. Richelieu encore a réussi.

Troisième affaire, les protestants. Grâce à la faiblesse jusqu'ici du gouvernement, les huguenots mal contenus ont pris les armes, formé des armées et sont entrés en campagne sous prétexte qu'on menace leur liberté de conscience. Ainsi fait le duc de Soubise, frère du duc de Rohan, qui, au début de 1625, assemblant des vaisseaux, occupe l'île de Ré, puis le 18 janvier gagne Port-Louis avec vingt embarcations et force chaloupes montées par un millier d'hommes, s'empare de la place et de six vaisseaux du Roi. Menacé par le duc de Vendôme, gouverneur de Bretagne, qui accourt avec des troupes, il se rembarquera et s'en ira. Richelieu est inquiet. Ce feu peut se propager à la Rochelle, gagner le Languedoc où le duc de Rohan s'agite. Il faut prendre des précautions. Toiras est envoyé au Fort Louis à deux pas de la Rochelle afin de surveiller la ville. Cette mesure excite les huguenots à qui on avait promis la démolition de ce fort. Entre temps, Toiras débarquant avec trois régiments à l'île de Ré a repris le pays aux gens de Soubise.

Schomberg réclame une action énergique. Le duc de Rohan a pris définitivement les armes dans le Languedoc : il faut agir. Louis XIII indigné est pour des mesures de force immédiates. Mais Richelieu pense au dehors, à l'affaire de la Valteline qui n'est pas réglée et où il y a des troupes françaises, à la possibilité d'un conflit s'étendant de ce côté. Si on fait la guerre aux huguenots, l'Espagne s'en mêlera et ce sera la guerre avec elle. Il hésite. Alors entrent en scène ceux qu'on appelle les « zélés », les catholiques ardents. Ils accusent Richelieu de vouloir ménager les hérétiques. Le cardinal écrit à Marie de Médicis le 25 août 1625, de Limours, « qu'il y a des gens qui veulent abondamment de la guerre avec les huguenots sans regarder si le temps y est commode ou non ». Il est souffrant. Il rédige un mémoire à Louis XIII où il expose pourquoi il y aurait lieu d'être prudent à l'égard des huguenots, de composer peut-être avec eux. Louis XIII lit son mémoire et, entraîné par la confiance qu'il a de plus en plus en Richelieu, se range à son avis. Il faut traiter. Il charge Schomberg de causer avec les rebelles. Les protestants du Languedoc et de la Rochelle députent neuf d'entre eux au Roi à Saint-Germain-en-Laye le 21 novembre. On discute. Louis XIII accorde tout ce que les protestants demandent de conforme à l'application stricte de l'Édit de Nantes. Mais en ce qui concerne les Rochelais il refuse de démolir le Fort Louis. Ils auront de plus chez eux un intendant de justice et on abattra leurs fortifications. Les députés rochelais vont voir Richelieu qui les tient deux heures. Il leur promet d'essayer de disposer le Roi à être plus bienveillant pour eux; mais il n'est pas possible d'obtenir, dit-il, du prince, moins que la destruction de leurs remparts : sur ce point, il n'a pu lui-même le faire céder. Le traité sera signé le 5 février 1626, ou plutôt l'acte par lequel le Roi « donne la paix à ses sujets de la Rochelle » et les remparts seront conservés !

Ici encore Richelieu est arrivé à ses fins, avec « précaution, industrie, diligence », non dans le sens de la répression, mais dans celui de la prudence et de la modération. Et Louis XIII, malgré ses dispositions contraires, l'a suivi. On voit comment le cardinal sait mettre l'intérêt public général avant toute autre considération même religieuse ou de prestige du Saint-Siège, le Roi l'approuvant, et cela va amener contre lui une première tempête de presse qui aura son origine à l'étranger.

Il y a toute une bibliographie sur la campagne de pamphlets qui ont sévi en 1625 et 1626 contre la France à cause de la politique recommandée par Richelieu. Les trois plus célèbres ont pour titre : *Mysteria politica, Admonitio ad regem, Quaestiones quodlibeticae :* il en existe bien d'autres, tous en latin, imprimés en Allemagne ou aux Pays-Bas. Les deux premiers prennent à partie Louis XIII, le troisième Richelieu. La thèse générale est que la France, en donnant la paix à ses hérétiques pour porter secours à ceux de l'étranger et par leur moyen attaquer le Saint Empire romain germanique, a commis un scandale ! « On ne doit jamais, soutient-on, agir contrairement aux intérêts et aux volontés de l'Église. » Or l'Église est pour la maison d'Autriche. Il faut donc avoir horreur de s'allier avec les Anglais, les Hollandais, les princes protestants allemands contre elle, et on menace Louis XIII de damnation éternelle ! En France on répond (*Considérations d'État sur le livre publié depuis quelques mois sous le titre d'Avertissement au Roi*) que ce qu'on exige du roi de France c'est qu'il abandonne ses alliés à l'ambition de la maison d'Autriche, c'est-à-dire qu'il laisse envahir ses voisins de façon à être « enclos » lui-même un jour de toutes parts, puis qu'il provoque la guerre civile dans son propre royaume afin que ses sujets s'égorgent entre eux sous le prétexte d'exterminer les huguenots; en définitive qu'il sacrifie la France pour ne pas « agir contrairement aux intérêts et aux volontés de l'Église! » Ces thèses soulèvent à Paris des protestations véhémentes : Sorbonne, Parlement, tout le monde s'insurge! Le Châtelet fait brûler les pamphlets incriminés que l'on croit écrits par des jésuites allemands. On s'indigne que Louis XIII soit pris à partie de façon insultante et traité de « Scythe barbare et de tyran! » Richelieu mis en cause et qualifié de « patriarche des athées, de pontife des calvinistes » se bornera à écrire vers la fin de 1626 à un juge de Flandre qu'il remercie d'avoir empêché la publication de certains de ces pamphlets, pour lui dire que, contre l'envie, il se réfugie dans sa fidélité à son Roi et à ses devoirs et qu'à toutes ces attaques il entend opposer non des libelles ou « des pages ornées de mots éloquents », mais l'intégrité de sa vie et tout ce qu'il fait en Europe, digne, croit-il, de quelque éloge de la part de ceux qui aiment la vérité.

En fait, cette violente campagne n'aura d'autre résultat que de grandir Richelieu aux yeux de l'opinion. La partie de l'assemblée du clergé qui l'approuve, dans une déclaration contre ces pamphlets étrangers, l'exaltera, parlera de « sa gloire ». On l'appellera le « grand cardinal de Richelieu », « l'aigle des esprits! » Des libelles le vanteront et compteront que le Roi, « pour la grandeur de la monarchie », ne se privera pas de sa collaboration. Balzac lui écrira cette même année 1625 : « Nos armées ne sont que les bras de votre tête et vos conseils ont été choisis de Dieu pour rétablir les affaires de ce siècle! » On voit l'effet immédiat que l'action de Richelieu produit sur l'opinion publique!

Et Louis XIII est entièrement d'accord avec ceux qui s'expriment de cette sorte. Ainsi Richelieu se fortifie. Un ambassadeur italien constate dans une dépêche du 3 mars 1625 qu'il « avance en crédit et en autorité ». Le 18 avril, il note : « L'autorité du cardinal croît tous les jours et il sera difficile maintenant de le faire tomber. » Louis XIII écrit le 15 août 1625 à Richelieu d'un style mesuré, digne, royal, qui sent déjà son Louis XIV : « La confiance que j'ai en vous me fait vous envoyer le sieur de L'Isle pour vous dire ce qu'il sait d'important à mon service. Je vous prie de l'entendre et sur ce qu'il vous dira de me donner vos avis, auxquels je me repose, étant très assuré qu'ils me sont donnés sans autre intention ni considération que du bien de mes affaires. » Richelieu est ému de ce témoignage de la satisfaction royale. Il mande à Marie de Médicis, de Courances : « Je confesse que depuis qu'il a plu au Roi de me mettre dans son conseil, la façon dont il daigne se confier à moi me rend redevable en son endroit de plus de mille vies, si je les avois. J'ai un indicible contentement de croire qu'il connoît la passion que j'ai à son service et que je conserverai jusqu'au tombeau! » Et le 3 septembre, éloigné de Louis XIII, il lui écrira : « Ce m'est une indicible peine d'être privé de l'honneur d'être auprès de Votre Majesté, où je serai toute ma vie de cœur et d'affection! » Un ambassadeur étranger relève le 1er mai 1625 que le cardinal étant souffrant à Rueil, on a remarqué, « avec surprise », que le Roi est allé plusieurs fois le voir dans sa chambre où il était couché et a causé avec lui pendant des heures! Il conclut : l'autorité de Richelieu devient « certaine et absolue! »

Depuis le 29 avril 1624, quel chemin est déjà parcouru! Des événements graves vont mettre à l'épreuve et la confiance du maître et le dévouement du ministre!

V

LES CRISES INTÉRIEURES. 1626
RICHELIEU S'AFFERMIT

L'année 1626 va voir se produire une série de troubles intérieurs, effet ordinaire dans les cours, en France, de l'esprit d'intrigue des uns, de l'ambition des autres, de la légèreté du plus grand nombre. Louis XIII agissant personnellement réprimera avec rigueur tous ces désordres. De bonne foi ou non, on attribuera ces répressions à Richelieu qui, devenu l'objet de l'animadversion des courtisans, se trouvera exposé à leur hostilité et à leur haine croissante. Le Roi, admirant de plus en plus la haute valeur de son ministre, touché de son abnégation, indigné des violences dont il risquera d'être victime, s'attachera davantage au serviteur fidèle dont il apprécie à mesure les remarquables services.

Le point de départ de tous ces troubles est la question accidentelle du mariage du frère du Roi, Gaston d'Orléans, aggravée par des cabales faisant appel à l'intervention de l'étranger et aux révoltes des huguenots.

Le héros de ces aventures, Monsieur, nommé duc d'Anjou jusqu'en 1627, puis duc d'Orléans, est un jeune prince de dix-huit ans, peu intelligent, timide, paresseux, mal élevé, par surcroît, faible, irrésolu, sans courage et la proie de favoris dépourvus de scrupules qu'il appelle lui-même « son conseil de vauriennerie ». Il sera un fléau pour Louis XIII contre lequel il se révoltera perpétuellement, qui lui pardonnera six fois, parce que, jusqu'à la naissance du futur Louis XIV, le prince sera l'héritier présomptif du trône et qu'il faut le ménager.

Depuis longtemps il est question de son mariage avec mademoiselle de Montpensier, la plus riche héritière de France, possédant de nombreuses terres, marquisats, comtés, vicomtés, 300 000 écus d'or, 330 000 livres de revenus. Henri IV y a songé. Ce mariage est nécessaire puisque Louis XIII n'a pas d'enfant et qu'il est urgent d'assurer la succession au trône. Marie de Médicis y tient. Après le mariage de sa fille Henriette-Marie, elle n'a qu'une idée, réaliser ce projet. Louis XIII ayant demandé leur avis à ses ministres, Richelieu a rédigé un mémoire prudent où, exposant les raisons pour et contre qu'il y a d'accepter cette union, il a laissé Louis XIII juge de la décision, ce qu'il explique en disant que c'est une matière où « Sa Majesté seule peut délibérer ». Louis XIII a conclu que « pour le repos de son État », il devait approuver ce mariage. En réalité il a hésité, peut-être parce qu'affligé de n'avoir pas de fils — effet des nombreux accidents de la reine Anne d'Autriche, — il appréhende que l'autorité de son frère ne s'accroisse démesurément, si lui seul assure la succession de la couronne, puis parce que mademoiselle de Montpensier se rattache à la maison des Guise, antipathique aux rois depuis la Ligue, redoutée d'eux; enfin parce que Gaston ne semble pas vouloir de ce mariage, d'où des tiraillements possibles, et dans ce cas des difficultés certaines. La décision, Louis XIII l'a prise seul, sans pression autre peut-être que celle de sa mère Marie de Médicis, en tous cas nullement sous l'effet des instances du cardinal de Richelieu.

Mais il voit juste en pensant que son frère ne voudra pas de cette union. Est-ce que la jeune fille ne plaît pas au prince ? Peut-être. On dit aussi que divers personnages ne souhaitent pas ce mariage : les Condé, parce que la venue d'un héritier du trône les éloignerait de la couronne; le comte de Soissons, parce qu'il rêve d'épouser lui-même la riche héritière; les Longueville et les Vendôme, parce qu'ils sont hostiles à la maison de Guise dont l'influence augmenterait; mais surtout la reine Anne d'Autriche qui, humiliée de ne pas donner de dauphin à la France, ne peut supporter l'idée de cette union. Et c'est autour d'elle que va se grouper ce que l'on appellera « le parti de l'aversion au mariage ». Anne d'Autriche a depuis longtemps exprimé ses sentiments à Louis XIII sur ce sujet. Si Gaston, a-t-elle dit, a des enfants, elle sera elle-même méprisée, la faveur populaire ira à son beau-frère et ce sera une cause de troubles. C'est sans doute parce qu'elle est hostile à ce projet tandis que Marie de Médicis se passionne dans le sens contraire, que Richelieu, circonspect, s'est abstenu de se prononcer dans son mémoire au Roi.

Afin de se faire aider contre sa belle-fille, Marie de Médicis a recours à l'ancien gouverneur de Gaston, qui a une grande influence sur lui, le colonel Jean-Baptiste d'Ornano, petit-fils d'un Corse qui a jadis soulevé ses compatriotes contre les Génois, lui-même colonel d'un régiment de gardes corses créé par Henri IV et dont il ne reste que les cadres. C'est un brillant soldat, froid, hardi. Il a fait ce qu'il a pu pour bien élever le prince qui lui était confié, sans succès d'ailleurs. On l'a disgracié en mai 1624 et enfermé dans le château de Caen sous de fausses accusations : c'est l'œuvre du surintendant La Vieuville. La Vieuville tombé, Ornano a vu adoucir son sort. Marie de Médicis qui veut l'utiliser a fait demander par Richelieu au conseil qu'il fût rappelé, ce qui a été accordé sous le prétexte que Monsieur se conduisant mal, le colonel serait à même de le morigéner et de le redresser. Ornano prend le titre de premier gentilhomme de la chambre de Monsieur et Marie de Médicis le fait nommer maréchal de France en 1626. Elle compte sur lui : elle va être détrompée !

Dans une note qu'ont insérée les rédacteurs des *Mémoires de Richelieu*, le cardinal a qualifié ce qui va se passer « d'effroyable conspiration », dont la gravité a été due, dit-il, à « la multitude des conjurés », à « l'horreur du dessein » qui a été formé et au fait qu'ont été entraînés dans l'affaire non seulement les princes et grands du royaume, les courtisans, les huguenots, mais aussi les Hollandais, le duc de Savoie, l'Angleterre et l'Espagne !

Dès le début de 1626, le Roi et ses ministres ont vent d'un vaste complot : ils ne veulent pas y croire. L'extravagante aventure est montée, dit-on, près d'Anne d'Autriche par une femme d'une étonnante intrépidité qui n'a d'égale que les dons de séduction extraordinaires qu'elle possède : la duchesse de Chevreuse. Connaissant les idées de la Reine, dont elle est l'amie, sur le mariage de Monsieur qu'il faut empêcher, madame de Chevreuse est allée trouver Ornano à la demande d'Anne d'Autriche — madame de Motteville écrit que la Reine le lui a avoué — pour lui dire qu'il ferait plaisir à la Reine s'il décidait Monsieur à refuser le mariage proposé. Madame de Chevreuse, d'après les déclarations plus tard de Chalais, ajoute, que si Louis XIII vient à mourir, Gaston, devenu roi, épousera la veuve de son frère, la reine Anne. Gaston a répété ensuite plusieurs fois que cette dernière éventualité, pour lui, a été le but principal de toute l'affaire. D'après les pièces des procès qui ont suivi, la duchesse, âme de la conspiration, a enveloppé Ornano directement et par des intermédiaires, puis elle a cherché partout des partisans, gagné les Vendôme, fils naturels d'Henri IV, fait parler au prince de Condé, au comte de Soissons, au duc de Montmorency, à la duchesse de Rohan, pour atteindre les huguenots. Et tous, par légèreté, ou par l'espoir de quelque profit, ont prêté l'oreille, Ornano le premier, la Reine et le frère du Roi étant dans cette histoire. Gaston, qui est acquis, avouera plus tard à Louis XIII qu'Ornano a envoyé des émissaires au prince de Piémont, au duc de Buckingham, à l'ambassadeur des Pays-Bas, Aarsen; Orsano est allé jusqu'à écrire à certains gouverneurs de provinces pour leur demander imprudemment, dans le cas où Monsieur quitterait brusquement la cour en raison de différents sujets de mécontentement qu'il a, et se retirerait dans leurs gouvernements, s'ils le recevraient et l'aideraient. Étonnés, quelques-uns de ces gouverneurs ont communiqué les lettres qu'ils recevaient au Roi et voilà Louis XIII informé !

Il est extrêmement surpris ! Il envoie chercher Richelieu et Schomberg. Ceux-ci mis au courant sont d'avis qu'il faut agir avec une grande prudence, étant donné que tant et de si grands personnages se trouvent engagés dans cette affaire. Des preuves certaines sont nécessaires. Peut-être, disent-ils, pourrait-on chercher à gagner des conjurés en « les comblant de bienfaits », mais le procédé paraîtra une faiblesse et enhardira les autres. Devant le péril que court l'État, le plus élémentaire sans doute est d'écarter d'abord ceux qui donnent de mauvais conseils à Monsieur. Louis XIII adopte cette dernière suggestion et décide de faire arrêter Ornano. Richelieu insiste à nouveau sur la circonspection indispensable. Louis XIII passe outre et agit immédiatement. On saura après que c'est bien le Roi lui-même qui a pris les résolutions qui vont suivre et que ses conseillers étaient plutôt d'avis de temporiser. Les auteurs de libelles favorables à Richelieu le publieront. Mais Richelieu interrogé déclarera hautement qu'il a connu les mesures décidées et les a approuvées.

Louis XIII est à Fontainebleau. Il y fait venir six compagnies des gardes françaises, les mousquetaires, les gendarmes et les chevau-légers de sa garde. Le 3 mai, à la fin de l'après-midi, par son ordre, six cents soldats des gardes françaises occupent la cour du Cheval Blanc : des cavaliers sont envoyés barrer les routes autour de la ville. A neuf heures et demie du soir le Roi envoie un garçon de chambre prévenir le maréchal d'Ornano qu'il a à lui parler. Ornano, qui est en train de souper se lève et arrive. Le Roi le reçoit dans le salon ovale où il se trouve avec son premier écuyer et le capitaine des gardes du corps du Hallier. On cause de choses et d'autres, notamment de chasse, puis le Roi sort. A ce moment entrent dans la pièce douze gardes armés et du Hallier annonce au maréchal qu'il a l'ordre de l'arrêter. « Je m'en doutais ! » répond simplement Ornano. On le conduit dans une chambre du pavillon du jeu de paume où on le tient gardé à vue. Monsieur prévenu accourt dans une agitation extrême. Avec fermeté Louis XIII lui déclare que le maréchal « a voulu mettre le feu dans son État » et les brouiller tous deux. Entre temps on a fermé les portes du château dont les gardes françaises tiennent les abords. Louis XIII envoie chercher Richelieu, Schomberg, le chancelier d'Aligre, leur dit qu'il a fait arrêter Ornano et qu'il ordonne en même temps de s'assurer de trois personnages qu'il sait ses confidents : Chaudebonne, Modène, Déageant. Il a fait prévenir sa mère par M. de Liancourt et la reine Anne d'Autriche par son valet de chambre Armagnac. Le lendemain, les ambassadeurs étrangers venant le féliciter, l'un d'eux lui trouve la mine fatiguée et le lui dit. Le Roi répond : « Ce n'est rien ! ce n'est rien ! un homme de peu de cervelle se conduisait mal ! » Ce jour même madame d'Ornano écrit à Richelieu lui exprimant « ses plus humbles supplications » pour avoir « son assistance » et le suppliant « de vouloir bien protéger l'innocence de son mari ». Mais Richelieu ne peut rien. Monsieur en sortant de chez le Roi a rencontré le chancelier et s'est plaint violemment à lui de ce qui venait de se passer, lui demandant s'il avait été d'avis de cette arrestation. D'Aligre a répondu négativement, ajoutant qu'il l'ignorait. Louis XIII informé de la façon trop cavalière, à son gré, dont son ministre a dégagé sa responsabilité, va disgracier d'Aligre.

On arrête deux frères d'Ornano. Modène et Déageant sont pris à Paris par le chevalier du guet Testu et enfermés à la Bastillle. La même lettre du Roi qui donne cet ordre charge M. Testu d'enjoindre à madame d'Ornano de sortir de Paris. Partout on saisit des papiers, car ces arrestations ont pour objet, entre autres, de découvrir au moyen des documents saisis et des interrogatoires, les détails de l'affaire. Le plus clair provisoirement est qu'il était question de faire sortir Monsieur de la cour et de l'éloigner du Roi avec la pensée que ce serait le signal de la guerre civile !

Désemparé, Gaston ne sait que résoudre. Le Roi lui a dit : « Je sais ce que je fais : c'est pour mon bien et pour le vôtre ! » Un homme particulièrement dangereux à ce moment est peut-être le prince de Condé. A la suite d'un coup de tête en 1622, il est parti pour l'Italie mécontent du Roi et n'est pas revenu. Mais il a une grande situation, une grosse influence. Depuis longtemps il désirait rentrer. Louis XIII est très mal disposé pour lui. Richelieu juge qu'il y a lieu, par prudence, de le laisser revenir, de lui donner quelques bonnes paroles et de le séparer de la cabale pour se l'attacher. Louis XIII trouve d'abord très mauvais qu'on ose lui proposer pareille mesure. Puis Condé insistant pour revenir parce qu'il est gêné dans ses affaires personnelles, qu'il doit beaucoup, qu'il manque d'argent, Louis XIII finit par consentir. Il accepte que Richelieu voie Condé à Limours, et il demande au cardinal qu'il lui fasse un mémoire de ce qui se dira dans cette entrevue, de manière à ce que le dialogue soit prévu d'avance ; il écrit à Richelieu pour lui recommander de ne promettre rien sur le retour du prince, parce que, déclare le Roi, « l'ordre qu'il peut recevoir pour ce regard dépend de moi seul et de l'état de mes affaires ». L'entrevue a lieu. Elle est cordiale. Condé dira ensuite tout le plaisir que lui a fait cette rencontre avec le cardinal « dont il y avait longtemps qu'il avoit désiré l'amitié ». Condé a donné toutes les assurances possibles de sa fidélité et de son affection au Roi.

Mais ce succès met Richelieu en évidence. Ne pouvant s'en prendre au souverain de l'arrestation d'Ornano, — ce qui exposerait à commettre un crime de lèse-majesté, — les conjurés se retournent alors contre Richelieu et affectent, de bonne foi ou non, de croire que c'est lui qui inspire tout ce qui se fait. Il est question de publier une déclaration qu'on ferait signer à Monsieur, dénonçant cette insupportable ingérence du cardinal, et peu à peu les esprits se montent, s'excitent contre Richelieu. Des conciliabules se tiennent où on s'échauffe. Le cardinal devient l'objet de la colère générale et dans l'état d'exaltation où tout le monde se trouve, des projets s'esquissent, aventureux, absurdes ! On parle d'enlever Richelieu, de « le garder comme gage du traitement » qui serait infligé au maréchal d'Ornano, peut-être même « d'en tirer une sanglante vengeance » ; c'est-à-dire, sans doute, d'assassiner le cardinal !

Richelieu réside tout près de Fontainebleau au château

de Fleury-en-Bière à 4 kilomètres de la forêt. Il reçoit l'avis vrai ou faux que Monsieur a l'intention d'aller le trouver avec une suite nombreuse et s'il ne consent pas à faire délivrer Ornano, de « s'assurer de sa personne ». Aussitôt il gagne Fontainebleau, va trouver Monsieur et, par une conversation habile, le retourne. Le grand prieur de Vendôme reprend alors le projet. Son idée, d'après Fontenay-Mareuil, est d'aller attendre le cardinal en force sur la route de Fleury à Fontainebleau et de l'enlever. Mais Richelieu averti par M. de Valençay et ayant prévenu le Roi, Louis XIII lui envoie immédiatement une escorte de soixante cavaliers, raconte Bassompierre, auxquels se joignent une soixantaine de gentilshommes. Le projet échoue. Quelque temps après, M. d'Alincourt, gouverneur de Lyon, prévient le Roi que Monsieur a l'intention de se sauver de la cour et au préalable de faire poignarder Richelieu. Il tient le fait d'un gentilhomme envoyé dans les provinces pour préparer les voies. Monsieur interrogé par Louis XIII répond qu'en effet Ornano lui a conseillé d'aller à Fleury réclamer au cardinal sa liberté, sinon, de le menacer d'un poignard s'il ne cède pas ! Chalais avouera plus tard qu'on serait allé à Fleury demander à dîner à Richelieu et que pendant le repas on aurait soulevé une querelle quelconque suivie d'un tumulte au cours duquel le cardinal aurait été assassiné.

Louis XIII est outré ! Devant sa colère, le faible Gaston, terrifié, cède et se soumet. Il consent à signer un papier, le 31 mai, aux termes duquel il promet de n'avoir plus aucune intelligence avec qui que ce soit de nature à être préjudiciable au Roi ; d'aimer son frère, de lui rester attaché et de lui dévoiler tout ce qu'il apprendra de contraire à son service.

Et provisoirement on sacrifie d'Aligre auquel Louis XIII, froissé de ce que son chancelier ait eu l'air de le désavouer, a fait réclamer les sceaux et qu'il a exilé dans une de ses terres près de Chartres. Pour le remplacer, il fait choix de Michel de Marillac, qui est aux finances. Richelieu apprécie la réputation de probité, la vigueur et la sévérité de ce personnage qui est bien un peu entier et austère, mais le cardinal ne voit pas à ce défaut un grand inconvénient, — il changera d'avis plus tard. — Pour le moment la nomination de ce catholique zélé, ancien ligueur, sera une réponse aux auteurs de libelles qui lui reprochent sa politique anticatholique. Il semble bien en effet que ce soit sur l'avis de Richelieu que Marillac ait été nommé garde des sceaux, car celui-ci lui écrira le 1er juin 1630 : « Je vous ai obligation de cet honneur que j'ai reçu dont je vous remercie très humblement. » Marie de Médicis a appuyé la nomination du nouveau ministre.

Le collègue de Marillac aux finances, M. de Champigny, ayant été déjà remercié en raison de ses manières difficiles qui ont déplu à tout le monde, c'est d'Effiat qui prend les finances avec le titre de surintendant, le 9 juin.

Le ministère reconstitué, il faut maintenant régler le sort des conjurés. Les plus importants, finit-on par savoir, sont les Vendôme. Des informations venues au Roi, abondantes, sur les agissements de ces princes, il semble résulter qu'ils veulent se proclamer indépendants en Bretagne, qu'ils gagnent la noblesse, le parlement de Rennes, le peuple, s'entendent avec le prince de Soubise. On rapporte du duc de Vendôme des mots méprisants et haineux sur le Roi. Son frère le grand prieur est aussi ardent que lui. Des lettres d'eux à Ornano ont été saisies où ils se plaignent des injustices nombreuses qu'on leur a faites depuis la mort du roi Henri IV leur père. Ils parlent de leurs préparatifs de soulèvement, de leurs correspondances avec les protestants et l'Angleterre à cet effet. Il est même question d'entreprise contre la personne de Louis XIII, détail que les dépositions ensuite faites au procès de Chalais confirmeront.

Le duc est en Bretagne. Louis XIII décide d'aller droit à lui. Il part au début de juin de Paris, gagne Orléans, Blois où il est le 6. Le but de son voyage est tenu secret, ce qui prête à toutes les suppositions. Le Roi emmène avec lui, une petite armée, 5 000 hommes de pied, mille cavaliers : il fait concentrer 3 000 hommes en réserve. Richelieu souffrant est resté à Limours. Le grand prieur de Vendôme inquiet court en Bretagne prévenir son frère, et en passant, voit à Limours le cardinal qu'il questionne, mais le cardinal ne répond pas. De Blois, Louis XIII envoie au duc de Vendôme l'ordre de venir le retrouver. Les deux frères pensent que Louis XIII étant en force, il vaut mieux « faire de nécessité vertu » et obéir. Le jeudi 11 juin ils arrivent à Blois à la tombée du jour. On leur dit que le Roi se promène dans le jardin. Ils y vont. Le duc s'avance vers Louis XIII, se découvre, fait une profonde révérence. « Sire, je suis venu au premier commandement de Votre Majesté, pour lui obéir et l'assurer que je n'aurai jamais autre dessein ni volonté que de lui rendre très humble service ! » Louis XIII lui met familièrement la main sur l'épaule et lui dit avec un vague sourire : « Mon frère, j'étais en impatience de vous voir! » Ils causent et rentrent au château où le Roi va souper. On a préparé dans le château une chambre à deux lits pour les deux frères. Le lendemain ils reçoivent des amis. Le samedi 13, à deux heures du matin, Louis XIII réveillé et habillé envoie un de ses valets chercher deux de ses capitaines des gardes du corps, Du Hallier et le marquis de Mauny, auxquels il commande d'arrêter séance tenante le duc de Vendôme et son frère. Les deux capitaines vont au corps de garde prendre chacun quinze archers, montent à la chambre des Vendôme, frappent : « Qui est là? » fait un valet de chambre. « C'est le Hallier! » On ouvre. Ils entrent suivis des archers qui ont la pointe de leurs hallebardes en bas; Du Hallier commande au valet de chambre de tirer les rideaux des lits, et de réveiller ces messieurs, ce qui est fait. Alors Du Hallier informe les Vendôme qu'il a charge de les arrêter. Les deux princes émus restent silencieux. Le duc dit à son frère : « Eh bien? Vous avais-je pas prévenu en Bretagne que l'on nous arrêterait?... Je vous avais bien dit que le château de Blois est un lieu fatal pour les princes! » On leur annonce qu'ils vont être conduits à Amboise où ils seront écroués. Ils s'habillent. On les mène au port en carrosse, des gardes françaises faisant la haie depuis le château jusqu'à la Loire. Un bateau les attend où ils montent avec Mauny et des archers. D'autres bateaux suivront portant deux cents suisses et gardes françaises.

Louis XIII a écrit à Richelieu pour lui annoncer ce qu'il venait de faire et l'inviter à venir le rejoindre « le plustot que votre santé le pourra permettre ». Nous avons la réponse du cardinal : il déclare devoir s'empresser d'obéir et félicite le Roi de sa décision qu'il semble ne pas connaître autrement que par la nouvelle que lui en donne le souverain. Monsieur, prévenu par Schomberg, n'a rien dit. Le Roi enlève le gouvernement de la Bretagne à Vendôme et le donne au maréchal de Thémines. En septembre, pour différentes raisons, on décidera de transférer les Vendôme d'Amboise au donjon de Vincennes, ce qui s'effectuera sous la conduite de M. de Tresmes, capitaine des gardes. Le grand prieur paraît malade.

A peine les affaires d'Ornano et de Vendôme sont-elles réglées, qu'en apparaît brusquement une troisième plus grave encore, suite et conséquence de la première : c'est l'affaire Chalais! Henri de Talleyrand, comte de Chalais, est un jeune homme de vingt-huit ans, élégant, agréable, fils d'une mère tendre et ambitieuse qui, voulant le pousser, lui a acheté la charge de maître de la garde-robe du Roi. Il est léger, bavard, inconsidéré, trop bon duelliste, car il a tué le comte de Pontgibaud sur le pré. Ornano l'a acquis au « parti de l'aversion » : en raison de sa charge auprès du Roi il peut être utile. Ornano arrêté, la duchesse de Chevreuse se charge de gagner le jeune homme pour le décider à agir auprès de Monsieur à la place du maréchal. Elle le séduit, se « fait aimer follement de lui », dit madame de Motteville, le rend jaloux, lui raconte que Richelieu est amoureux d'elle, l'attache à Monsieur, qui, dit-elle, a une grande sympathie pour lui. Une jeune duchesse, au mieux avec deux reines! Comment Chalais, a-t-il écrit plus tard à Richelieu, aurait-il pu résister? Il s'agit de reprendre l'opposition au mariage de Monsieur avec mademoiselle de Montpensier et d'empêcher toujours cette union : on compte sur Chalais qui a de l'action sur Monsieur, plus jeune que lui. Ceci se passe à Blois pendant que le Roi y est encore. A ce moment Monsieur paraissant soumis, Louis XIII a décidé avec Marie de Médicis de faire venir mademoiselle de Montpensier à Blois : le marquis de Fontenay va la chercher à Paris et la ramène avec une escorte de cinquante cavaliers. Le sentiment de répulsion de Monsieur pour ce mariage s'exaspère en voyant qu'il se rapproche. On remarque que Chalais, logé près de lui au château de Blois, va chaque soir chez le prince et y demeure longtemps. En fait, Monsieur a repris ses projets de fuite. D'après les aveux qu'il fera au Roi en juillet, il songe à courir à Paris, à y soulever le peuple, saisir Vincennes et, si le Roi accourt, il s'enfuira à Metz, Dieppe ou le Havre. Ses amis s'assurent de concours en province : Soissons, Longueville. A nouveau l'étranger et les protestants sont sollicités. Les pensées d'attentat contre Richelieu et le Roi même reprennent. Le public croira ensuite savoir que le royaume a été à deux doigts d'une tragique révolution, où, écrit un indicateur à Bruxelles, « tout étoit perdu et en grand branle, la France ayant plus de douze rois pour la gouverner! » Dans un acte officiel du 10 août, Louis XIII parlera des « conspirations qui se faisaient contre notre personne et notre État tendantes à remplir toutes les provinces de ce royaume de la plus lamentable désolation dont il ait été jamais affligé ». Le complot a donc paru très grave! Ce qui semble avoir frappé le plus l'opinion c'est le dessein que les conjurés auraient eu de déposer Louis XIII ou de le tuer et de proclamer à sa place son frère, Gaston : Gaston épouserait ensuite Anne d'Autriche. De fait le bruit a couru partout que Chalais avait voulu tuer le Roi, le poignarder la nuit dans son lit. On interrogera à son procès des témoins sur cette accusation qui ne paraîtra pas très consistante. Mais le jugement portera que Chalais a avoué à son interrogatoire « qu'il a été dix-sept jours en volonté d'attenter à la personne du Roi » et, dans son récit de l'affaire, Richelieu croira à cette inculpation. L'entourage de Monsieur l'a niée.

En tout cas, d'après les pièces du procès la révolte était imminente. En Normandie des seigneurs avaient promis à Monsieur cinq à six cents cavaliers, Longueville huit cents; M. de Nevers devait faire des levées en Champagne et le concours du comte de Soissons était acquis. Le prince de Piémont, avait-on dit, devait amener dix mille hommes.

C'est un ami de Chalais, M. de Louvigny, qui, s'étant brouillé avec lui à propos d'un duel causé par une affaire d'amour, révèle tout! Louis XIII prévenu, prend, avec sa décision ordinaire, immédiatement, ses mesures. Il ne peut régler cette affaire à Blois. Il faut qu'il se trouve dans une plus grande ville avec les moyens nécessaires sous la main. Il ira à Nantes. Le samedi 27 juin, à sept heures du matin, il s'embarque à Blois, sur la Loire, emmenant son frère avec lui, et, après divers arrêts en chemin, parvient à Nantes le vendredi 3 juillet à six heures du soir. Les témoignages sont d'accord pour dire que c'est lui qui, ici encore, va tout conduire. L'auteur du *Discours d'État sur les plus importants succès des affaires*, de 1628, écrit : « A Blois et à Nantes le succès qui arriva provint du pur mouvement du Roi. La Reine mère, le cardinal et le garde des sceaux ne délibérèrent point là-dessus, quelque chose qu'on en ait voulu dire au contraire. » Hay du Chastellet écrira de son côté dans son *Innocence justifiée* — « Le Roi a été dans cette affaire le principal directeur des conseils... Nos ministres n'en ont été que les formes assistantes. En tous ces attentats et ces conspirations, Sa Majesté a toujours travaillé d'office et de son propre mouvement. »

Diverses précautions prises, telles que la concentration de troupes et des postes établis sur les routes qui environnent Nantes, Louis XIII décide de faire arrêter Chalais le 8 juillet. La veille au soir il commande au comte de Tresmes, capitaine de ses gardes, d'envoyer le lendemain matin quatre archers et un exempt de sa compagnie, M. de Lamont, garder Chalais dans sa chambre au château de Nantes où le Roi et la cour sont logés. Richelieu est à l'évêché. Au petit jour, le lendemain, les quatre archers montent à la chambre de Chalais, le trouvent au lit, lui expliquent leur mission. Chalais devient blême. Il reste silencieux, puis se lève, s'habille et se promène à grands pas dans sa chambre, toujours muet. Arrive l'exempt de la compagnie des gardes, Lamont. « Qu'est-ce qu'il y a, monsieur de Lamont? — Je ne sais pas, monsieur. » De sa chambre, Chalais sera conduit dans le bas d'une des tours du château et il y restera pendant tout son procès.

Monsieur, prévenu, a un sursaut de colère. Sa première pensée est de s'enfuir, mais toutes les routes sont gardées. Abattu, il se soumet de nouveau et déclare qu'il s'abandonne à la volonté du Roi. Alors, en présence de Marie de

Médicis, du cardinal de Richelieu, de Schomberg et du garde des sceaux de Marillac, Louis XIII interroge son frère : il veut tout savoir. Il y aura six interrogatoires successifs. Les aveux seront mis par écrit et signés des assistants : nous avons les autographes. Monsieur dévoile tout, et répète qu'il est prêt à se marier avec mademoiselle de Montpensier. On le blâme d'avoir écouté les conseils qui lui ont été donnés. « C'étaient, dit-il, des conseils de jeunes gens. » Chalais paraît le plus compromis.

Au premier moment de surprise a succédé chez Chalais un profond désespoir. Il pleure. Il parle de s'empoisonner. Ses gardes cherchent à le calmer. La duchesse de Chevreuse prévenue lui écrit secrètement pour l'encourager. Il répond des lettres brûlantes de passion où il demande à la jeune femme de le sauver. Il écrit à Richelieu pour le supplier de venir à son aide : nous avons douze lettres de lui au cardinal, plutôt pitoyables. Il dénonce les uns et les autres, promet ce qu'on voudra.

Mais Louis XIII est inflexible ! Le 10 août il signe une commission instituant à Nantes une chambre de justice criminelle destinée à juger Chalais, composée du premier président du Parlement de Bretagne, d'un président de la même cour, ainsi que du procureur général et de huit conseillers du même parlement, plus trois maîtres des requêtes de l'Hôtel et, pour présider la commission, le garde des sceaux Marillac. La chambre de justice tiendra ses audiences aux Cordeliers. Enquêtes, interrogatoires, auditions de témoins, la procédure est régulièrement conduite. Puis le procès se déroule : interrogatoires de Chalais « mis sur la sellette », témoins « recollés et confrontés ». Le procureur général conclut à l'inculpation de crime de « lèse-majesté! » Chalais se jette à genoux pleurant : « Messieurs, ayez pitié de moi! Je suis un homme perdu! Mon Dieu! miséricorde! » Il écrit à sa mère : « J'ai offensé les majestés divines et humaines! Je suis coupable et plus que coupable! Je vous supplie de faire prier Dieu pour moi, c'est de quoi j'ai le plus besoin! » Il s'est tourné vers Richelieu et lui a demandé de venir le voir dans sa prison. Richelieu vient trois fois, mais il ne peut rien. Chalais lui dit « de l'assurer de la grâce du Roi et qu'il dira tout ». Le cardinal répond qu'il n'a pas le pouvoir de donner cette assurance mais qu'il engage le malheureux à tout dire. Et quand Richelieu veut s'en aller, Chalais le supplie deux fois de rester, « le conjurant toujours de lui donner assurance de le tirer de là ». Richelieu ne peut pas. Nous savons ces détails par le dossier du procès. Le 18 août la chambre de justice rend son arrêt : c'est la mort! L'accusé est convaincu du crime de lèse-majesté : il aura la tête tranchée sur la place du Bouffay à Nantes, ses biens seront confisqués et ses bois et maisons rasés! Chalais et sa mère écrivent à Louis XIII implorant la grâce. Louis XIII refuse. L'exécution a lieu le lendemain, 19 août, à six heures du soir. Cette affaire produira sur le public une impression pénible, aggravée par des détails fâcheux sur la difficulté qu'a eue le bourreau malhabile à achever le condamné. Beaucoup attribueront bien à Louis XIII cette exécution. Mais d'autres la reprocheront à Richelieu. La mère de Chalais, à quelque temps de là, ira voir le cardinal à Pontise et le prendra à partie, lui disant, avec colère, « que si son fils a été criminel, il l'est aussi, vu qu'il n'a rien été fait en cette affaire que par son conseil ».

Richelieu impatienté, ne pouvant ni ne voulant discuter cette assertion, sortira brusquement de la pièce sans répondre.

Cette fois Louis XIII veut en finir avec le mariage de son frère. En vain, d'après une note de Richelieu, la reine Anne et madame de Chevreuse ont supplié Gaston de façon pathétique de ne pas céder. Louis XIII a fait appeler le prince devant son conseil — Richelieu souffrant n'est pas là. — Il lui notifie en présence de tous sa résolution de lui donner un apanage important, mais en même temps, que son mariage soit célébré sans délai. Monsieur cède : il obéira. Richelieu a déjà discuté avec Monsieur de quoi serait composé cet apanage et il a envoyé à Louis XIII un mémoire sur la question, ajoutant respectueusement « pour que Votre Majesté voie par sa prudence ce qu'elle peut accorder. J'ai pris la hardiesse de mettre mon avis dont Votre Majesté ne fera état, s'il lui plaît, qu'autant qu'elle le jugera à propos ».

Et avant même la fin du procès de Chalais, le 5 août, dans le cabinet du Roi au château de Nantes, ont lieu les fiançailles de Monsieur et de mademoiselle de Montpensier. Richelieu procède à la cérémonie liturgique et prononce une allocution. Le contrat est signé le lendemain 6 août. Le mariage est célébré au couvent des Minimes. Richelieu dit la messe. Monsieur aura comme apanage : les duchés d'Orléans et de Chartres, le comté de Blois, cent mille écus de rentes, 560 000 livres de pension annuelle. La fête est brillante ! Feux de joie, trompettes, fifres, tambours, acclamations, les rues pleines d'une foule compacte ! Marie de Médicis est radieuse ! écrit Malherbe à Racan. Un peu plus tard, rentrant à Paris pour aller habiter au Louvre, le jeune ménage sera reçu par Richelieu à Limours de façon cordiale et fastueuse.

Reste à régler la question d'Ornano. Le maréchal étant toujours à Vincennes, prisonnier, Louis XIII entend lui faire faire son procès. Mais Ornano meurt le 2 septembre, après onze jours de maladie — d'une rétention d'urine. — Le Roi regrette qu'il ait échappé au jugement, ce qui eût permis de justifier son arrestation. Le public, lui, croit à un empoisonnement! Le bruit même de cet empoisonnement s'étend, se propage, et c'est maintenant Richelieu qu'on accuse d'avoir fait mourir Ornano. Un violent pamphlet : *Le maréchal d'Ornano martyr d'État*, paraît contre lui le traînant dans la boue. De toutes parts on l'attaque. La comtesse de Soissons déclare que c'est lui qui a attiré les Vendôme à Blois afin de pouvoir les faire arrêter. A propos du procès de Chalais on fait courir sur Richelieu les bruits les plus calomnieux, dont les *Mémoires* de M. de Chizay nous apportent les échos. Richelieu écrit, dans ses notes, qu'il apprend qu'autour de la reine Anne d'Autriche on le déchire parce que, dit-on, il aurait pu empêcher nombre de choses et qu'il ne l'a pas fait; que madame de Chevreuse prétend que c'est lui qui gouverne, « le Roi étant idiot et incapable de gouverner, et qu'il ne faut pas le souffrir ». Des libelles sont publiés prenant à partie ardemment le cardinal, affirmant qu'il veut ruiner la maison de Bourbon, régner à sa place, qu'il fait venir les secrétaires d'État chez lui et les commande, etc.

Alors, accablé, désespéré devant tant de haines injustes, Richelieu décide de quitter les affaires et de se retirer! Ce n'est pas la première fois dans cette pénible année

1626 qu'il a eu cette pensée. En mai et juin, déjà, excédé des menaces de mort dont on l'environnait, il a demandé à Louis XIII la permission de s'en aller, invoquant des raisons de santé. Louis XIII lui a répondu par une belle lettre que le Père Griffet a retrouvée dans les archives du maréchal de Richelieu et publiée, où le Roi dit à son ministre qu'il a vu les raisons qui lui faisaient désirer son repos. Il désire ce repos et le rétablissement de sa santé plus que lui-même pourvu que ce soit dans la conduite des affaires de l'État. Tout y succède heureusement, ajoute-t-il, depuis qu'il y est. Le Roi a confiance en lui. « Je n'ai jamais trouvé personne, dit-il, qui me serve à mon gré comme vous. » Il le prie donc de ne pas le quitter. Il le soulagera de sa tâche le plus qu'il pourra. Qu'il n'appréhende point les calomnies. On n'y échappe pas à sa cour. On lui en veut : Monsieur et beaucoup de grands. Mais qu'il croie que son Roi le protègera contre tout le monde et ne l'abandonnera pas. Et il termine par ce beau mot : « Assurez-vous que je ne changerai jamais et que quiconque vous attaquera, vous m'aurez pour second ! » Richelieu ému s'est soumis.

Une autre fois il a voulu se démettre. Le Père Joseph l'a retenu et réconforté. Maintenant, devant le flot débordant des attaques, il écrit à Louis XIII que « ne pouvant être à couvert des calomnies et n'étant entré dans les affaires que par l'ordre du Roi, il supplie Sa Majesté de l'en décharger et de lui permettre de se retirer ». Il invoque toujours l'état de sa santé !

Il a fait parvenir sa lettre au Roi par Marie de Médicis. Louis XIII et sa mère s'entretiennent de cette démission. Louis XIII en est extrêmement contrarié ! Le cardinal l'abandonne « au fort des affaires », lorsque « les factions » ne sont pas encore dissipées. Renoncer à un ministre dont il connaît maintenant la valeur, lui est insupportable! Il demande à sa mère de l'aider à le conserver. Si c'est sa santé qui est cause de sa détermination, il faut que le cardinal se ménage en travaillant moins, les autres ministres le suppléeront. Contre les voies de fait dont on le menace, il est nécessaire qu'il ait une garde attachée à sa personne : le Roi la lui accorde : il le veut même et cela non seulement dans sa demeure, mais dans le Louvre quand il y viendra. Si le cardinal désire une place dans le royaume où il soit tout à fait chez lui et à couvert : qu'il la choisisse! Il doit être assuré de la volonté de son maître de le protéger envers et contre tous! Marie de Médicis fait la commission et Richelieu, devant l'insistance si touchante du Roi et si honorable pour lui, cette fois encore cède.

Une garde en effet lui est utile. L'affaire de Chalais terminée, le cardinal se proposant de revenir à Paris, a été informé par le procureur général de Rennes que, sur la route, on prépare un guet-apens contre lui : c'est le troisième projet d'assassinat. Louis XIII a envoyé immédiatement cinquante arquebusiers à cheval que, par un brevet du 27 septembre 1626, il permettra au cardinal de conserver dorénavant près de sa personne pour sa défense. Richelieu, suivant le désir du souverain, recrutera, en plus, trente gardes qu'il paiera à ses frais. Dans son retour à Paris trente gentilshommes l'accompagnent, auxquels l'évêque du Mans en adjoint vingt autres et, le principe admis, la garde personnelle de Richelieu se développera. En 1634, il aura cent mousquetaires à cheval, une compagnie de chevau-légers, une compagnie de cent hommes d'armes, en tout près de trois cents hommes. D'autres personnages comme le duc d'Épernon ont des gardes analogues.

Mais tous ces événements et surtout les projets d'attentats contre sa personne ont profondément troublé Louis XIII. Il en est très affecté. Une lettre de la fin d'août venant de la cour dit qu'il paraît inquiet, qu'il est d'une humeur colère, ne veut pas qu'on lui parle, prend ses repas sans rien dire, « frappant par instant d'un couteau ou d'une fourchette sur son assiette », d'impatience. Il est sombre. Tout le monde en effet est ému des proportions inouïes qu'a prises cette conspiration et surtout des idées d'assassinat qu'on a eues contre la personne royale. On songe à la fin d'Henri III, à celle d'Henri IV. « C'est une grande malédiction en France de voir tant de rois occis malheureusement et vivre toujours suspendus en telles craintes et appréhensions ! » Louis XIII est décidé à venir à bout de cet esprit de rébellion qui sévit partout et à ne plus pardonner « à personne que ce soit, grand ou petit, et faire à tous comme à l'exemple de Chalais ! »

Le 10 septembre, il convoque la reine Anne d'Autriche devant son conseil. Il fait lire ce qui a été dit d'elle dans le procès de Chalais, de ses intentions, de ses sentiments, ce qui a été dit aussi de son amie, madame de Chevreuse, « sa favorite », de ses abominables propos et de ce que la duchesse a avoué n'avoir agi que pour obéir à la Reine régnante ! La scène est pénible. Marie de Médicis intervient pour supplier sa belle-fille de vivre désormais comme les autres reines de France, dans la réserve et la prudence.

Louis XIII appuie ce que dit sa mère. Celle-ci insiste avec affection, promettant à Anne sa bonne volonté et son dévouement. La scène s'achève sur une note plus calme que celle qu'on aurait pu prévoir, grâce au chagrin et à la soumission d'Anne d'Autriche. Madame de Motteville qui raconte cette scène prétend qu'à l'accusation formulée par le Roi que la reine Anne aurait désiré sa mort pour pouvoir épouser son beau-frère, celle-ci aurait répondu avec dédain « qu'elle aurait trop peu gagné au change! »

La chambre de justice qui a jugé Chalais a ordonné l'arrestation de madame de Chevreuse. Louis XIII préfère inviter le mari de la duchesse à faire passer à celle-ci la frontière sans tarder. Dès le 17 août, madame de Chevreuse se rend en Lorraine.

Les procédures et les dépositions des témoins ont révélé que des personnages de l'entourage immédiat du Roi avaient eu des mots imprudents ou dangereux, ils sont disgraciés : le secrétaire du cabinet Tronson, son beau-frère Saint-Julien, Marsillac, leur ami. Le beau-père de Tronson, M. de Sève Saint-Julien, écrit à Richelieu pour solliciter son intervention en faveur de son fils et de son gendre. Mais Richelieu, encore et toujours, ne peut rien!

Et cependant c'est l'impression contraire qui va rester à la foule de toute cette suite de drames! Le cardinal, estimera-t-on, est tout-puissant auprès de son souverain. C'est lui qui a tout fait, tout mené : il conduit le Roi dont il est le maître!

En réalité on a vu par ce qui précède à quel point les sentiments du Roi à l'égard de Richelieu ont évolué. Louis XIII se rend compte qu'en s'en prenant à son ministre, comme on le fait, c'est lui que l'on a visé. En le défendant il se défend lui-même. Il apprécie chez le cardinal sa réserve, sa modération. Richelieu ne réclame rien, aucune faveur, aucune grâce. De lui-même, spontanément, Louis XIII lui a donné le 16 janvier 1626 une pension annuelle de soixante mille livres. « Sa Majesté me fait plus d'honneur que je ne mérite, » a écrit Richelieu à Marie de Médicis.

A mesure la collaboration est devenue de plus en plus étroite entre le souverain et le cardinal. Lorsque celui-ci est loin de Louis XIII, Schomberg lui écrit que Sa Majesté a hâte de le voir revenir. Richelieu, remarque-t-on, reste maintenant des deux heures entières seul avec le Roi dans son cabinet : le médecin Héroard le note. Si Louis XIII doit recevoir la visite de quelque délégation du Parlement ou de la municipalité parisienne auxquels il y a lieu de faire une réponse délicate sur un sujet difficile, il demande à Richelieu de lui rédiger cette réponse et Richelieu la rédige en ajoutant : « Sa Majesté ne s'assujettira pas, s'il lui plaît, aux paroles, mais dira le sens de ce qui est contenu ci-dessus sans se contraindre. » Si Richelieu est malade et alité, ne pouvant recevoir personne, seul le Roi viendra, ne fût-ce que pour prendre de ses nouvelles. Il tiendra conseil avec ses ministres autour du lit de Richelieu, si le malade peut supporter cette fatigue, ou bien, même, il enverra ses ministres à Richelieu afin qu'ils délibèrent ensemble.

Et malgré cette confiance grandissante, le cardinal demeure toujours soucieux d'observer scrupuleusement les formes qui conviennent avec un souverain qu'il sait ombrageux. Officiellement sa place au gouvernement est celle de 1624 : un ministre qui donne ses opinions. Mais devant l'autorité croissante d'une intelligence aussi lumineuse et forte, devant la faveur que le Roi lui témoigne et l'influence que le cardinal prend, il est difficile aux secrétaires d'État de ne pas laisser se modifier peu à peu le ton de leurs rapports avec Richelieu. Un secrétaire d'État (le cardinal étant absent) chargé d'expliquer au conseil une question relative à l'assemblée du clergé et aux demandes d'argent que le Roi doit lui faire, s'oubliera à écrire à Richelieu : « J'ai à désirer, monseigneur, qu'il vous plaise de me *commander* ce que j'ai à faire et à dire. » La formule est irrégulière. Richelieu interrogé de loin encore par un secrétaire d'État sur ce qu'il faudrait écrire à l'ambassadeur du Roi à Londres, relativement à certaines affaires de la reine d'Angleterre, répondra : « Il est nécessaire que Sa Majesté écrive à son ambassadeur deux lettres, l'une qui porte que... etc. » et, là-dessus, il esquissera la rédaction même du texte des instructions à envoyer, dont, évidemment, le secrétaire d'État s'inspirera, si tant est qu'il ne la copie pas.

Mais, par ailleurs, Richelieu continue à être très prudent. Demandant à un secrétaire d'État de proposer au Roi d'envoyer telle dépêche, il s'empressera d'ajouter avec précaution que ce sera toujours sous la réserve que le secrétaire d'État l'approuve, tellement il est soucieux de rester dans son rôle. Il dira par exemple : « J'estime telle chose nécessaire... Si vous approuvez cet avis, vous le proposerez à Sa Majesté et le ferez exécuter, si elle le trouve bon ! » On voit les nuances !

Pour ce qui est de ses relations avec les autres principaux ministres, rien n'est changé. Richelieu ne s'occupe ni de justice, ni de finances. L'égalité règne entre eux. Richelieu étant loin, Schomberg lui rend compte de ce qui se passe, lui demande, de la part du Roi, son avis sur les questions en cours, lui transmet des documents, lui dit qu'il est désiré et qu'on l'attend, « les remèdes ne pouvant et devant se prendre sans vous ». Les envoyés étrangers continuent à causer et à discuter avec tous les ministres indistinctement.

Les correspondances de Richelieu au dehors continuent comme auparavant, et, comme auparavant, il ne s'agit que d'informations à recevoir et en aucune sorte de direction à exercer et d'ordres à donner. Le cardinal spécifie toujours dans ses lettres à un ambassadeur que « le secrétaire d'État vous aura si particulièrement instruit de tout cela que je n'entre pas en matière sur ce sujet ». Au marquis de Cœuvres commandant en Valteline, il dira : « Je ne vous mande point les intentions de Sa Majesté sur les affaires dont vous lui avez écrit parce que M. d'Herbault vous les fera savoir particulièrement. » Il mandera à tel comme M. du Fargis, ambassadeur en Espagne, le 4 février 1626 : « La dépêche que vous recevrez de M. d'Herbault vous instruira de l'intention du Roi... Les ordres que M. d'Herbault vous enverra de la part du Roi sont seuls la règle qu'il ne vous est pas permis de transgresser. » On ne saurait être plus net sur le rôle que continue à jouer Richelieu. Naturellement ses adversaires ne manqueront pas de déclarer que « le cardinal perd tout par les ordres qu'il écrit aux ambassadeurs contraires aux intentions du Roi ».

C'est d'autant plus inexact qu'au contraire Louis XIII, vers cette époque, tend de plus en plus, par jalousie de son autorité royale, à supprimer tout ce qui paraît de nature à la limiter ou à la diminuer. Ainsi, le connétable de Lesdiguières étant mort le 28 septembre 1626, il supprime la charge de connétable, inamovible, donc dangereuse. Au début de 1627 il supprime l'amirauté de France devenue libre par la démission du duc de Montmorency auquel on donne en dédommagement 1 200 000 livres. Les deux charges étant onéreuses et fournissant à ceux qui les détiennent une puissance excessive sur les armées de terre et de mer, le Roi reprend ces deux commandements afin de les exercer seul.

Mais la suppression de l'amirauté a des conséquences fâcheuses pour ce qui concerne les affaires maritimes. Richelieu a l'esprit trop ouvert pour ne pas s'en apercevoir. Il sait l'importance de la marine en France. Il regrette dans sa *Succincte narration* qui précède son *Testament politique*, que les rois prédécesseurs de Louis XIII aient à ce point méprisé et négligé ce qu'il appelle « la mer ». La mer n'est à personne, expose-t-il; un souverain a droit sur ses côtes jusqu'à la portée d'un coup de canon; au delà le reste est à celui qui a la force pour lui. « Jamais un grand État, dit Richelieu, ne doit être au hasard de recevoir une injure sans pouvoir en prendre revanche. » Or l'Angleterre est trop près, l'Espagne, à cause des Indes, trop puissante; en Méditerranée, les pirates barbaresques font ce qu'ils veulent. On peut donc librement gêner la pêche des Français, troubler leur commerce, couler leurs bateaux, emmener leurs équipages en esclavage, bloquer les embouchures de leurs fleuves, descendre sur leurs côtes, sans que le Roi n'y puisse rien : cela n'est pas tolérable! Il faudrait avoir une marine, une flotte, ne fût-ce que pour empêcher l'ennemi de venir au secours des huguenots révoltés et soutenir ceux de nos alliés avec qui nous ne pouvons communiquer que par mer. Richelieu esquisse ces idées au conseil, trace un plan. La dépense monterait, d'après lui, pour l'entretien de trente bons vaisseaux de guerre, à 1 500 000 livres par an. D'ailleurs le commerce étant une dépendance de la puissance de la mer, et établir le commerce maritime se trouvant être un bon moyen « d'enrichir le peuple et de réparer l'honneur de la France », il y a bien lieu de créer une marine. Peu de pays ont autant de ressources pour fournir à cette création que la France : bois, fers, toiles, chanvres, de bons matelots et mariniers, les meilleurs ports de l'Europe sur les deux mers.

Et Louis XIII est gagné par ce programme. Il l'accepte. Il décide de le réaliser. Mais tout est à faire. Il faut un homme qui prenne en main le projet, ait l'autorité nécessaire pour le mener à bien : cet homme ne peut être que Richelieu. Malgré les hésitations de celui-ci, la chose est décidée. Le Roi commence par remettre au cardinal ce qui est du ressort de la charge supprimée de l'amiral de France. On crée pour Richelieu un nouveau titre, celui de « grand maître, chef et surintendant général de la navigation et commerce de France », fonction dont est exclu expressément, disent les lettres patentes de cet office, le commandement des armées navales. Richelieu en outre ne recevra aucun appointement. Ceci en octobre 1626.

Voilà donc Richelieu pourvu d'une autorité administrative directe, ayant droit de commander à des officiers du Roi, sinon pour des opérations, au moins pour le service ordinaire. C'est lui qui a demandé à ne recevoir aucun appointement. Comme successeur de l'amiral, il aurait droit à une part des épaves échouées sur les côtes, ce qui rapporte normalement environ 100 000 écus par an. Il écrira en 1629 qu'il n'a jamais touché un sol de ce droit qu'il a appliqué entièrement aux besoins la marine.

Et tout de suite il se met à l'œuvre avec sa grande activité ordinaire. Il élargit son programme. Il veut avoir pour la marine du Roi quarante bons vaisseaux, trente galères, dix galions ; soit 80 bâtiments. Sa correspondance, notamment en Hollande où il achète des navires, révèle avec quelle passion il s'occupe de tout : faire construire des vaisseaux, fondre des canons, acheter de la poudre, édifier et organiser des arsenaux, rassembler de bons canonniers.

Louis XIII lui a dit qu'il devrait avoir une place fortifiée en France dont il serait gouverneur. Richelieu jette son dévolu sur Le Havre dont il achète le gouvernement à M. de Villars en octobre 1626, port maritime qui lui servira pour la réalisation de ses projets. Ses ennemis l'attaquant, déclarent qu'il a pris une bonne position sur la mer pour « brider » la Seine et la France et s'y fortifier. Ils proclament qu'il aspire à la dictature, que demain il se fera nommer connétable, amiral, « prince d'Austrasie », qu'il est une menace pour le Roi, pour la famille royale, pour tout le monde !

Alors de nouveau, comme au moment de la présence du légat, en 1625, Richelieu juge nécessaire de s'adresser à l'opinion publique afin de l'éclairer, d'exposer ouvertement ses véritables intentions, de les justifier et d'obtenir l'assentiment des personnages les plus qualifiés du royaume. Il propose à Louis XIII de réunir en décembre 1626, aux Tuileries, sous le prétexte de la question financière, une assemblée de notables auxquels on expliquera les derniers événements qui se sont produits, la suppression de la connétablie, celle de l'amirauté, la création de la surintendance de la navigation et ce qui généralement prête à critique, en demandant les sentiments de chacun. Louis XIII accepte. L'assemblée s'ouvre le 2 décembre dans la grande salle du premier étage des Tuileries. Richelieu prononce une harangue éloquente, pleine de sérénité, élégante, « avec une grâce extraordinaire », dit un assistant. D'Effiat parle des finances. Le garde des sceaux expose ce qui s'est fait pour la marine et le commerce d'après des notes que lui a remises Richelieu. L'assemblée écoute avec faveur et la manifestation que voulait le cardinal est faite : curieuse préoccupation du cardinal que ce besoin instinctif de s'appuyer sur l'opinion dans le royaume et le désir de la gagner pour justifier tout ce qu'il fait pour la gloire du Roi et l'intérêt de l'État!

VI

LE GRAND SUCCÈS DE LA ROCHELLE

Nous venons de voir que, lors des complots Ornano, Vendôme, Chalais, c'est Louis XIII qui a poursuivi personnellement la punition des coupables. Il va en être de même dans des incidents de tels duels célèbres de ce temps dont la répression a été inexactement reprochée à Richelieu, comme l'exécution de Montmorency-Boutteville et de des Chapelles.

Suivant un collaborateur du cardinal, Hay du Chastellet, à maintes reprises, bien avant la venue de Richelieu au pouvoir, le Roi a exprimé devant ses ministres « les justes douleurs » que lui causait la sanglante mode des duels entre gentilshommes. En vain les rois de France ont multiplié les ordonnances afin de réprimer cette coutume cruelle. Louis XIII a décidé d'appliquer ces édits avec rigueur. Quelle est l'exacte opinion de Richelieu sur le sujet? Dans une note que nous avons conservée, il la fait connaître. Il trouve que les édits contre les duels sont trop sévères, raison pour laquelle, dit-il, ils ne sont pas appliqués. Des théologiens ont proposé d'autoriser le duel dans certains cas, comme on le faisait au moyen âge, ce que l'on appelait alors, « le jugement de Dieu » : ce n'est pas possible. Il faut trouver un moyen terme. La question étant posée par Louis XIII au conseil, devant lui, Richelieu s'explique. Il déclare, toujours d'après sa même note, que punir de mort ceux qui se battent en duel est « chose trop rigoureuse ». Il propose d'abord que le Roi proclame amnistie entière pour ce qui concerne le passé, puis, qu'à l'avenir ceux qui se battront seront privés de leurs charges, de leurs pensions et de toutes autres grâces du souverain. S'il y a mort d'homme dans des conditions « d'atrocité de crime », on livrera les coupables aux juges qui, « dans leur conscience », appliqueront les édits précédents. Ainsi Richelieu est d'avis d'adoucir la dureté des ordonnances. Le conseil se rangeant à son avis, un édit nouveau est rendu dans ce sens en février 1626. Le Parlement refuse de l'enregistrer, sous prétexte qu'il énerve la répression : il réclame la condamnation à mort pour tout duel. Sur l'insistance de Richelieu au conseil, des lettres de jussion sont envoyées au Parlement qui cède et vérifie l'édit le 24 mars.

Quelques mois après arrive la provocation de François de Montmorency-Boutteville.

C'est un jeune homme de vingt-six ans appartenant à l'illustre famille des Montmorency, qui a déjà vingt et un duels sur la conscience et a tué au cours de l'un d'eux Goyon de Matignon, comte de Torigny. A la suite de ce meurtre il s'est sauvé à Bruxelles avec celui qui lui servait de second, le comte des Chapelles. Mais un ami du comte de Torigny, le marquis de Beuvron, qui a juré de venger la mort du gentilhomme abattu, se rend, accompagné de son écuyer Buquet, à Bruxelles. Louis XIII prévenu écrit à l'archiduchesse qui commande en Flandre d'empêcher ces gentilshommes de se battre et même de les faire se réconcilier avec leurs adversaires si c'est possible. Des intermédiaires s'interposent, invitent à dîner les quatre gentilshommes, les font s'embrasser avec promesse de tout oublier. Mais au moment de partir, Beuvron déclare à Boutteville qu'il l'attend sur le terrain l'épée à la main. Ils se quittent. Boutteville et des Chapelles se rendent à Nancy. Entre temps l'archiduchesse a demandé une abolition — une amnistie — en faveur de Boutteville. Louis XIII a consenti à ce que le coupable puisse revenir en France, mais à condition de ne paraître ni à la cour ni à Paris. Furieux de cette restriction, Boutteville déclare qu'il ira se battre à Paris, en plein jour, et sur la Place Royale ! C'est une bravade !

Le lundi 10 mai, accompagné de des Chapelles, il arrive à Paris, sous un déguisement, fait prévenir le lendemain le marquis de Beuvron et lui donne rendez-vous pour le mercredi à la Place Royale à deux heures de l'après-midi. Il faut, à chacun, deux seconds. M. de Beuvron va solliciter et obtient le concours du marquis de Bussy d'Amboise, beau-fils du président de Mesmes, qui lui a promis son assistance en vue de cette éventualité, et il a avec lui son écuyer Buquet. Boutteville aura de son côté le comte des Chapelles et M. de La Berthe. A cette époque les assistants témoins doivent se battre entre eux.

Et le mercredi 12 mai, veille de l'Ascension, à deux

heures, les six gentilshommes, venus en carrosse, se rangent en deux lignes sur la Place Royale « près des Filles-Dieu » : Boutteville en face de Beuvron; des Chapelles devant Bussy; La Berthe face à Buquet. Ils ont chacun une épée et un poignard. Ils s'élancent. Boutteville et Beuvron sont tout de suite au corps à corps. Ils jettent leurs épées, saisissent leurs poignards, mais sentant qu'ils passent à l'assassinat, ils s'arrêtent, interdits! Pendant ce temps Bussy d'Amboise et des Chapelles ont croisé le fer et, à un faux mouvement qu'a fait le premier, le second lui plante son épée au-dessus du cœur, dans la veine cave. Bussy s'affaisse, blessé à mort. La Berthe tombe aussi grièvement atteint par Buquet. Sur quoi Boutteville et Beuvron, qui ont vu la scène, se séparent. Le personnel des carrosses accourt. Le cocher de Bussy, aidé des valets, porte son maître à l'hôtel voisin du comte de Maugiron : Bussy, qui n'a pas dit un mot, va mourir entre les mains d'un minime de la Place Royale qu'on est allé précipitamment chercher. La Berthe est transporté à l'hôtel de Mayenne, rue Saint-Antoine, où on le panse. Beuvron avec Buquet montent rapidement dans leur carrosse, sortent de Paris, et, en poste, gagneront la Manche, de là l'Angleterre. Boutteville pendant ce temps a sauté sur son cheval, des Chapelles l'imite et ensemble, franchissant les portes de Paris, ils s'en vont, à toute allure, dans la direction de Nancy par le chemin de Meaux.

Louis XIII est au Louvre. On le met au courant de ce qui vient de se passer. Richelieu n'est pas là. Le Roi fait appeler immédiatement le Grand Prévôt de France, celui qui est chargé de la police de la cour, M. de la

Trousse, et lui ordonne d'aller sur-le-champ, avec une troupe de ses archers, au château de Précy-sur-Oise, à deux lieues de Beaumont-sur-Oise, propriété de Boutteville, où il suppose que celui-ci a dû se retirer, et de l'arrêter ainsi que des Chapelles. A Précy, le Grand Prévôt ne trouve rien, laisse douze archers et revient.

Deux heures après le duel, la présidente de Mesmes, dans la douleur que lui cause la mort de son fils, Bussy d'Amboise, a la présence d'esprit, afin d'éviter que la comtesse de Vignory, tante de celui-ci, et que l'on sait être son héritière, ne saisisse des châteaux que le défunt possède en Champagne, d'envoyer deux gentilshommes à ces châteaux pour les faire fermer et les garder. Les deux gentilshommes partent en poste. Au relais de Meaux ils apprennent que deux personnages courent devant eux. Qui est-ce? Peut-être des envoyés de madame de Vignory qui se hâtent. Ils pressent, interrogeant à chaque relais. A Château-Thierry un postillon leur dit qu'il vient de mener les deux hommes en question et que ces deux hommes sont Boutteville et des Chapelles. Sur quoi les deux gentilshommes remontant en selle forcent leurs bêtes et parviennent le soir, tard, à la poste de Vitry-en-Perthois, à une demi-lieue de Vitry-le-François, où on leur apprend que les deux voyageurs qu'ils cherchent sont là, couchés dans le même lit. Un des deux gentilshommes gagne Vitry-le-François, alerte le prévôt des maréchaux (maréchaussée ou gendarmerie de ce temps), le met au courant de l'événement de la Place Royale et de la mort de Bussy d'Amboise qui est précisément son voisin et son gouverneur, et lui demande de prendre les mesures nécessaires à l'égard des coupables qui se trouvent à deux pas de lui. Le prévôt des maréchaux rassemble ses archers, gagne Vitry-en-Perthois, où, au petit jour, à la poste, il pénètre dans la chambre de Boutteville et des Chapelles, leur annonçant qu'il a mission de les arrêter! « Vous nous prenez pour d'autres! » s'écrie des Chapelles bondissant hors de son lit! Il n'y a pas à résister. On les conduit tous deux à Vitry-le-François où on les incarcère en attendant les ordres du Roi.

De Vitry-le-François un courrier a été expédié à Paris pour prévenir le gouvernement. Le Roi est à Versailles. Deux ministres se trouvent à la Sorbonne pour une cérémonie, Richelieu et le garde des sceaux de Marillac. On leur envoie le courrier qui les rencontre en chemin revenant dans leur carrosse. Apprenant la nouvelle, les deux ministres ne disent rien, Richelieu hausse même légèrement les épaules. La Reine mère avertie fait transmettre le rapport à Versailles où le Roi qui est couché — il fait nuit — est réveillé, se lève, et prend de lui-même les mesures que la situation comporte. Sur son ordre, le capitaine des gardes, marquis de Gordes, part avec dix-huit archers pour aller chercher les deux prisonniers et les ramener à Paris. Louis XIII envoie une troupe de 320 hommes à Château-Thierry attendre les coupables. Gordes arrive à Vitry-le-François, fait monter les deux prisonniers en carrosse, part encadré de 140 cavaliers, rejoint à Dormans les troupes qu'a envoyées Louis XIII et le 31 mai, à deux heures du matin, entre à Paris par la Porte Saint-Antoine. Les deux gentilshommes sont écroués à la Bastille.

Louis XIII a regagné Paris. Agissant toujours seul, sans le conseil de personne, il convoque l'après-midi le Parlement au Louvre et lui commande, toutes affaires cessantes, de procéder sans désemparer au procès criminel de Boutteville et de des Chapelles. Deux conseillers de la Grand-chambre, le lendemain 1er juin, vont à la Bastille interroger les prisonniers. Boutteville avoue; Des Chapelles ne veut rien reconnaître. Le mercredi 2 juin, on confronte les témoins qu'une enquête faite par deux commissaires du Châtelet, Mahieu et Périer, dès le lendemain de l'affaire, a permis de trouver. Le 3 juin, jour de la Fête-Dieu, au sortir de la messe basse à laquelle assiste Louis XIII, la mère de Boutteville se jette à ses pieds lui demandant grâce en pleurant. Le Roi passe et dit : « Elle me fait pitié, mais je veux et dois conserver mon autorité! » Les jours suivants, dépositions et confrontations des témoins. Madame de Boutteville essaie de présenter des requêtes au Parlement afin de récuser les juges; de faire évoquer le procès au conseil du Roi : elle est déboutée. Elle décide le prince de Condé et le duc de Montmorency, chef de la famille, à écrire au Roi afin d'implorer sa pitié. Louis XIII répond aux deux qu'il sait la considération qu'il doit avoir pour la lignée, « une des plus anciennes et des plus illustres de mon royaume ». Mais ils doivent savoir aussi avec quelle patience il a toléré et pardonné jusqu'ici tant d'actions du jeune homme contre « les lois de cet État ». Dans le cas présent, il y a infraction aux édits, continue Louis XIII, « mépris de mon autorité, perte de ma noblesse ». Il doit donc laisser agir la justice, « quelque déplaisir » qu'il en éprouve. Madame de Boutteville écrit au Roi une lettre suppliante. Louis XIII ne répond pas.

Le mercredi 16 juin le rapport du conseiller Pinon, de

la Grand-chambre, ayant été distribué, le procureur général conclut. Les deux prisonniers écrivent à Richelieu pour lui demander d'intervenir en leur faveur. Le cardinal répond à l'évêque de Nantes qui lui apporte les lettres « qu'il n'ose et ne peut en conscience parler pour eux ». Le lundi 21 juin, à neuf heures du matin, les accusés comparaissent devant la cour du Parlement. On les interroge. Cette fois des Chapelles avoue. L'audience dure jusqu'à une heure de l'après-midi. A une heure l'arrêt est rendu : Boutteville et des Chapelles sont condamnés à mort! Ils auront la tête tranchée en place de Grève! Comme atténuation, au lieu d'être exécutés le jour même, suivant la procédure courante, ils ne subiront leur sort que le lendemain. Madame de Boutteville accompagnée de la princesse de Condé, des duchesses de Montmorency, d'Angoulême, de Vendôme, vient au Louvre afin de voir Louis XIII. Le Roi fait répondre qu'il ne peut pas les recevoir! Néanmoins il assemble son conseil et le consulte. Richelieu a préparé d'avance son avis et nous avons cet avis manuscrit. Il tient 247 lignes. Dans une première partie de 108 lignes, le cardinal explique toutes les raisons qu'il y a de frapper les coupables : il les expose clairement, sans réticence. Dans une seconde partie qui a 102 lignes, il énumère avec la même netteté tous les motifs, au contraire, de sagesse, de prudence, de modération, d'équité, d'humanité qui sollicitent à l'indulgence. Et dans les dernières 37 lignes il conclut à un adoucissement de la peine et à la commutation en emprisonnement de la condamnation capitale prononcée par le Parlement. « N'user jamais de clémence, dit-il courageusement au Roi, donne occasion d'imputer à dureté et à trop grande rigueur, les actions même dont la justice est accompagnée de modération non ordinaire. » Il ajoute : « Votre Majesté saura bien d'elle-même, après en avoir ouï les raisons, prendre la résolution la plus utile à son État. » Et Louis XIII prend sa résolution : Montmorency et des Chapelles seront décapités !

Dans la soirée, la princesse de Condé, les trois duchesses que nous avons vues plus haut, madame de Boutteville, reviennent au Louvre tenter un dernier effort. On insiste auprès du Roi pour qu'il les entende. Il les reçoit dans la chambre d'Anne d'Autriche. Elles se jettent à ses genoux. « Sire ! Miséricorde ! » dit madame de Boutteville qui s'évanouit : on s'empresse autour d'elle. Le Roi est silencieux, impressionné, attristé, réfléchissant, puis il prononce lentement : « Leur perte m'est aussi sensible qu'à vous, mais ma conscience me défend de leur pardonner ! » Et il sort !

Le mardi 22 juin, sur la place de Grève qu'encadrent six compagnies de gardes françaises et que ferment les chaînes des rues qu'on a tendues, à cinq heures du soir, les deux condamnés assistés de l'évêque de Nantes sont amenés de la Conciergerie sur une charrette entourée de troupes. L'échafaud s'élève au milieu de la place. Boutteville monte le premier. On chante le *Salve Regina ;* et dans le silence de la foule émue, sa tête tombe ! Après lui, celle de des Chapelles !...

Les détails de cette affaire que nous donne un récit officieux du *Mercure françois,* éclairent donc bien cette constatation, que quelque estime qu'ait Louis XIII pour Richelieu et quelque cas qu'il fasse de ses avis, il ne se laisse pas mener par lui et qu'il sait garder sa pleine et entière autorité devant même les opinions contraires de son ministre. Les circonstances vont prouver qu'en présence de plus graves événements, de portée politique autrement considérable, il ne va pas hésiter, par contre, à lui faire absolue confiance et ici à accepter délibérément, sans conteste, la supériorité de son intelligence et de sa volonté.

Le mariage de la sœur de Louis XIII, Henriette-Marie, avec le roi d'Angleterre, n'a pas donné les résultats qu'on en attendait. Comme on pouvait le prévoir, à la longue, les relations se sont tendues entre la France et la cour de Londres. Il y a à cela plusieurs raisons. Richelieu n'estime pas le favori qui gouverne à ce moment la Grande-Bretagne, le duc de Buckingham. Il le tient pour un homme « sans noblesse d'esprit, sans vertu, sans étude ». Beaucoup parlent d'un sentiment qu'aurait le duc pour Anne d'Autriche et qui a donné lieu en 1625, lors du voyage du ministre anglais à Paris pour y venir chercher la reine Henriette-Marie, à des incidents regrettables (nous les avons précisés dans notre livre sur la *Duchesse de Chevreuse*), à la suite desquels Louis XIII ne veut plus revoir à aucun prix Buckingham dans son royaume. Buckingham en est froissé. Il se croit méprisé. On attribue en partie à cette cause son hostilité contre la France. Puis, à Londres, le ménage royal ne s'entend pas. Charles Ier fait à sa femme des scènes humiliantes devant témoins. Marie de Médicis dans une lettre à Louis XIII de 1626 parle de « l'état misérable où sa fille est réduite », à cause « de la dureté de ces gens-là ». La présence de trop nombreux Français — cent à cent vingt — autour de la Reine, obtenue si difficilement dans les négociations du contrat de mariage, est cause de plaintes chaque jour croissantes. On les accuse de troubler la cour de Saint-James par leur zèle catholique; de mal conseiller la Reine; de faire faire à la princesse des imprudences qui sont des provocations pour les Anglais, comme certain pèlerinage au gibet où furent pendus des catholiques. En août 1626 le roi Charles se décide à expulser tous ces Français et la Reine est tenue comme prisonnière, à sa grande affliction, dont témoignent les lettres navrantes de douleur qu'elle écrit en France. A Paris, on prévoit que ces difficultés mèneront finalement à la guerre. Les Anglais ont un bon moyen de la provoquer : c'est de dire qu'ils veulent soutenir les huguenots de France révoltés. Il y a partout en France des causes de frictions entre protestants et catholiques. Le prince de Condé réclame la lutte contre les hérétiques. « Le temps est venu, écrit-il au Roi, d'attaquer à outrance tous les huguenots du royaume à la fois! » Des libelles révèlent qu'on pousse Louis XIII à l'extermination des protestants. Louis XIII a beau répondre qu'il entend que les protestants « jouissent pleinement et paisiblement des grâces et libertés accordées à eux par les édits, sans qu'ils soient inquiétés et molestés pour quelque cause que ce soit »; que s'il désire « réunir tous nos sujets en l'unité de l'Église catholique », c'est seulement « par toutes les voies de douceur, d'amour, de patience et bon exemple, attendant qu'il plaise à Dieu d'illuminer leurs cœurs et les ramener au giron de son Église »; les passions sont plus fortes et entraînent les esprits! Le soulèvement des huguenots menacés va amener l'anarchie : on ne reconnaîtra plus l'autorité du Roi : on s'entendra criminellement avec l'étranger : les chefs militaires des huguenots, le duc de Rohan et son frère le prince de Soubise, au nom de leurs coreligionnaires, donneront corps à la rébellion en prenant les armes et ouvertement imploreront l'assistance du roi de la Grande-Bretagne. Soubise est à Londres. Ainsi se forment et se compliquent des difficultés qui vont mettre Louis XIII aux prises avec ses sujets huguenots insurgés, appuyés par les Anglais débarquant sur les côtes de France; c'est ce qui arrive vers le milieu de 1627.

Invoquant le fait que, dans les derniers troubles protestants, des traités ont été accordés par Louis XIII à ses sujets réformés grâce à l'intervention du roi d'Angleterre, celui-ci prétend être la caution de l'observation par le roi de France de ces traités et avoir le droit d'intervenir pour les faire respecter. Le conseil de Louis XIII n'admet pas cette thèse. Les hostilités des Anglais vont se produire brusquement, sans déclaration de guerre. L'ennemi visera surtout la région de la Rochelle, centre politique des protestants. On prend à Paris des précautions. Toiras est envoyé commander à l'île de Ré afin d'assurer la mise en état de cette position, en face de la Rochelle, base possible d'opérations pour les Anglais. Au début de 1627 des troupes sont dirigées vers l'île d'Oléron, Brouage. A titre de surintendant général de la navigation, Richelieu prend en main l'organisation de la défense des côtes et s'y emploie avec une activité ardente. Des informations arrivent d'Angleterre en avril 1627, prévenant que les Anglais préparent une grande armée navale. Les Rochelais ont envoyé des députés à Londres demander au souverain britannique « qu'il contraigne » le Roi son beau-frère, par la force des armes, à tenir les promesses qu'il leur a faites de démolir le Fort Louis. Soubise, toujours à Londres, assure Buckingham que dès que les navires anglais paraîtront devant les côtes de Saintonge, les huguenots de France prendront les armes!

Richelieu multiplie les préparatifs. Il écrit à Toiras de bien fortifier les points principaux de l'île de Ré. Il lui envoie de l'argent, des canons, de la poudre, fait recueillir des chaloupes, des galiotes pour les transporter, loue des bateaux en Hollande, commande partout de construire des vaisseaux, d'armer ceux qui sont dans les ports de Bretagne. Sa correspondance est merveilleuse d'activité ordonnée, réfléchie, frémissante!

Les avis venus de Londres se précisent. Les Anglais auraient l'intention de descendre dans les îles de Ré ou d'Oléron. Que tout le monde se tienne sur ses gardes! écrit Richelieu. Une grosse difficulté devrait l'arrêter : la question d'argent. Les trésoriers du Roi et le surintendant d'Effiat n'auront jamais les sommes nécessaires pour tous ces préparatifs : Richelieu va dépenser, suivant un de ses collaborateurs, plus de 1 200 000 livres. Alors le cardinal emprunte en son nom, obtient de mettre en avant le crédit de ses amis. Il arrivera ainsi à trouver plus d'un million de livres.

En juin tout le monde est anxieux de savoir quand la la flotte anglaise appareillera de Portsmouth. Richelieu se flatte d'avoir à lui opposer cinquante vaisseaux. Mais cette flotte ennemie, nous le savons aujourd'hui par les archives du Record Office, va compter quatre-vingt-dix-huit navires — divisés en cinq escadres — dont 74 de combat et le reste de ravitaillement, le tout monté par 4 000 marins et transportant des troupes de cavalerie, d'infanterie, sept régiments. Elle met à la voile le 27 juin, commandée par Buckingham. On ignore sa destination : le secret est gardé. Mais, du fait que, depuis le début de l'année, les Anglais saisissent tous les bateaux français qu'ils rencontrent en mer, il n'est guère de doute sur l'ennemi qui est menacé. C'est le 30 juin qu'on est informé à Paris du départ de la flotte des ports d'Angleterre. Un courrier du maréchal de Thémines venant de Bretagne arrive quelque temps après annonçant que l'escadre anglaise est passée en vue des côtes de Brest, se dirigeant vers le sud, sans doute sur la Rochelle. L'information parvient en même temps que le duc de Rohan rassemble des troupes en Languedoc. Puis Buckingham publie un manifeste où il déclare venir faire respecter par le roi de France les promesses qu'il a faites à ses sujets protestants et se porter au secours de la Rochelle menacée !

Le mardi 20 juillet, la flotte anglaise parvenue aux côtes de Saintonge mouille devant l'île de Ré à six heures du matin. On a construit dans l'île deux forts, l'un sur le bord de la mer près du bourg de Saint-Martin, l'autre, dit le fort de la Prée, plus à l'est vers la Pallice. Le mercredi 21 l'ennemi ouvre le feu contre les deux forts. Il débarque à la pointe de Sablanceaux 2 000 hommes. Toiras avec six escadrons les charge, mais pris en écharpe par la canonnade des bâtiments ennemis il recule. Les Anglais avancent. Le mardi 27 juillet, avec 8 000 hommes ils marchent sur Saint-Martin. Toiras évacue le bourg et s'enferme dans la forteresse que l'ennemi enveloppe. Des tranchées sont creusées, des canons mis en batterie. Du côté de la mer des bateaux anglais approchent. Mais la défense de Toiras est vigoureuse. Buckingham qui avait espéré enlever la place en huit jours comprend qu'il faut la bloquer et compter sur la famine.

Le débarquement des Anglais à l'île de Ré a produit une grande émotion en France. Sollicitée par Buckingham de se déclarer ouvertement, la ville de la Rochelle n'ose encore franchir le pas et élude. De Paris on a envoyé le duc d'Angoulême commander les forces que l'on dirige peu à peu vers les côtes de Saintonge. Richelieu continue à tout organiser et presser avec une impatience fébrile. Informé que Toiras est bloqué, il décide de lui faire parvenir des vivres et des munitions, difficile problème, car les Anglais entourent Saint-Martin du côté de la mer et de la terre. Les nouvelles que l'on a de l'île ne sont pas très bonnes. Les approvisionnements ne dureront pas longtemps. On mange déjà les chevaux. La pluie tombe, continuelle. Les soldats ont à Saint-Martin des abris insuffisants. Le 7 septembre, profitant d'une marée et d'un vent favorable, quinze pinasses françaises préparées sur les instances pressantes de Richelieu tâchent de passer à l'île de Ré entre deux et trois heures du matin. Treize parviennent sous le bastion de Saint-Martin : elles apportent de la farine, des biscuits, vingt bœufs, quarante pièces de vin, de la poudre, du plomb. C'est un succès ! Richelieu prépare alors un autre grand secours pour « le gros d'eau de la nouvelle lune » du 7 octobre et en rassemble les éléments. Le jour dit, à la nuit, trente-cinq voiles sortent des Sables-d'Olonne portant 830 hommes commandés par des capitaines de marine réputés : Richardière, Beaulieu-Persac, Launay-Rasilly. La flotte ennemie alertée entoure de toutes parts la flottille. La bataille se déchaîne ; des barques sont prises ou coulées. Finalement 25 bateaux passent et arrivent au pied de la citadelle de Saint-Martin entre trois et quatre heures du matin avec 200 tonneaux de farine, 60 pipes de vin, des drogues pour les malades, morues, pois, fèves, jambons, 60 bœufs salés, vêtements, chaussures. Les Anglais découragés ne tirent plus de huit jours. Buckingham lassé hésite-t-il ?

Alors Richelieu et Schomberg ont l'idée de faire descendre dans l'île de Ré un corps expéditionnaire capable de jeter les Anglais à la mer. Il s'agit d'envoyer 6 000 hommes, 300 chevaux, six canons, et Schomberg lui-même viendra en prendre le commandement. Sept régiments et un détachement de mille hommes des gardes françaises sont amenés à la côte.

Prévenus, les Anglais essaient le 6 novembre un assaut général contre Saint-Martin pour en finir. Quatre coups de canon donnent le signal de l'attaque. Quatre à cinq mille hommes s'élancent, mais Toiras tient bon et un feu violent de mousqueterie contient les assaillants qui reculent : au bout de deux heures de lutte ils battent en retraite ! Buckingham est découragé ! Le bruit court qu'il songe à lever l'ancre et à s'en aller !

Sur quoi les troupes de Schomberg embarquées dans cinquante-quatre bateaux tentent, la nuit du 8 novembre, de passer la mer. Elles réussissent, débarquent à l'île de Ré entre les pointes de Chauveau et Sablanceaux. Mettant son monde en ordre de bataille, Schomberg marche sur le fort de la Prée où il arrive à cinq heures du matin, de là, va sur Saint-Martin. Il n'y a plus d'Anglais! Toiras le rejoint et lui dit qu'ils retraitent à deux lieues vers l'île de Loix. On s'élance à leur poursuite. On les trouve sur une digue menant de l'île de Ré à l'île de Loix. Schomberg charge leur arrière-garde qui attend de passer. Le désordre se met dans les troupes anglaises. On les enfonce : il y a quinze à dix-huit cents tués! La nuit arrive et le lendemain on constate que l'ennemi s'est embarqué. L'île de Ré est délivrée! Buckingham attend le vent pour appareiller et rentrer en Angleterre!

La nouvelle produit une joie immense en France! C'est Richelieu qui, par sa diligence, son activité, son énergie, est arrivé à ce brillant succès! Écrivant pour le public la *Relation de la descente des Anglais en l'île de Ré*, le garde des sceaux Marillac proclamera que « la meilleure part en ce triomphe » revient « au zèle et aux soins » du cardinal!

Mais il faut revenir sur nos pas pour voir ce qui s'est passé pendant ce temps autour du Roi et dans le gouvernement même.

Aux premières nouvelles des projets de descente des Anglais, Louis XIII a déclaré à ses ministres qu'il entendait aller en personne sur les côtes de Saintonge afin de suivre les opérations. Il a fixé son départ à la fin de juin. Le 28, en effet, il monte en carrosse, couche le soir à Beaulieu, près de Montlhéry, puis à Villeroy, seconde étape (commune de Mennecy, canton de Corbeil). Là il est pris de fièvre avec frissons et maux de tête. Son état est tel que les médecins sont d'avis qu'il ne peut pas aller plus loin. On le couche. Il est très affecté. Marie de

Médicis et les ministres accourent. Les médecins estiment qu'il est indispensable de ménager le Roi, déjà trop inquiet, et qu'il ne faut même pas lui parler d'affaires. Les ministres, d'accord avec Marie de Médicis, décident donc de prendre eux-mêmes toutes les mesures nécessaires au nom du Roi, sans le consulter. La maladie de Louis XIII s'aggrave. Le prince ne peut plus manger. Il est très faible. Plus tard, le médecin Bouvard qui soigne le Roi (Héroard a quatre-vingts ans) dira à Richelieu dans une lettre de novembre 1641 que c'est une des plus graves maladies que le souverain ait eues. Personne ne sait ce qu'il a : d'après les indices, ce sont les intestins qui semblent être pris. Le bruit court que le Roi est en danger et va mourir. Les routes qui mènent à Villeroy se couvrent de carrosses. Vers le 20 juillet, les crises toutefois du malade diminuent de durée et s'espacent. Le Roi n'est préoccupé que des Anglais. Il dit à son confesseur, le Père Suffren, qu'il n'a qu'une pensée, faire le siège de la Rochelle : il veut partir; commande que son équipage soit prêt. Lorsque la nouvelle arrive que les Anglais ont débarqué dans l'île de Ré, les médecins s'opposent à ce qu'on le dise au Roi. Dans la suite, Louis XIII informé approuvera. D'ailleurs, d'après le récit de Marillac, il a déclaré « à M. le cardinal de Richelieu et aux ministres qu'ils aient à pourvoir aux affaires pressées par l'ordre de la Reine mère et qu'il trouvera bon ce qu'ils feront de sa part de cette manière ». Forts de cette parole, Richelieu et Schomberg conduisent tout avec vigueur, le premier pour la marine, le second pour l'armée. Ils ont conscience des risques auxquels ils s'exposent, mais Richelieu « aime mieux courir fortune de sa propre perte que de rien relâcher qui soit contraire à la dignité du Roi et au bien de l'État ». On comprend maintenant comment, pour avoir de l'argent, le surintendant d'Effiat ne pouvant en fournir, il n'a d'autre ressource que d'emprunter en son nom et sur le crédit de ses amis. C'est aussi la raison pour laquelle il va montrer, afin de réussir, cette activité dévorante qui lui fait envoyer en un mois plus de deux cents courriers ! Tout l'entourage rendra justice à son énergie indomptable. Le prince de Condé et le duc d'Angoulême le répéteront dans des discours publics, malgré les jalousies, les rancunes et les inimitiés inévitables que va provoquer cette activité.

Au début d'août l'état de Louis XIII s'améliore. Richelieu et Schomberg commencent à l'entretenir, à mesure, des affaires, s'expliquent devant lui, sollicitent son assentiment et envoient des ordres maintenant avec la formule : « Fait et arrêté en présence du Roi à Villeroy. »

Dès qu'il se sent mieux, Louis XIII entend partir au plus tôt pour la Rochelle. Richelieu estime le 15 août que le prince pourrait se mettre en route vers le 8 septembre. Mais le 23 août le Roi est encore si faible que les médecins sont d'avis qu'il rentre à Saint-Germain et Louis XIII gagne Versailles à cette intention. Il en est si désappointé, si déprimé, dit un ambassadeur, qu'il désire être seul, même sans sa mère, rentrée à Paris. L'air de Saint-Germain le remonte. Il reprend. Richelieu écrit à Monsieur le 9 septembre : « Les forces du Roi se rétablissent plus tôt qu'on n'avait cru. On pense qu'il pourra être le 8 du mois prochain à la tête des troupes. » Le 16 septembre, Louis XIII déclare qu'il veut partir le 25. Il rentre à

Paris, tient conseil, décide que la Reine mère sera déclarée régente pendant son absence et que rendez-vous général sera donné à toute sa suite pour le 28 à Blois. Puis il part le 20. Ce même jour Richelieu lui a écrit que, tout bien considéré, il croit que « Votre Majesté est obligée de s'attacher au blocus de la Rochelle et qu'il se peut faire avec succès ! » C'est le rêve que caressait le Roi ! Il en est plein de joie ! Richelieu suit Louis XIII. Il est à Blois le 1er octobre, passe à Richelieu en Poitou, retrouve Louis XIII à Parthenay le 7, et ensemble, le Roi et son ministre arrivent devant la Rochelle le 12 octobre. Le Roi s'installe à Aytré, Richelieu au Pont de la Pierre, le garde des sceaux et les autres ministres à la Jarne. Monsieur est à Dompierre.

Nous avons dit que les Anglais avaient demandé à la municipalité de la Rochelle de se prononcer ouvertement pour eux, mais que la municipalité, redoutant les suites d'une révolte, a décliné. En réalité la ville est très divisée. Dans ses dix-huit ou vingt mille habitants elle compte des éléments ardents et si beaucoup craignent de perdre les privilèges accordés par les rois, depuis le XIIIe siècle, aux maire, échevins et pairs de la cité, un grand nombre réclame une attitude énergique et agressive. Depuis longtemps Richelieu pense qu'on ne pourra brider le parti huguenot en France qu'en s'emparant de cette ville, « grain de poudre dans l'œil de la France », capitale pleine « de factieux » du monde protestant dans le royaume. Louis XIII pense de même. Il ne peut souffrir surtout que les Rochelais traitent avec les Anglais, aient des députés à Londres. Les Rochelais répètent avec insistance que le Roi doit détruire le Fort Louis qui menace, disent-ils, leur ville. Schomberg a répondu rudement à leurs envoyés que le Roi entend d'abord être obéi! Il n'y a pas de doute pour le Roi et ses ministres qu'ils finiront par faire cause commune avec les Anglais, auxquels, on le sait, ils adressent de continuels et de pressants appels. Schomberg et Marillac jugent qu'il faut entreprendre le siège de la ville avant que les ennemis n'y entrent. Au moment de l'affaire de l'île de Ré, Richelieu, de son côté, a pris délibérément position et développé ses raisons à cet égard au conseil. La poire est mûre; tout le monde le sent! Sur l'ordre du Roi, le duc d'Angoulême, lentement, répartit peu à peu ses troupes autour de la Rochelle, en vue du blocus éventuel, creuse des tranchées, élève des palissades. Les Rochelais s'en aperçoivent, s'irritent, et, finalement, le vendredi 10 septembre, à cinq heures du soir, ouvrent le feu de leurs canons sur les travailleurs : le Fort Louis répond : c'est la guerre!...

Lorsque Louis XIII arrive le 12 octobre devant la place, l'investissement est assez avancé. De la fenêtre de son logis à Aytré, avec des « lunettes d'approche », dit son historiographe C. Bernard, il peut voir la rade et les vaisseaux qu'elle contient, suivre la ligne des tranchées, forts et redoutes, qui se profilent maintenant autour de la ville. L'armée assiégeante compte dix régiments, soit 12 500 hommes. Le cardinal de Richelieu, qui a fait de Brouage la base des opérations maritimes qu'il projette, hâte l'arrivée des vaisseaux, négocie pour que les Espagnols, au nom, implicitement, des intérêts catholiques, l'aident contre l'hérésie en lui donnant l'appui de leurs flottes, 70 navires, — mais il doit peu compter sur eux;

— demande aux Hollandais, nos alliés, seize vaisseaux, puis vingt, qu'on promet; fait partout fondre des canons, fabriquer des boulets; prie le Roi d'écrire à la municipalité de Paris et aux différentes grandes villes du royaume afin qu'elles procurent aux soldats, en vue de l'hiver, des vêtements de « bure minime teinte en laine », et des souliers : et les villes s'exécutent.

Dès qu'il est installé, Louis XIII inspecte les travaux en cours. La ligne de circonvallation destinée à entourer la Rochelle et qui aura trois lieues de long, ponctuée de onze forts et de dix-huit redoutes, le tout dressé sur les plans de l'ingénieur italien Pompeo Targone, s'élève. Malheureusement on avance lentement. Il pleut; surtout il n'y a pas d'argent et les troupes en ce temps ne creusent ou ne construisent que moyennant un salaire de vingt sols par jour, en sus de leur solde journalière qui est de dix sols, payables à ce qu'on appelle « la montre », c'est-à-dire tous les trente-six jours. Il faut même régler exactement cette solde, sinon les hommes s'en vont, « la solde, comme dit Richelieu, étant l'âme du soldat ». Malgré les prodiges que fait le surintendant d'Effiat pour payer les lettres de change que tire le cardinal, ou envoyer des « voitures d'or », malgré les impôts nouveaux qu'on crée, difficiles à faire enregistrer par les parlements, et les dons qu'on demande aux assemblées du clergé qui les accordent avec peine, on est constamment à court! Richelieu continue à emprunter.

Puis, il y a la digue, la célèbre digue, pour fermer le port de la Rochelle, qui coûte extrêmement cher! On en a attribué l'idée à Richelieu. Il en était question avant que le cardinal ne fût aux affaires. Dès 1622, Pompeo

Targone avait proposé de fermer la haute mer aux Rochelais par une estacade, et l'ingénieur Chabans par une palissade. L'idée du premier adoptée on avait commencé quelques travaux, depuis abandonnés. Richelieu en 1627 reprend le projet, malgré l'avis de Louis XIII qui n'a pas confiance. En effet l'estacade de bois élevée ne tient pas : elle cède sous les effets de la mer et la canonnade des Rochelais. Alors, le 27 novembre, Métezeau, architecte du Roi, et l'entrepreneur Thiriot, de Paris, proposent de construire dans le canal de la Rochelle, entre Coureilles et Chef de Baie, une digue à pierres perdues. Le canal a 800 toises de large. On en fermera 700 par la digue et le reste avec des vaisseaux maçonnés et coulés. La digue sera faite avec des pierres sèches, des moellons et de la terre jetée à la hotte, sans maçonnerie. Elle aura huit toises à la base, quatre à la partie supérieure et des pilotis s'il le faut. Louis XIII accepte. 4 000 ouvriers sont mis à la disposition de l'architecte, des volontaires seulement, qu'on paiera assez cher pour les décider, et le travail commence. Mais il va avancer péniblement.

Louis XIII plein d'activité parcourt à cheval les emplacements des troupes, logées sous « des huttes », examine, disent les *Mémoires de Richelieu*, l'état des compagnies, les forts, l'artillerie, les magasins des vivres, passe des revues, fait faire des exercices aux bataillons et aux escadrons. Il veut même traverser la mer et aller dans l'île de Ré accompagner un envoi de troupes. Son entourage l'en empêchera. Au moins va-t-il suivre toute une nuit l'embarquement des soldats, disant aux hommes : « Allez! mes amis! avec ma bonne fortune! et ne doutez point de la victoire! » Il écrit à sa mère le 25 novembre : « Je prends tellement l'entreprise que j'ai ici à cœur que je n'aurai point de repos que je n'en sois venu à bout. »

Mais, à mesure que l'hiver avance, le temps se gâte : vents, pluies, tempêtes se succèdent : le camp des assiégeants devient un marécage. Richelieu tenant Marie de Médicis au courant lui écrit le 11 décembre que le Roi, nonobstant, « travaille sans se lasser ». La veille, il est resté trois heures à regarder construire la digue. Marie de Médicis écrit de Paris à son fils qu'elle s'inquiète de le voir inspecter les travaux sur des points dangereux où l'ennemi peut envoyer des volées de canon. En fin décembre, on travaille jour et nuit à la digue qui a déjà trois cents toises.

Malheureusement le mauvais temps qui persiste rend la situation de plus en plus difficile. Les chemins sont défoncés. Les Rochelais multiplient leurs sorties qui font des dégâts. Les troupes du Roi fatiguées se découragent, la discipline s'en ressent. Louis XIII lui-même est mal portant. Il se rend à Surgères d'où il écrit à Richelieu le 22 janvier 1628 qu'il fera ce que les médecins voudront. Puis il apprend que des barques de secours huguenotes portant des vivres ont pu entrer à la Rochelle; que les Rochelais, dans une sortie, ont culbuté deux compagnies, enlevé des prisonniers, démoli un fortin. Ces nouvelles l'abattent. Il en éprouve « du dégoût ». Par surcroît, des épidémies viennent décimer les troupes et la pénurie d'argent se fait cruellement sentir! Louis XIII en ressent une inquiétude croissante. Il demande à Richelieu de lui faire un exposé général de la situation et de lui proposer les remèdes possibles. Nous avons l'exposé rédigé en réponse par Richelieu : il n'est pas réconfortant. Des avis sont venus qu'une ligue se forme en Europe comprenant l'Angleterre, la Savoie, la Lorraine, l'empereur, les huguenots français, pour attaquer simultanément le roi de France par terre et par mer : les Hollandais et les Espagnols sont peut-être de connivence. La conclusion de Richelieu est que le premier et le seul remède est de s'emparer à tout prix et le plus tôt possible de la Rochelle. Louis XIII est de plus en plus anxieux. Il a cassé le colonel dont les deux compagnies ont été bousculées. Il a tenu rigueur au duc d'Angoulême, pendant quinze jours, de ce qu'il avait laissé entrer les barques de secours par la passe dans la Rochelle. Au début de février un froid extrême, accompagné d'un grand vent violent, désole les soldats qui croient qu'ils vont tous « mourir de froid et de faim! » Louis XIII est au bout de ses forces! Il est persuadé maintenant que sa propre vie est en danger!

Alors le bruit se répand qu'il va quitter momentanément le siège et rentrer à Paris. Dès la fin de novembre Marie de Médicis a dit à un ambassadeur qu'elle estimait que le Roi, son fils, ne resterait pas tout l'hiver à la Rochelle. Le *Mercure françois* met sur le compte des maladies et des fièvres qui sévissent dans le camp l'idée du retour de Louis XIII; les ambassadeurs étrangers l'attribuent à la longueur de l'opération dont se fatigue le Roi, qui s'ennuie à Aytré.

De fait le prince déprimé est dans une de ses heures sombres. Son caractère s'en ressent. Il reproche à tout le monde l'état dans lequel on se trouve; à Richelieu comme aux autres. Richelieu en est extrêmement peiné. Si le Roi s'en va, pense-t-il, et que lui-même le suive, tout s'en ira à la débandade devant la Rochelle : officiers et soldats quitteront le camp « en une heure » : ce sera l'échec de l'entreprise, un désastre ! Si Richelieu reste sans le Roi, aura-t-il l'autorité nécessaire pour se faire obéir des lieutenants généraux, maintenir la discipline, forcer la fortune ? Puis, loin du Roi, quels risques ne court-il pas ? On l'attaquera auprès du souverain et, avec l'insuccès du siège, sa disgrâce est certaine ! Mais le cardinal place l'intérêt de l'État avant le sien propre et, sans hésiter, il écrit à Louis XIII qu'en raison de son état de santé, le Roi doit, suivant les avis de ses médecins, quitter le siège et rentrer à Paris. Lui, restera pour continuer les opérations. Effet de son état de dépression, Louis XIII s'irrite de cette lettre. Il a des mots durs contre Richelieu dont celui-ci, prévenu, s'afflige. Alors Richelieu va trouver le Roi : il lui explique ses raisons. Le départ de Sa Majesté est nécessaire, insiste-t-il, sa vie étant plus précieuse au royaume que tout. Mais il faut empêcher la ruine du dessein qui a été entrepris. Certes « il ne s'estime pas plus que les autres ». Mais on n'ignore pas qu'il ne s'attache délibérément qu'aux entreprises qui peuvent réussir. Il faut donc le laisser pour qu'il mène le siège à bonne fin. « Il sait qu'en se tenant absent de Sa Majesté, il s'expose ouvertement à sa perte, connaissant assez les offices qu'on peut rendre aux absents. » Cette considération de son intérêt personnel ne l'empêche point de « choisir le parti le plus utile à Sa Majesté » : il restera ! Il a parlé avec un accent de sincérité et une émotion qui touchent Louis XIII. Louis XIII accepte. Il partira donc. Mais, dit-il, il ne restera absent que six semaines et il entend octroyer, avant de partir, à Richelieu les pouvoirs nécessaires sous la forme la plus solennelle pour commander. « Une commission » est dressée donnant pouvoir au cardinal sur toutes les troupes qui se trouvent ou se trouveront en Poitou, Saintonge, Angoumois et Aunis. Richelieu prendra le titre de « général de l'armée du Roi devant la Rochelle et provinces circonvoisines ». Il rendra des ordonnances. Il gardera auprès de lui deux secrétaires d'État.

Le 10 février, Louis XIII part, le cœur serré, comprenant tout ce qu'il doit à Richelieu, à son abnégation, à son dévouement. Le cardinal l'accompagne pendant deux lieues jusqu'à Surgères, puis là le quitte. A ce moment se produit une scène touchante. Louis XIII a les yeux pleins de larmes. Il fait ses dernières recommandations au cardinal à mots entrecoupés, puis abrège et Richelieu s'éloigne. M. de Guron qui va suivre le cardinal s'avance vers Louis XIII afin de prendre congé. Le Roi en proie à une émotion qu'il ne peut contenir, pousse son cheval vers celui de Guron, met sa main sur l'épaule du gentilhomme, comme celui-ci le raconte dans le récit qu'il a laissé de cet incident, reste quelque temps sans rien dire, puis prononce avec effort : « J'ai le cœur si serré que je ne puis parler du regret que j'ai de laisser M. le cardinal. Allez lui dire de ma part que je n'oublierai jamais le service qu'il me rend de demeurer ici. Je sais bien que si ce n'eût été pour soutenir mes affaires il ne l'aurait pas fait parce qu'il quitte son repos et s'expose à mille travaux pour me servir. S'il veut que je croie qu'il continue toujours de m'aimer, dites-lui que je ne veux pas qu'il aille aux lieux périlleux... qu'il fasse cela pour l'amour de moi.... Je le reverrai bientôt et plus tôt peut-être que je ne lui ai dit.... J'aurai de grandes impatiences de revenir... Adieu!... » Et le soir même, il écrit à Richelieu : « Je n'ai su vous rien dire en vous disant adieu, à cause du déplaisir que j'ai eu de vous quitter... Vous vous pouvez assurer toujours de mon affection et croire que je vous tiendrai ce que je vous ai promis jusqu'à la mort! Il me semble, quand je songe que vous n'êtes plus avec moi, que je suis perdu...! »

Et Richelieu à son tour écrira, profondément ému, le lendemain à Louis XIII : « Sire, il m'est impossible de manquer de témoigner à Votre Majesté le déplaisir que j'ai d'être absent d'elle pour un temps... L'affliction que j'en reçois est plus grande que je n'eusse su me le représenter... Les témoignages qu'il vous plut hier me rendre et de votre bonté et de votre tendresse à mon endroit tant par vous-même que par le sieur de Guron font que les sentiments que j'ai de me voir éloigné du meilleur maître du monde me percent tout à fait le cœur!... »

Le public, lui, discutera ce retour du Roi à Paris et d'aucuns l'attribueront à ce que le souverain, fatigué de la grandeur excessive de Richelieu, a éprouvé le besoin de s'éloigner de lui, ce qui annonce sa chute prochaine. On voit ce qu'il en est. Arrivé à Paris, le 28 février, Louis XIII fait annoncer partout qu'il repartira pour la Rochelle le 3 avril.

De la Rochelle, Richelieu envoie maintenant régulièrement au Roi des mémoires circonstanciés pour le tenir au courant de tout ce qui se passe : travaux, approvisionnements, sorties des assiégés. Louis XIII annote en marge. Mais la digue n'avance pas. Les effectifs des troupes diminuent. Des sorties des Rochelais réussissent, enlèvent des bœufs, font des prisonniers. Richelieu se raidit! Il prend ses dispositions pour monter une batterie de soixante pièces. Songe-t-il donc à ne pas attendre l'effet de la famine et à hasarder un coup de force? En effet, il essaie de brusquer la chute de la place. Le 11 mars, il tente, de nuit, par surprise, de faire sauter avec des pétards une voûte basse dans les murs de la ville sous laquelle passe un canal. Des troupes pourraient s'introduire par cette brèche. Malheureusement un contretemps fâcheux fait échouer l'affaire! C'est une grosse déception! Que dira le Roi? Mais Louis XIII est résolu à soutenir fermement Richelieu. Il lui écrit : « Vous vous pouvez assurer que tout ce que vous ordonnerez, je l'approuverai comme si c'était moi. J'ai une extrême impatience de vous revoir pour vous témoigner le grand contentement que j'ai de la façon dont vous m'avez servi en mon absence. » Cette lettre est d'autant plus précieuse pour Richelieu qu'il sait qu'on l'attaque auprès du Roi pendant tout ce mois de mars. Une cabale, l'informe Michel de Marillac, s'est formée qui veut retenir Louis XIII à Paris sous le prétexte de sa santé et de l'insuccès probable du siège. Seulement Louis XIII demeure ferme. Il a annoncé son départ de Paris pour le 3 avril. Au jour fixé, il se met en route. Par Amboise, Saumur, il parvient à Surgères le lundi de Pâques 17 avril, de là gagne Aytré. Les troupes, que Richelieu est parvenu, grâce à son énergie, à remettre sur pied et remonter, sont en bataille pour le recevoir. Les canons des forts et des navires tirent des salves. Louis XIII passe en revue les travaux qui sont en bien meilleur état, reste une nuit entière sur la digue, écrit enchanté le 21 avril de Surgères à Richelieu : « Vous faites plus en un jour que les autres n'en feraient en huit ! » ordonne de mander partout qu'il est « résolu à réduire la Rochelle à son obéissance et ne point quitter l'entreprise sans ce succès ! » Il a confiance ! Marie de Médicis écrit à Richelieu le 13 mai : « Vous devez avoir une grande joie de la satisfaction qu'a le Roi de tout ce que vous faites. Il me la témoigne par toutes les lettres qu'il prend la peine de m'écrire qui sont pleines de contentement qu'il reçoit du bon état où il a trouvé l'armée à son retour. » Elle lui mande encore : « Je vous assure que vous êtes mieux que jamais dans son esprit. Il me dit que sans vous tout irait mal ! »

Dans le courant de mai, une flotte anglaise arrive apportant des approvisionnements pour les gens de la Rochelle. Une bataille navale va se livrer. Richelieu veut monter à bord d'un des navires afin de la suivre. Louis XIII s'émeut du danger que peut courir son ministre : « Je vous conjure, au nom de Dieu, lui écrit-il, de changer la résolution que vous avez prise et de ne vous mettre point en lieu que vous puissiez courre aucune fortune. C'est le plus grand témoignage d'affection que vous puissiez me donner que d'avoir soin de vous, car vous savez ce que je vous ai dit plusieurs fois, que si je vous avais perdu, il me semblerait être perdu moi-même ! Je vous prie et commande pour la troisième fois de ne vous point embarquer sur aucun vaisseau le jour du combat !... Je m'attends que vous le ferez pour l'amour de moi ! » Richelieu obéit. Au bout de peu de jours, la flotte ennemie disparaît sans avoir rien tenté.

Le siège traîne. Richelieu avait cru en finir en juin, et cela va durer jusqu'au 1er novembre. Le cardinal essaie de négociations secrètes, somme les assiégés, rien n'y fait!

Un nouveau secours des Anglais qu'on annonce et que les Rochelais attendent avec impatience et anxiété, car leur situation devient désespérée, paraît devoir être considérable. Buckingham préparerait une flotte de 150 à 200 navires qu'il doit conduire lui-même. Mais au début de septembre on apprend qu'il vient d'être assassiné à Portsmouth, le 23 août, d'un coup de couteau, par un puritain nommé Felton. Un instant incrédules, Louis XIII et Richelieu en éprouvent une grande satisfaction. Ils se sentent pleins d'espoir! Malheureusement la flotte anglaise qui a été préparée, appareille sous les ordres du comte de Lindsay et le 28 septembre elle est signalée à l'horizon des côtes de la Rochelle. Elle compte 114 voiles. Tout le camp est alerté. On entend les carillons de la Rochelle qui, de joie, sonnent à toute volée. Louis XIII se rend à cheval à Laleu accompagné de Richelieu et des officiers de la cour. Les Anglais mouillent devant Saint-Martin de Ré, puis le 30, essaient d'envoyer contre la digue des bateaux à feux qui sont reçus par une canonnade intense. Louis XIII s'est porté à la batterie de Chef de Baie, d'où il tire lui-même plusieurs coups. Le mardi 3 octobre la flotte anglaise entière avance en ordre de bataille. Le combat d'artillerie va durer trois heures et demie, sans résultat. Les Anglais recommencent le 4 et, devant une grande tempête qui dure quatre jours, reculent et ne bougent plus. Ils paraissent constater qu'il n'y a rien à faire. En effet ils ne tenteront plus rien!

Alors, complètement découragés, à bout de ressources, « la mort les vendangeant à milliers » et plus de 13 000 personnes étant déjà mortes de faim et d'épuisement dans la ville, les Rochelais comprennent que, malgré l'énergie farouche de leur maire Guiton et des conseillers qui l'entourent, il faut céder! Ils envoient des députés traiter. Le 28 octobre la capitulation est signée. La Rochelle s'est rendue sans conditions, comme on l'exigeait. Le Roi laisse aux habitants le libre exercice de leur culte, accorde l'amnistie à tout le monde sauf à Guiton et à dix autres qui quitteront la ville, rétablit la religion catholique à la Rochelle, supprime la mairie, l'échevinage, le corps de ville, les privilèges, franchises et exemptions; les murailles seront rasées. C'est Louis XIII, d'après Meruault, qui a décidé la mesure contre Guiton et ses complices, le rasement des murailles, la suppression des privilèges. Richelieu inclinait à plus de clémence pour désarmer, disait-il, Rohan et en finir avec les autres protestants du midi. Le lundi 30 octobre vingt compagnies des gardes françaises et suisses occupent la ville. Il n'y reste, d'après un recensement fait, que 5 400 habitants. Le 1er novembre, jour de la Toussaint, Louis XIII entre dans la Rochelle à cheval au milieu de ses troupes faisant la haie, au son des cloches, au bruit de l'artillerie et des mousquetades. La flotte anglaise, toujours immobile, disparaîtra dans la nuit du 10 novembre. Huit jours après, le 18, ayant disloqué son armée, Louis XIII rentre à Paris et, après de difficiles négociations, la paix sera conclue avec l'Angleterre le 20 mai 1629.

La fin victorieuse du siège de la Rochelle a un très grand retentissement en France et en Europe! Des publications innombrables exaltent en prose et en vers la gloire de Louis XIII. On compare ce siège aux plus illustres de l'antiquité, comme celui de Tyr. Mais de toutes parts aussi on rend une éclatante justice à Richelieu. Marie de Médicis, la première, lui a écrit : « La France ne pourra pas trop reconnaître les veilles et les travaux que vous avez pris pour bien et fidèlement servir l'État comme vous avez toujours fait. » Le secrétaire d'État de la Ville-aux-Clercs adresse au cardinal une lettre dithyrambique : « J'emplis l'air d'acclamations! » s'écrie-t-il. Un autre secrétaire d'État, d'Herbault, dit aux ambassadeurs du Roi à l'étranger « avec combien d'industrie et de fermeté cette affaire (du siège de la Rochelle) a été conduite par M. le cardinal ». Et de tous les côtés des lettres de félicitations parviennent à Richelieu venant de toutes les provinces du royaume. On lui dit à l'envi qu'il est plus grand que le cardinal Ximenez, qui a été « le plus grand homme d'État qui fût jamais »; qu'il est « le grand cardinal qui sert de Moïse à la France »; qu'on peut l'appeler « le glorieux Atlas de la France! » Et naturellement aussi les envieux, les jaloux, tous ceux qui craignent la supériorité élèvent à leur tour leur voix. On reproche à Richelieu de faire dire qu'il a tout accompli sans tenir le moindre compte de l'action du Roi, comme si le prince n'était à l'armée qu'un simple « volontaire »; qu'il dissimule les vives oppositions qui lui ont été faites dans l'armée, de telle sorte qu'on peut dire qu'il a pris la Rochelle autant malgré les assiégeants que malgré les assiégés et que par là « il tire de cette prise de la Rochelle un orgueil insupportable » qui va le rendre dangereux à tous.

Ce n'est pas l'opinion de Louis XIII. Nous venons de voir les claires et décisives manifestations de ses sentiments à l'égard de son ministre. Montglat a constaté que c'est à partir du siège de la Rochelle que le Roi « a conçu une si grande estime de sa capacité ». A cette estime se joint l'affection. Comme tout le monde, Louis XIII voit à quel degré, depuis que Richelieu est au pouvoir, « il est mieux servi et son autorité est plus respectée ». Il entend le proclamer avec reconnaissance. Il sait l'effet qu'a produit partout la prise de la Rochelle. Il en profitera et, dans une déclaration publique, pièce officielle envoyée à toutes les provinces, il voudra que « le public et la postérité sachent, dit-il, que c'est avec le conseil, singulière prudence, vigilance et laborieux services de son très cher et bien-aimé cousin le cardinal de Richelieu qu'il a réduit enfin les habitants de la Rochelle à se jeter à ses pieds et implorer sa miséricorde ! » Cette manifestation de sa reconnaissance royale n'est que l'écho fidèle de ses plus intimes sentiments. Baradas qui reçoit à ce moment ses confidences, écrit à Richelieu : « Je vous puis dire hautement que vous êtes celui qu'il chérit et estime le plus de ses sujets, comme celui qui avez honoré Sa Majesté et servi l'État avec plus de fidélité et de succès. »

Mais quels que soit la gratitude et l'attachement de Louis XIII pour Richelieu, il faut noter que le Roi reste toujours extrêmement attentif à ne pas laisser celui-ci, en quoi que ce soit, porter atteinte à sa suprême autorité. Un ministre se plaignant à Richelieu de ne pouvoir obtenir l'agrément du prince pour des propositions qu'il lui fait, tendance où il voit, dit-il, une marque d'animosité du souverain contre sa personne, Richelieu lui répond, pour le consoler, vers la fin de 1628 : « Je n'ai jamais connu que le Roi fût mal content de vous; mais il n'a pas envie d'effectuer en tous sujets tous les conseils qu'on peut lui donner. Je tombe tous les jours en pareil inconvénient et m'estime heureux quand, de quatre propositions que je lui fais, deux lui sont agréables. » Nerveux et également volontaires comme sont le Roi et son ministre, ils ne se trouvent pas toujours d'accord. Il y a entre eux des frictions. Le 30 avril 1628, Richelieu écrit à Marie de Médicis : « Je suis quelquefois brouillé avec le Roi. » Un ambassadeur étranger raconte dans ses dépêches un incident assez vif qui se serait passé entre le Roi et le cardinal, à propos de la démolition des murailles de la Rochelle que Louis XIII a fait commencer immédiatement dès le 2 novembre et que Richelieu, qui était contraire à cette mesure, a ordonné d'interrompre. Au conseil, le Roi irrité fait vertement la leçon à son ministre qui serait sorti « livide » et serait allé « digérer sa colère » à Brouage : nuage passager! Guron confirme de son côté que pendant le siège de la Rochelle « le cardinal a eu diverses traverses dans l'esprit du Roi ».

Mais ces incidents ne sont pas capables d'altérer l'estime profonde que Louis XIII a pour le cardinal. Il ne voit que lui, n'a confiance qu'en lui. Marie de Médicis écrit à Richelieu : « Le Roi m'a dit aujourd'hui qu'il semble que rien ne peut aller bien sans vous. » Il entend ne prendre aucune décision sur des affaires graves

« sans avoir reçu vos bons avis et conseils », écrit de son côté d'Herbault au cardinal. Et quelles inquiétudes quand Richelieu est malade! Comme Louis XIII est en peine! Il mande au cardinal le 8 juin 1628 que, sachant qu'il s'est trouvé mal, il lui envoie son propre médecin Sanguin!

Il ne faut donc pas s'étonner si, à la fin de cette année 1628, la place de Richelieu dans le gouvernement du royaume s'est singulièrement agrandie. Les circonstances ont développé son influence et par suite accru son action.

Extérieurement, sans doute, rien n'est changé dans les formes. Il n'y a toujours que « le Roi et son conseil »; les affaires sont traitées collectivement par les ministres et les secrétaires d'État. Mais il n'est personne qui ne remarque, comme le fait l'historiographe C. Bernard, que Richelieu, maintenant, « est le premier du conseil du Roi et celui aux avis duquel Sa Majesté défère le plus ». Des innovations apparaissent comme celle-ci : en avril 1628, on envoie Guron en mission auprès du duc de Savoie à propos d'une affaire délicate. Louis XIII, pour plus de sûreté, demande à Richelieu de rédiger lui-même les instructions qui vont être données à cet envoyé et ajoute à ces instructions, pour les régulariser, ce mot de sa main : « M. de Guron, vous savez la confiance que j'ai en mon cousin le cardinal de Richelieu. Je vous fais ce mot pour vous dire que vous ayez autant de créance en ce qu'il vous mandera de ma part que si c'était de moi-même.» Le principe acquis, des cas semblables se répètent. Le 19 avril, Richelieu écrit directement à M. du Fargis, ambassadeur en Espagne : « Le Roi m'a commandé de vous dépêcher ce courrier pour vous dire... » Ainsi, « par le commandement du Roi », Richelieu se substitue aux secrétaires d'État et notifie de façon directe ce qui est exclusivement des ordres du souverain !

Mis au courant de ces dispositions du prince, ministres et secrétaires d'État, tout naturellement, vont peu à peu traiter Richelieu en ministre prépondérant. Le cardinal envoyant au surintendant d'Effiat un certain nombre d'indications sur des faits à régler, d'Effiat lui répond le 12 février 1628 : « Monseigneur sera obéi ponctuellement en tous les points de son mémoire. » L'expression va loin ! Les secrétaires d'État se croient obligés de communiquer au cardinal des expéditions qu'ils vont faire. Surtout la collaboration s'établit plus étroite entre le cardinal et eux, principalement le secrétaire d'État chargé des affaires extérieures, d'Herbault. Richelieu lui envoie des « mémoires et instructions ». D'Herbault sollicite des conseils, communique au cardinal des projets, « attendant, dit-il à Richelieu le 13 avril 1628, que je me puisse rendre auprès de vous pour y recevoir vos commandements ». Et sans doute Richelieu parle toujours au nom du Roi qui le charge de transmettre, dit-il, ses avis. Mais ici, politique extérieure et politique intérieure, tout est également visé. Et les secrétaires d'État, heureux d'ailleurs de recevoir des indications claires, fermes, répondent par des formules telles que : « Je ne manquerai pas d'obéir »; « J'exécuterai ponctuellement ce que vous m'avez ordonné. »

Dès lors, dans l'esprit de tous Richelieu passe pour être le maître du gouvernement. Son état de premier ministre devient comme un titre consacrant son autorité.

Un ambassadeur écrira : le Roi et le cardinal sont tout; on peut parler au Roi, mais les résolutions dépendent du cardinal. Si le Roi est le monarque, le cardinal est « le patron ».

Ce sont du moins les apparences. En réalité, Richelieu continue le plus qu'il peut à garder les précautions nécessaires avec un souverain qu'il sait ombrageux. On en a de curieux témoignages. Michel de Marillac lui écrit en octobre 1627 relativement à une affaire difficile dont le conseil, en l'absence du Roi et du cardinal, a délibéré et où, malgré l'urgence, et à cause des responsabilités à encourir, il a mieux aimé attendre le retour de Richelieu qui assumera ainsi les périls de la décision. Richelieu répond à Marillac une lettre impatientée où il lui dit qu'il « n'estime ni raisonnable que les affaires demeurent en suspens pendant mon absence, ni que mon ombre serve de décharge au conseil qui la tire de l'autorité du Roi... J'ai assez de charges et trouve assez d'épines pour les grandes affaires qu'il faut faire, sans que j'en reçoive de celles où je n'ai point de part! » Ainsi il repousse le rôle de chef dirigeant et responsable qu'on veut lui prêter et maintient la doctrine constitutionnelle « du Roi et de son conseil », même celui-ci délibérant sans lui. Loin du Roi il refusera de prendre une décision importante « sans l'expresse volonté de Sa Majesté ». S'il propose au souverain quelque mesure, il usera toujours des formules ordinaires : « Il plaira à Votre Majesté de commander... » « Il lui plaira de faire écrire cette lettre » et s'il juge à propos dans une circonstance délicate, comme les démêlés de Louis XIII avec son frère, de conseiller un parti par exemple de douceur, contre les sentiments opposés du Roi, il le fera, écrira-t-il prudemment, « autant que le respect le peut permettre ». On voit les tendances. Elles permettent de bien saisir dans le fond la position exacte de Richelieu vis-à-vis du Roi, qui demeure toujours la même, c'est-à-dire conforme à la doctrine et à la pratique de l'ordre constitutionnel séculaire du royaume!

VII

LA GLOIRE
EXPÉDITIONS DES ALPES ET DU LANGUEDOC
LES PREMIERS ORAGES DE L'OPPOSITION

Il était temps que la Rochelle fût prise! De graves dangers menaçaient à l'extérieur dont il n'avait pas été possible de s'occuper tant que l'affaire de la ville révoltée ne se trouvait pas résolue.

Le 26 décembre 1627, était mort le duc Vincent de Mantoue, petit incident, gros de conséquences! Le défunt avait pour héritier le duc de Nevers, un Français. Or l'héritage, constitué par deux territoires italiens : le duché de Mantoue et le marquisat de Montferrat, dont la capitale est Casal, sur le Pô, était convoité par de nombreux compétiteurs : la Savoie, qui réclamait le Montferrat, sur lequel, disait-elle, elle avait des droits; une infante; le prince de Guastalla; la duchesse de Lorraine. L'Espagne et l'empereur entendaient occuper avec leurs troupes les territoires en discussion jusqu'à ce qu'il en fût décidé, ces territoires étant fiefs de l'empire, et le nouveau duc, quel qu'il fût, devant, au préalable, recevoir l'investiture de Vienne. Ainsi la maison d'Autriche mettrait la main sur des possessions de princes italiens, couvrant l'État de Milan, et, sans doute, ne les rendrait pas. Ses troupes avançaient déjà : celles de Savoie, dès février, prenaient des places dans le Montferrat et le général espagnol Don Gonzalez de Cordoue, recevait l'ordre d'aller mettre le siège devant Casal, clef du pays. Dès la première heure, le duc de Nevers avait fait appel au secours du roi de France.

On devine quels doivent être les sentiments de Richelieu et aussi ceux de Louis XIII, à ces nouvelles. Ils ne peuvent hésiter ! La France a le devoir de soutenir le duc de Nevers, prince français, parce qu'il « est né mon sujet, écrira le Roi, qu'il est dans la possession du bien qui lui est échu par une succession qui ne lui peut être contestée ». Ensuite il faut s'opposer fermement à tout accroissement de l'empereur ou du roi d'Espagne en Italie et les empêcher de « réduire en sujétion les princes et potentats italiens ». D'ailleurs, depuis les traités de Cambrai et de Vervins du XVIe siècle, le duché de Mantoue est sous la protection du roi de France : Louis XIII est dans l'obligation morale de venir en aide au duc. Par surcroît il a de multiples raisons de se défier de la Savoie : elle a provoqué ces complications, appelé Espagnols et Impériaux : son ambition est âpre, sa politique tortueuse. C'est un voisin dangereux, « irrésolu, faible, rusé, qui ne manque à aucune infidélité ». Enfin les autres États italiens, notamment Venise, se sentant menacés, implorent de

Louis XIII que la France vienne à leur défense. Tout s'accorde donc pour imposer au Roi l'intervention.

Mais tant qu'il n'a pas pris la Rochelle, il lui est impossible de rien tenter. En juin 1628, Richelieu croit pouvoir dire à l'envoyé vénitien, qui réclame, que le Roi pense être en mesure de descendre en Italie avec une armée de 20 000 fantassins et de 4 000 cavaliers, dans deux ou trois mois. On comprend pourquoi Louis XIII et Richelieu attendaient avec impatience la soumission de la Rochelle !

Celle-ci vaincue, le cardinal expose au Roi la question. Casal est assiégé, il faut aller à son secours. Sans doute le long siège de la Rochelle a fatigué les troupes et les finances du Roi sont à bout. Peut-être pourrait-on, en premier lieu, négocier : détacher la Savoie et la mettre de notre côté, sinon pour nous aider, au moins pour nous laisser passer à travers son territoire, en lui offrant, par exemple, une ville du Montferrat, Trino, et de l'argent; puis essayer de gagner le pape à nous soutenir en nous envoyant 10 000 hommes; s'entendre avec la Hollande, si faire se peut, avec l'Angleterre, Venise et que la république aide de 15 000 hommes; les autres États italiens, Florence, Parme, Modène, de même. Mais de toutes façons, il faudra finalement entrer en campagne, sinon on perd l'Italie, et la maison d'Autriche grandissant toujours finira par avoir raison de la France !

Louis XIII tient à Paris le 26 décembre 1628 un grand conseil afin d'examiner le problème. Sont présents Marie de Médicis, Richelieu, le garde des sceaux Marillac, Schomberg, les secrétaires d'État et le cardinal de Bérulle en qui Marie de Médicis a la plus extrême confiance et qu'elle vient de faire entrer au gouvernement. Richelieu explique la situation : il conclut à l'intervention. Schomberg l'appuie. Mais le garde des sceaux Marillac et Bérulle le combattent. Ils disent qu'au midi, dans le Languedoc, les protestants révoltés sont en armes. Il faut, d'abord et avant tout, les soumettre! L'affaire du Montferrat et de Mantoue est sans intérêt. En s'y mêlant, on va provoquer l'Espagne, l'empereur, le duc de Savoie, gendre de la Reine mère, ce qui amènera la guerre générale dont on ne sortira pas! Les troupes du Roi sont harassées et il faut passer les Alpes en plein hiver! Il n'y a plus d'argent! On n'a pas d'allié! C'est sacrifier l'idée de la paix de la chrétienté qu'avaient poursuivie Henri IV durant son règne et Marie de Médicis pendant sa régence, à un incident infime. Marie de Médicis se prononce pour la thèse de Marillac et de Bérulle, parce qu'elle déteste le duc de Nevers qui s'est révolté contre elle pendant sa régence et qu'elle ne veut pas qu'on le soutienne. Richelieu étonné réplique qu'il s'agit ici de l'honneur du Roi. « Sa réputation, dit-il, oblige Sa Majesté à prendre en main la cause de ses voisins et alliés que l'on veut injustement dépouiller. » Certainement il y a les huguenots du midi à soumettre; mais il est possible de passer les Alpes et de faire lever le siège de Casal d'ici en mai, de là revenir en Languedoc et réduire les protestants de mai à juillet : on sera de retour à Paris en août. L'heure est grave! « L'Italie, ainsi que le redira le cardinal dans son *Testament politique*, est comme le cœur du monde! » C'est ce que les Espagnols ont de plus grand dans leur empire. C'est le lieu où ils craignent le plus d'être attaqués et troublés et celui auquel il est le plus facile d'emporter sur eux de notables avantages pourvu qu'on s'y prenne comme il faut. Et il termine, d'après une note qu'il a rédigée : « Je représentais au Roi que c'étoit une affaire où il devoit prendre sa résolution lui-même parce que les suites et les conséquences en pourroient être grandes. » Louis XIII déclare qu'il se décide pour l'intervention : mieux même, il prendra en personne le commandement de son armée. Richelieu lui demande de réfléchir encore trois jours. Les trois jours passés, le Roi maintient sa résolution.

Et trois semaines après, le 15 janvier 1629, il part. Il a nommé sa mère régente durant son absence par une déclaration publique. Sur ses ordres 20 000 hommes de pied et 2 000 cavaliers sont envoyés à la frontière d'Italie. Les troupes de la Rochelle rejoignent, amenées par Toiras à travers l'Auvergne et le Lyonnais. Le Roi prenant par la Bourgogne, Richelieu et Schomberg le suivant, arrive à Grenoble le 14 février. De grands efforts ont été faits, avec d'extrêmes difficultés nécessitant l'active intervention de Richelieu, pour rassembler les approvisionnements et les munitions. La campagne va être dure à cause du froid, de la neige, du brouillard. Louis XIII a ordonné que l'armée soit réunie sur la frontière, à Chiomonte, à l'entrée de la vallée de Suse, le 3 mars. A plusieurs reprises il a envoyé dire au duc de Savoie que marchant sur Casal afin de faire lever le siège, il lui demande de le laisser passer avec ses troupes à travers ses États; il paiera tous les frais. Le duc n'a fait que, des réponses dilatoires ou impertinentes. Louis XIII avance par le Mont Genèvre, parvient à Oulx à deux lieues de la frontière; Richelieu est à l'avant-garde. Le duc de Savoie intimidé fait connaître qu'il demande au moins à garder les places du Montferrat qu'il occupe. Le Roi refuse et Richelieu prie l'intermédiaire, le comte de Verrue, de signifier au duc qu'il va voir bientôt à qui il a affaire et que s'il ne se souvient plus que c'est le roi de France, il l'apprendra en peu d'heures à ses dépens! Richelieu écrit au Roi que le lendemain, à la pointe du jour, les maréchaux qui commandent l'armée, Créqui, Bassompierre, vont s'assurer de force de l'entrée de la vallée de Suse, qu'ont barrée les troupes du duc de Savoie en construisant des barricades et vingt à trente redoutes. Louis XIII reçoit la lettre à Oulx à onze heures du soir. Il se lève, monte à cheval, arrive à Chiomonte par une nuit noire, sous une neige épaisse, et, le mardi 6 mars, à sept heures du matin, les barricades construites par les troupes savoyardes qui comptent 2 700 soldats, sont attaquées, tournées et enlevées! Les Français ensuite descendent la vallée, gagnent Suse où ils entrent. Cette fois le duc de Savoie cède. En son nom, son fils, le prince de Piémont, vient déclarer qu'il livre au Roi et à son armée le passage à travers ses États, donne comme sûreté la citadelle de Suse, mais, pour la peine, réclame Trino et 15 000 écus de rentes, que l'on consent à lui accorder. Un traité est signé le 11 mars. Il ne reste plus qu'à marcher rapidement vers Casal lorsque, quelques jours après, on apprend que les Espagnols effrayés ont levé le siège dans la nuit du 15 au 16 mars et sont partis! La ville est délivrée! La campagne a réussi!

Louis XIII reste à Suse encore un certain temps, envoie des approvisionnements à Casal où il expédie trois régiments que commandera Toiras afin de garder et défendre la ville en cas de nouvelle attaque. Le 28 avril, laissant le cardinal avec une partie de l'armée achever de régler les questions pendantes entre la Savoie, — qui réclame encore autre chose, — et Mantoue, et les difficultés avec le roi d'Espagne et l'empereur, il part pour le Languedoc, réalisant le programme qu'a tracé Richelieu. Pour que le cardinal ait pleine autorité sur les généraux, Louis XIII lui a donné une commission précisant son pouvoir de commandant en chef. D'après Ménage, ce serait à cette occasion qu'on aurait inventé le mot de « généralissime ». En somme ce qu'il y a à faire dans le Languedoc, c'est de prendre Privas, Alais, Uzès, Castres, Nîmes, Montauban, les places principales des huguenots, et raser leurs murailles, sauf celles des places frontières.

Pendant que Louis XIII se dirige vers Privas, le cardinal s'arrange avec la Savoie, les Espagnols, les Impériaux, par des conventions sur la durée desquelles, d'ailleurs, il n'a pas d'illusion. Puis, par précaution, laissant Créqui à Suse avec 6 700 hommes, des vivres, des munitions, de l'argent, le 11 mai, il emmène le reste de l'armée, six régiments, pour aller retrouver le Roi afin que, toutes les troupes réunies, on vienne à bout enfin de la rébellion huguenote.

Car depuis bientôt deux ans, en effet, le duc de Rohan, nommé général des églises protestantes par une assemblée des députés des villes à Uzès, en septembre 1627, tient la campagne dans le midi à la tête des révoltés. Il a traité avec les Anglais. Par une déclaration du 14 octobre 1627, Louis XIII a ordonné au parlement de Toulouse de lui faire son procès criminel nonobstant ses privilèges de duc et pair, dont il s'est rendu indigne et dont le souverain le déclare déchu. Rohan tient bon. La Rochelle tombée il ne se décourage pas. A ce moment il demande du secours aux Anglais et, fait plus grave, il s'adresse à l'Espagne où il envoie un de ses gentilshommes, Michel de Clausel, solliciter le concours du Roi catholique — argent et troupes, — s'engageant en retour « à favoriser tous les desseins d'Espagne! » Il envisage même l'éventualité où les protestants pourraient « faire un État à part » en France et se sépareraient du royaume! La cour de Madrid accepte et signe un traité le 3 mai 1629 : Rohan recevra une pension de 40 000 ducats d'or. C'est une trahison! Par la saisie fortuite des papiers de Clausel, Louis XIII est informé de ces tractations. Il en est indigné! « C'est, dit-il, le plus honteux traité qui se fit jamais contre Dieu et notre État. » Plus tard, en 1635, Clausel sera retrouvé, arrêté, jugé et pendu! Le moment est donc bien venu d'en finir!

Le plan de campagne militaire à suivre dans le Languedoc a été dressé par Richelieu lui-même, ce qui lui vaut les félicitations de Schomberg. Les villes huguenotes formant comme une chaîne qui va de Privas à Montauban, par une ligne courbe, il faut attaquer cette ligne de telle sorte qu'on puisse isoler Nîmes, d'une part, Montauban et Castres, par ailleurs, et empêcher ces villes d'aller au secours les unes des autres.

Avant que Richelieu ne le rejoigne, Louis XIII est arrivé à Privas et, avec 10 000 hommes de pied et 600 chevaux, a mis le siège devant la ville le 14 mai. Malheureusement il constate qu'il n'a pas de chef suffisant près de lui pour le seconder. Il s'impatiente : ce qu'il décide en conseil de guerre ne s'exécute pas; on a mal fait les approches de la place. Il a hâte de voir revenir Richelieu; il lui écrit : « Je vous attends en grande impatience et me semble qu'il y a plus de six mois que je ne vous ai vu! » Le cardinal se hâte, arrive le 19 avec 9 000 hommes et le 21 Privas ouvre ses portes, les défenseurs pris de panique s'étant subitement enfuis. Sur quoi, l'armée royale va de ville en ville, les enlève : Saint-Ambroix, Alais, Anduze. A tous les habitants Louis XIII laisse la liberté de conscience et le libre exercice de leur religion, pardonne les excès commis, mais rase les murailles. Pendant ce temps, le maréchal d'Estrées se dirige vers Nîmes, Condé vers Montauban, Ventadour sur Castres. Ces villes vont être enveloppées. On annonce que Louis XIII vient de traiter avec l'Angleterre. Cette fois, découragé, Rohan envoie un magistrat, Candiac, proposer au Roi la paix moyennant « le rasement de toutes les fortifications des villes huguenotes du royaume ». Sur les conseils de Richelieu qui souhaite la modération, Louis XIII consent à ce que se réunisse une assemblée protestante qui accepte les conditions que le Roi exige : partout les fortifications seront détruites aux frais des villes; les églises seront rendues aux catholiques; Rohan, auquel on restituera ses biens, quittera le royaume et s'en ira à Venise. La paix est signée à Alais le 28 juin.

C'est encore un grand succès! Il a été obtenu rapidement grâce à une action énergique, se terminant par des mesures de prudence et de sagesse. Le prestige du Roi en est singulièrement grandi! Un chanoine de Viviers, Jacques de Bannes, émerveillé, écrit du souverain : « C'est le prince le plus vaillant et le plus miséricordieux qui fût jamais! »

Il s'agit maintenant de s'assurer que les villes protestantes du midi non encore occupées acceptent les conditions de la paix d'Alais, car on a des doutes sur les dispositions, entre autres, de Montauban. Louis XIII, fatigué par les fortes chaleurs, désire rentrer à Paris : Richelieu restera et procédera lui-même à la fin des opérations. Le 15 juillet 1629, le Roi part de Nîmes et s'achemine vers le nord.

Le voyage de Richelieu vers Montauban à travers le Languedoc n'est qu'une marche triomphale! Pour la première fois, avec cette ampleur, le cardinal apprend ce que c'est que la popularité et quelle est l'ardente admiration des foules devant le merveilleux résultat de son action depuis qu'il est au pouvoir. Partout, sur son passage, les populations accourent, l'acclament! Villes et bourgs envoient des députés au-devant de lui afin de le haranguer! Le parlement de Toulouse et toutes les compagnies judiciaires de la province délèguent de leurs magistrats afin de le saluer et rivalisent à qui l'exaltera davantage. La noblesse tient à honneur de se rassembler et de l'escorter à cheval. Les évêques, le clergé, les universités, les académies veulent l'honorer par des discours. Et partout, répondant aux uns et aux autres, Richelieu s'applique à répéter que ce sont les victoires du Roi à la Rochelle, sur les Alpes, en Languedoc qu'on acclame de la sorte; qu'il faut tout rapporter à Sa Majesté, en même temps qu'à la bénédiction de Dieu, auteur « de tant de signalées actions et grands et avantageux succès! » Son unique mérite à lui est d'avoir, avec fermeté, exécuté les intentions du Roi et s'il accepte ces hommages, c'est dans la pensée de les reporter au souverain dont il n'a fait que suivre les ordres.

Après avoir visité et démantelé vingt villes sur trente-huit, le reste devant être achevé le 20 septembre, Richelieu arrive le 20 août à Montauban où il fait une entrée solennelle. Bassompierre l'a précédé avec trois régiments. Richelieu est à cheval suivi de douze cents cavaliers dont mille gentilshommes de la région. Les archevêques de Toulouse et de Bordeaux, sept évêques, soixante ecclésiastiques l'accompagnent. Les consuls l'attendent hors de la ville et lui offrent les clefs de la place. A la porte a été préparé un dais; il le refuse, comme il refuse que les consuls marchent à pied autour de son cheval parce que ces honneurs ne sont dus qu'au Roi. Les rues bordées de files de soldats contenant la foule, retentissent d'acclamations : « Vive le Roi! Vive monsieur le cardinal! » A l'église Saint-Jacques, dont il ne reste qu'une chapelle, Richelieu descend de cheval. « La grande église » a été démolie. Le cardinal fera marché avant de partir pour qu'elle soit rebâtie aux frais du Roi. Magistrats, consuls, habitants, tout le monde s'approche, veut le voir de près, l'entendre, et il cause avec un chacun simplement, sans morgue ni hauteur. Les gens de Montauban acceptent la paix. On démolira leurs murailles. Le premier président et les conseillers du parlement de Toulouse prient le cardinal de venir visiter leur ville; il refuse, car le Roi lui écrit des lettres pressantes pour qu'il rentre. Après être resté deux jours à Montauban, Richelieu se met en route, passe par Rodez, Brioude, Issoire, Clermont, Riom et sur tout le chemin est reçu sous des arcs de triomphe, acclamé comme « le pacificateur du royaume », « avec le concours et applaudissement incroyable, dit le Père Joseph dans son *Diaire*, des gens de toutes les conditions! »

Certainement c'est l'heure du premier grand éclat de la gloire de Richelieu! Grâce à lui, les guerres protestantes sont terminées. Du Rhône aux Pyrénées, le pays est reconquis et pacifié. En une année, il a eu raison de l'empereur, des rois d'Espagne et d'Angleterre, du duc de Savoie. Grands, parlements, communautés, peuples de France et de l'étranger reconnaissent à l'envi son mérite exceptionnel!

Et plus que jamais aussi Louis XIII a le sentiment de ce qu'il doit à son illustre ministre! Devant tout le monde il le proclame! Le 4 août 1629, Marillac écrivant à Richelieu lui dit que le Roi, qui a approuvé son refus d'accepter à Montauban le dais pour entrer en ville, « parle de vous avec un grand sentiment d'affection et d'estime ». Bouthillier confirme le 19 : « Tout ce que je pourrois vous dire ne peut approcher de l'affection et de l'estime que le Roi fait connaître à tout le monde parlant de vous. » Louis XIII l'écrit à sa mère : « Mon cousin le cardinal de Richelieu m'a si dignement servi que je ne puis dire combien je suis satisfait de son soin et de sa vigilance. » Le 12 août il a dit à un confident de son frère Gaston : « Il faut rendre au cardinal l'honneur qui lui est dû : tout ce qu'il y a eu d'heureux succès dedans et dehors le royaume l'a été par ses conseils et ses avis courageux! » Nous voyons grâce à ses lettres à quel point Louis XIII à ce moment tient à Richelieu; il parle de son « affection » pour lui, une affection « qui, dit-il, ne diminuera jamais », qui « durera jusqu'à la fin de ma vie »; de sa « tendresse », de sa « passion » pour son ministre : « Je vous aimerai jusqu'à la mort », lui répète-t-il!

Et devant tant de témoignages émouvants, Richelieu,

d'instinct ou par politique, n'en continue pas moins à ne pas se départir du plus profond respect et de la soumission que le plus humble des sujets doit avoir pour son souverain. Il est sensible au dernier point à la bienveillance dont le Roi l'honore, à « son excès de bonté », dit-il. « J'en suis comblé de tant d'étonnement et de ressentiment tout ensemble, lui écrit-il, qu'il m'est impossible de l'exprimer. » Si Dieu lui donnait « mille vies » et « le moyen de les sacrifier pour le service du Roi », elles ne seraient pas suffisantes pour « reconnaître dignement la faveur que Votre Majesté me fait! » Mais tout de même, on sent sous ces protestations de dévouement et d'attachement comme une sorte de vague inquiétude ou d'hésitation. C'est que, nerveux comme il est, Richelieu a l'impression que le terrain n'est pas sûr pour lui, que des dangers le menacent, qu'une mystérieuse atmosphère d'hostilité l'environne!

Il craint, au fond, Louis XIII, qui est personnel, autoritaire, sujet à de brusques réactions. Nous avons dit qu'il y avait entre le Roi et son ministre, comme il était fatal, à certains moments, des « piques ». Pendant que le cardinal était à la Rochelle et que se fomentait contre lui une cabale à Paris, Richelieu a eu un peu sur le cœur — exigences d'une sensibilité trop excitable — que le Roi ait écouté et n'ait pas repoussé les attaques qu'on esquissait contre lui. En mai 1629, le secrétaire d'État d'Herbault est mort. Le Roi a refusé à Richelieu de nommer pour le remplacer le candidat qu'il proposait. Un incident pénible s'est produit devant Nîmes. Louis XIII expliquant à Richelieu que les chaleurs du midi le fatiguaient tellement qu'il entendait rentrer à Paris sans tarder, d'autant plus qu'il y avait « la peste » dans le pays, le cardinal lui a répondu qu'il ne pouvait qu'accéder au désir de Sa Majesté, « *pourvu*, a-t-il écrit lui-même dans le récit qu'il a laissé de cet incident, qu'il plaise à Votre Majesté auparavant entrer dans Nîmes ». Il s'agit, pour le Roi, de faire une entrée solennelle avec les régiments des gardes françaises et suisses, afin que la ville ainsi occupée militairement, il soit prouvé aux huguenots qu'étant vainqueur et maître de la place, le Roi n'en a pas profité pour modifier les promesses qu'il leur a faites au sujet de leur liberté religieuse. Louis XIII s'irrite de la formule « pourvu que... » Il ne dit rien à Richelieu mais, rentré chez lui, il exhale sa colère devant son entourage : on lui pose des conditions ! On le traite en petit garçon ! Et il s'exprime en termes vifs contre Richelieu, contre ce qu'il appelle « son opiniâtreté » : le cardinal n'a pas le souci de sa santé ! Informé de cette scène, Richelieu en est très affecté. Il vient trouver Louis XIII et lui dit qu'il a songé à la nécessité pour le Roi de quitter le pays sans retard : il a trouvé le moyen d'accommoder son départ avec la manifestation publique à laquelle il avait pensé. On publiera que le Roi va faire son entrée à Nîmes, on enverra les gardes françaises et les suisses et, à la dernière minute, un maréchal de France les conduira, le cardinal l'accompagnant pour annoncer à « ces messieurs de Nîmes » que Sa Majesté a dû aller à Tarascon où se tenaient les États de la province et a chargé Richelieu de leur dire « le déplaisir qu'il avoit de ne pouvoir les voir ». Louis XIII accepte. Le lendemain matin Richelieu souffrant gardant le lit, Louis XIII entre brusquement dans sa chambre et lui annonce qu'il a changé d'avis, qu'il va se rendre à Nîmes pour y faire son entrée à la tête des troupes : qu'on ne cherche pas à l'en dissuader, ajoute-t-il, « on lui feroit aussi grand déplaisir comme on faisoit auparavant de le lui persuader ! »

Puis Richelieu sent que, par moments, Louis XIII éprouve à son égard ce qu'il appelle « des dégoûts ». Il a cherché à s'expliquer ces « dégoûts ». Il pense qu'ils doivent provenir du « naturel du Roi, ombrageux et soupçonneux », en quoi il tient de sa mère. Ensuite le souverain est entouré de gens qui, de toutes façons, ouvertement ou « par moyens cachés et couverts », tâchent de le dénigrer et profitent de l'impatience qu'éprouve souvent le Roi devant des affaires qui traînent pour reprocher ces retards aux uns et aux autres, aussi bien à Richelieu. Ces deux dernières raisons, dit Richelieu, sont « causes de mon mal ». Quelque effort que fasse le cardinal pour ménager la jalousie qu'a de son autorité le Roi, il n'est pas possible que, par mégarde, il ne l'irrite. Alors, comme le dit un ambassadeur étranger, le Roi donne « un coup d'étrille », qui mortifie le ministre, le laisse troublé, affligé, « pleurant même », continue l'ambassadeur, ce qui fait dire au cardinal que, dans son infortune, il est menacé de tomber à toute heure et qu'il mange son pain « avec sueur et inquiétude ! » Louis XIII évidemment demeure attentif et un peu défiant. Chavigny parlera un jour à Richelieu « de cette défiance que Sa Majesté vous témoignait par le passé ». Le Roi écoute avec trop d'intérêt le mal qu'on lui dit des gens, surtout peut-être du cardinal. Il peut se laisser impressionner, éprouver des « aversions quelquefois sans sujet » et par là permettre à des cabales et à des factions de se former. On impute toujours à un ministre en vue, remarque Richelieu, ce qui est souvent le fait du maître, difficulté de plus pour le souverain de maintenir « le serviteur contre les ennemis qu'il acquiert par ce moyen sans le mériter ». (Nul n'a mieux réalisé cette observation que Richelieu à ses dépens.) Ce que voudrait Richelieu c'est que le Roi ayant pleine confiance en lui, lui parlât à cœur ouvert, lui révélât tout ce qu'il pense et tout ce qu'on lui dit, de manière à ce qu'il pût se défendre si les imputations étaient fausses, ou s'amender si elles étaient vraies. Mais sentir, comme écrit le cardinal dans une note, que « tantôt le Roi a d'extrêmes satisfactions de moi, tantôt qu'il en prend quelque dégoût, sans en connaître la cause », cela l'affecte tellement « qu'il n'y a force au monde qui puisse résister à la douleur que je conçois par tels sujets de déplaisir ». La faveur de Richelieu seraitelle donc si fragile? Ses ennemis le lui affirment audacieusement et l'écrivent : « Reconnaissez, lui dira Mathieu de Mourgues dans un libelle anonyme, que vous êtes aujourd'hui maître de la liberté de millions de personnes et pouvez être demain le prisonnier d'un chétif guichetier!... Il n'y a qu'une minute entre les caresses des empereurs et un croc pour être traîné dans une ville, une potence pour être pendu et un chemin public pour mendier son pain! » Et on lui jettera à la tête le nom de Concini, ce nom sinistre d'un personnage dont Richelieu a toute sa vie frémi de subir le sort, comme le laisse entendre Montglat et comme une phrase douloureuse du cardinal, passée dans les *Mémoires de Richelieu*, à propos de l'assassinat de Wallenstein sur l'ordre de son souverain, le fait comprendre.

En réalité, susceptible lui-même, aussi nerveux que son maître, Richelieu se trompe sur les véritables dispositions de Louis XIII à son endroit : la suite du règne le lui prouvera. Mais il ne se trompe pas sur les dangers qu'il court du fait de cette atmosphère d'hostilité qu'il sent l'entourer et, lorsqu'il écrit cette même année 1629 : « J'ai bien plus à craindre diverses cabales qui n'ont d'autre but que ma perte : la cabale des grands, des femmes, des étrangers », il a raison.

Il n'était pas possible, en effet, que la gloire que venait d'acquérir le cardinal ne lui suscitât un monde d'envieux. Il a rédigé à cette date une page pleine d'amertume où il parle de cette haine jalouse que provoque toujours le succès chez les gens légers, médiocres ou ambitieux, « âmes viles et basses, dit-il, qui, à la vue de la vertu d'autrui, se sentent déchirer les entrailles du désir d'anéantir, s'ils pouvaient », celui qui possède les qualités qu'ils n'ont pas. Plus cette haine est « indigne », plus elle est « irréconciliable »! Bavardages inconsidérés, calomnies, mensonges, on se servira de tout afin de former un mouvement d'opinion contre lui : on accumulera les griefs réels ou imaginaires; on travaillera à entraîner directement ou indirectement dans cet air empoisonné tout le monde, même des ministres, des princes, des membres de la famille royale! On incriminera chez Richelieu ce qu'on appellera « sa toute-puissance! » En renforçant l'autorité royale, le cardinal barre aux ambitieux l'avenir. On l'accusera alors de disposer de l'État, de révoquer les officiers à sa fantaisie, de s'emparer des charges de la couronne, d'éloigner les princes, d'emprisonner qui bon lui semble, de bannir ou faire mourir ceux qu'il craint, ne laissant au Roi que l'ombre de son nom! A leur tour les grands et les nobles, impressionnés, s'inquièteront. On leur dira que le triomphe de la Rochelle a été le signal de leur abaissement, d'où l'observation de Bassompierre pendant le siège : « Nous serons si fous que nous prendrons la Rochelle! » Le duc d'Épernon expliquera au prince de Condé que mater les huguenots a été permettre au cardinal de « faire raser toutes les places que tiennent les grands et encore des têtes! » comme le rapporte Condé à Richelieu dans une conversation qu'ils ont ensemble le 21 janvier 1629 aux Caves, près de Nogent-sur-Seine.

Et des libelles paraîtront qui s'en prendront à Richelieu, n'épargnant pas le Roi lui-même. L'attaque fera son chemin, progressera; elle finira par atteindre le conseil du Roi où peu à peu se dessine maintenant, chez quelques ministres, des dispositions d'hostilité systématique contre le cardinal. Or le point de départ de cette opposition est la question religieuse.

Nous avons vu qu'au conseil où a été discuté le principe de l'intervention en Italie pour aller au secours de Casal, cette opposition s'est révélée. Elle se base sur cette raison que le premier devoir du roi de France est, avant tout, de détruire l'hérésie protestante dans son royaume, ceci étant plus important que de s'occuper des affaires extérieures qu'on met en avant et qui sont peu graves. On entraîne le Roi à combattre des puissances catholiques et à s'appuyer sur des alliés protestants que l'on protège et que l'on fortifie : on a tort. Il faut au contraire que le Roi fasse la paix avec l'Espagne et l'empereur germanique, abandonne ses alliés hérétiques « et emploie toutes ses forces à nettoyer le dedans de son royaume ». Exposant cette thèse, Richelieu dira : « Tels avis fondés sur des raisons de piété, pleins de doutes raisonnables et de crainte, font voir manifestement quelle force et fermeté de courage il faudra avoir pour soutenir la réputation du Roi en cette affaire et la terminer à des conditions glorieuses à la France ! » Ceux qui soutiennent au conseil les propositions en question sont, nous l'avons vu, le garde des sceaux Marillac et Bérulle.

Marillac, fort honnête homme, qui a été très mêlé à tout le mouvement de fondations de maisons religieuses du début du XVIIe siècle, appartient à une famille modeste du Plateau central et a fait sa carrière régulièrement au conseil d'État — maître des requêtes, conseiller — où il a montré des qualités solides de travail, de fermeté, de conscience. Mais c'est un têtu à la tête carrée, sans souplesse. Il a vu de près la Ligue et y a joué un rôle du côté des plus exaltés Ligueurs dont il a gardé le dogmatisme impérieux. Ostensiblement, Marillac ne parle de Richelieu qu'avec de grands éloges. Richelieu de son côté ne ménage pas le bien qu'il dit de Marillac. Il écrit à d'Effiat : « Je suis parfaitement satisfait de M. le garde des sceaux : je n'ai jamais connu un homme plus sincère, plus ingénu et plus homme de bien. » Au moment de l'expédition de Suse, la brusque et vive opposition de Marillac à ses idées a surpris Richelieu. On a même annoncé que le garde des sceaux allait être disgracié ! La nouvelle communiquée au cardinal, qui est sur les Alpes, a provoqué de sa part un démenti immédiat : « Le bruit, a-t-il répondu, que l'on fait courir de M. le garde des sceaux est très faux. Il fait sa charge comme il doit et y sera maintenu puissamment par le Roi et ses amis. S'il sortoit, je sortirois aussi. » Est-il dupe? Une lettre du 11 août 1629 que Marillac écrit à Richelieu nous révèle que dans une conversation que le cardinal a eue avec le garde des sceaux, il lui a posé quelques questions embarrassantes. Marillac s'est défendu de façon un peu lourde. Il y revient dans sa lettre. Il pense, dit-il, qu'on a fait au cardinal des contes mal à propos. Il ne lui demande pas de ne pas croire à ce qu'on lui a dit, « car j'ai cette confiance que vous ne croirez rien de moi qui soit indigne d'un homme d'honneur et fidèle », incapable de « manquer à la fidélité que je dois à tant d'obligations que je vous ai ». Le garde des sceaux n'est pas un homme sûr!

Le cardinal de Bérulle, lui, a un grand nom dans le mouvement religieux du début du XVIIe siècle par l'importance de ses fondations, telles que celle de l'Oratoire, et son action morale sur ses contemporains. Il est très apprécié de Marie de Médicis qui l'a fait nommer cardinal, disent les confidents de la Reine, et introduit au conseil du Roi. Il a les mêmes idées que Marillac. Ils se connaissent depuis le début du siècle, se sont rencontrés chez madame Accarie, c'est-à-dire dans un milieu à tendances ligueuses. D'autre part Bérulle est doué, dit Richelieu, « d'un entêtement doux et continu ». Ils sont entrés en relations lorsque Richelieu, évêque de Luçon, demandait à Bérulle d'établir des oratoriens dans sa ville épiscopale. Les *Mémoires de Richelieu* disent que c'est Richelieu qui a fait nommer Bérulle cardinal en 1627, qui l'a placé en partant pour la Rochelle auprès de Marie de Médicis. En août 1629, en effet, Bérulle écrit à

Richelieu : « C'est vous, monseigneur, qui avez persuadé au Roi de me mettre en l'état auquel je suis. »

La correspondance de Bérulle avec Richelieu, en 1629, ne donne pas une grande idée du personnage. Il s'y montre obséquieux, exagéré dans l'expression de ses sentiments, soucieux de rapporter sur les uns et les autres de menus propos et les moindres faits, tout en assurant : « Ma conduite par deçà est sans ingérence en aucune affaire et avec une retenue grande au regard de chacun. » « J'essaie de faire le moins de peine que je puis à autrui. » Il multiplie à Richelieu les témoignages de la plus profonde déférence et de son absolu dévouement.

Or, après la mort de Bérulle, Richelieu a ramassé dans une note ce qu'il savait du véritable jeu de son confrère. Il dit que pendant le siège de la Rochelle Bérulle a blâmé les travaux entrepris autour de la place sous prétexte que Dieu, disait-il, avait décidé que la ville serait prise par un coup inopiné : il le savait grâce à « une révélation » : il fallait attendre ce coup : deux fois Richelieu lui a demandé d'un air sérieux la date à laquelle se produirait ce coup sans pouvoir l'obtenir. Dans l'affaire du duc de Mantoue, Bérulle est, avec Marillac, contre le sentiment de Richelieu. La Rochelle prise, il a voulu qu'on fît la guerre à l'Angleterre toujours en invoquant à l'appui des révélations divines. De façon générale il reproche à Richelieu de manquer d'esprit surnaturel dans la direction des affaires publiques et dès lors « Dieu n'approuvera pas la conduite du cardinal » : et lui, Bérulle, la désapprouve donc entièrement. Il pousse Marie de Médicis à juger comme lui. Richelieu conclut : « Cette belle âme ne se portoit pas à ces extrémités par animosité aucune : il n'en avoit contre personne ; mais bien se rendoit-il si ferme en ses pensées parce qu'il croyoit qu'elles étoient conformes à la volonté de Dieu. » Il était assuré de connaître les secrets de la divine Providence « par voie surnaturelle » et parmi ces secrets il y avait celui qu'il accomplirait lui-même de très grandes choses ! Le cardinal juge qu'il n'y a pas lieu de faire grand cas de Bérulle, homme inexpérimenté, inapte aux affaires auxquelles on n'aurait pas dû l'appeler, ce que jugera aussi Louis XIII qui traitera Bérulle de « bon homme mais à qui tout fait peur ». Bérulle mourra subitement le 2 octobre 1629, âgé de cinquante-trois ans, à temps parce qu'il aurait été probablement disgracié, tout au moins envoyé en ambassade à Rome afin d'être débarrassé de lui.

Aux yeux de Marillac et Bérulle, le cardinal de Richelieu a le tort de chercher une longue guerre étrangère afin de brouiller les affaires pour qu'on ait perpétuellement besoin de lui, ce qui est intolérable ! Ce faisant, il s'en prend à des puissances catholiques au lieu d'attaquer les hérétiques du dedans qu'il faudrait « forcer à se convertir ou à sortir du royaume ! » — « Maximes de la Ligue ! répond Richelieu, confusion des intérêts de l'État et de ceux de la religion pour aboutir à réduire toutes choses en cas de conscience au grand préjudice du royaume ! » Marillac et Bérulle veulent la paix au dehors ; ils sont favorables à l'Espagne. Le premier devoir, d'après eux, est de s'arranger avec cette puissance et Marillac, dans un mémoire âpre, vigoureux, agressif, fait un noir et pessimiste tableau des dangers auxquels on s'expose en agissant comme le veut Richelieu. On sera obligé de lever plusieurs armées, dit-il : nos places sont peu solides; chefs et soldats infidèles; il y a mauvaise volonté chez les grands; partout misères, trahisons et pénurie d'argent! Marillac menace même des châtiments divins ceux qui ne tiendront pas compte de ses avis. « Plusieurs âmes très saintes, dit-il, prévoient la punition de cet État si on néglige les moyens que Dieu présente d'y ruiner l'hérésie. »

En ce qui concerne spécialement l'affaire de Mantoue, Marillac et Bérulle sont intraitables. Aller en Italie, disent-ils, c'est risquer la guerre universelle! Les huguenots se soulèveront. Lorsqu'il est question que Louis XIII aille lui-même commander l'armée dans les Alpes, ils s'exaltent : la santé du Roi n'est pas sûre; l'hiver sera rude, les chemins sont difficiles; le Roi n'a pas d'héritier direct; l'opinion à Paris désapprouvera. Bérulle écrit à Richelieu le 1er mars 1629 que l'ambassadeur d'Espagne est venu voir Marie de Médicis et lui-même pour les menacer de la guerre si le Roi franchissait la frontière. Marillac a mandé à Richelieu le 15 février : « On s'engage sans voir clair à l'issue » : Dieu ne bénira pas tout cela! A la nouvelle de la victoire du pas de Suse, Bérulle supplie Richelieu d'obtenir maintenant le retour immédiat du Roi à Paris et la conclusion de la paix. « C'est assez de gloire au Roi! » dit-il.

Mais le plus grave est qu'ils finissent tous deux par entraîner dans leur cause Marie de Médicis! Peu à peu ils sont arrivés à créer autour de la reine comme un état d'esprit défavorable au cardinal, en affectant, par exemple, lorsqu'on parle de lui devant elle, nous explique Hay du Chastellet, « un silence artificieux, un abaissement de tête, des soupirs de compassion ou de crainte » ou bien

« quelque élancement de conscience et de piété simulées », ce qui rappelle assez bien le jeu de Tartufe! Et à mesure, comme l'explique Montglat, ils font remarquer à Marie de Médicis que Richelieu n'est plus avec elle ce qu'il était autrefois, qu'il la délaisse pour le Roi auprès de qui il a plus d'influence qu'elle. Sur ce dernier point, d'autres insistent aussi : la princesse de Conti, le premier médecin de la Reine Vautier, la comtesse de Soissons; et Marie de Médicis, peu intelligente, de caractère susceptible, insensiblement se laisse impressionner. Elle dit à son tour qu'il ne faut pas faire la guerre aux Espagnols catholiques, mais aux protestants; qu'elle ne veut pas qu'on attaque le duc de Savoie, son gendre — la leçon apprise. — Elle écrit à son fils secrètement des lettres dictées par Bérulle et Marillac dans ce sens. Et lorsque Richelieu informé et surpris demande des explications à Bérulle, celui-ci répond, par exemple le 30 avril 1629, qu'il « ne doit pas être en peine du côté de la Reine mère, que ce sont nuages qui viennent de la part de mauvais esprits; que la Reine mérite d'être un peu excusée, d'autant plus que sa peine vient d'excès de bienveillance et d'estime pour Richelieu qu'elle ne veut que personne lui ravisse! » Le 7 juillet Bérulle informe Richelieu qu'il ne paraît pas être très bien dans l'esprit de la Reine mère mais qu'une conversation d'une demi-heure avec elle dissipera certainement le malentendu. L'ambassadeur vénitien Zorzi a noté le 6 novembre, après la mort de Bérulle, que « c'était Bérulle qui était l'auteur de tous les dégoûts qu'avait la Reine mère pour Richelieu ». Une affaire de famille autour du Roi va accumuler les nuages précurseurs de l'orage.

Plus léger et inconsistant que jamais, le frère de Louis XIII, Gaston d'Orléans, se montre mécontent de tout. Il ne jouit à son gré d'aucune considération. On ne le tient au courant de rien. Il a voulu commander l'armée de la Rochelle, puis celle du Languedoc, enfin celle des Alpes. Le Roi a cédé pour la première où le prince n'a rien fait et a brusquement tout laissé sur un prétexte quelconque pour rentrer à Paris. Le Roi a refusé d'accorder les autres commandements parce qu'il tient son frère pour incapable. Richelieu a essayé de le faire fléchir en ce qui concernait l'armée de Casal! Mais Louis XIII a entendu y aller lui-même. Le cardinal a insisté pour qu'au moins le Roi gagnant les Alpes et ne descendant pas en Italie, chargeât à ce moment son frère de pousser jusqu'à Casal avec 22 000 hommes. Nous avons dit plus haut comment le Roi n'a pas pu accéder à ce désir. D'ailleurs, au fond, Monsieur n'y tient pas. Il a un jeu double avec Richelieu. Quand il lui écrit, il multiplie les prévenances. Mais en réalité, poussé par trois conseillers avides, cyniques, impudents, Le Coigneux, Bellegarde, Puylaurens, il va prendre en haine le cardinal qui empêche ceux-ci de satisfaire leurs ardentes ambitions. Richelieu le sait et Louis XIII également.

Or le 4 juin 1627 la femme du duc d'Orléans, madame de Montpensier, celle dont le mariage a soulevé naguère tant de difficultés, est morte à la suite de couches, donnant naissance à celle qui sera la grande Mademoiselle. Monsieur a manifesté une « grande douleur ». Son « affliction a été extrême ». Toute la famille s'est montrée désolée! Mais, dès le 8 juin, l'entourage parle déjà de le remarier et on désigne les partis possibles : une Allemande, la fille de l'empereur, deux Italiennes dont la fille du duc de Nevers et de Mantoue, Marie de Gonzague, et une princesse de Médicis, sœur du grand-duc de Florence. Marie de Médicis penche pour cette dernière que le pape d'ailleurs recommande. Mais Monsieur décline : il entend se marier librement. Puis, en février 1629, on apprend qu'il s'est épris de la princesse Marie, fille du duc de Mantoue et qu'il veut l'épouser. « Elle possède, écrit-il au Roi son frère, le 27 février, toutes les affections de mon âme ! » Marie de Médicis, déjà blessée que son fils ait cavalièrement refusé la princesse de Florence, sa parente, et toujours hostile à la maison de Nevers, refuse d'accepter ce projet. Louis XIII se range à son avis : il prie son frère d'accéder à leurs désirs et, devant le Roi, la Reine mère, Bérulle, Marillac, Le Coigneux, Bellegarde, Gaston est obligé de promettre qu'il ne pensera plus à cette idée. Seulement la tante de la jeune princesse Marie, la duchesse de Longueville, sœur du duc de Mantoue, est décidée à faire faire ce mariage à sa nièce. Le duc de Mantoue, froissé de ce qui se passe, a ordonné à sa fille de quitter la France et de venir le rejoindre en Italie : un de ses gentilshommes est même venu chercher la jeune fille qu'il emmène, s'arrêtant d'abord au château de Coulommiers, chez la duchesse de Longueville. Monsieur, désespéré, car il aime toujours la princesse, décide de faire un coup de tête : il rejoindra Marie de Mantoue à Coulommiers, l'épousera secrètement, sans demander l'autorisation à personne, et de là gagnera la Flandre avec elle. Il court à Montargis. Prévenue, Marie de Médicis envoie aussitôt deux de ses gentilshommes, dont M. de Cussac avec quarante archers des gardes à cheval et deux carrosses à Coulommiers avec mission d'ordonner de sa part à la duchesse de Longueville de rentrer immédiatement à Paris en emmenant sa nièce avec elle. Sur un message nouveau de la reine, Cussac conduit madame de Longueville et sa nièce à Vincennes où il les loge dans l'appartement du Roi, vis-à-vis de la chapelle.

Marie de Médicis écrit à Louis XIII, qui est à Suse, pour le mettre au courant de ce qu'elle vient de faire. Monsieur indigné écrit aussi de son côté à son frère affirmant qu'il ne voulait voir la princesse que pour lui demander de retarder son départ jusqu'à ce qu'il eût une réponse du Roi auquel il envoyait un courrier. C'est Bérulle qui a imaginé et fait exécuter par la Reine mère l'enlèvement de la princesse : il l'avouera lui-même!

Au reçu de ces nouvelles, Louis XIII est extrêmement contrarié : il envoie dire à Monsieur qu'il a eu tort de revenir vers Paris, qu'il le prie de renoncer à la princesse Marie. Il écrit à sa mère une lettre brève, embarrassée, où il lui dit qu'il est fâché de ce qu'a voulu faire Monsieur et qu'il la remercie des mesures qu'elle a prises. Après diverses péripéties, les deux dames enfermées à Vincennes seront informées le 4 mai qu'elles peuvent sortir et elles viendront à Paris à l'hôtel de Gonzague, demeure de madame de Longueville.

Mais, en fait, Louis XIII et Richelieu sont tourmentés des suites du geste inconsidéré de Marie de Médicis. Ils blâment davantage encore la conduite capricieuse de Monsieur. Monsieur en est informé et, par une inconséquence qui est bien de sa manière, il s'en prend au cardinal « qu'il sait, dit-il, être son ennemi! » De colère, il déclare qu'il quittera le royaume! Pendant ce temps

Bérulle avertit Richelieu qu'on monte aussi la tête de la Reine mère contre lui : Richelieu est convaincu que c'est Bérulle lui-même qui excite la Reine mère de connivence avec les conseillers de Monsieur. Alors il écrit au cardinal de La Valette le 24 mai 1629, de manière à ce que sa lettre soit mise sous les yeux de la Reine et de Bérulle. On veut, dit-il, le brouiller avec la Reine en prétendant qu'il encourage Monsieur sous main, ce qui est faux. La princesse Marie lui est indifférente. Mais le Roi ne veut pas de ce mariage; il doit se ranger à l'avis de Sa Majesté. Richelieu ne peut croire que la Reine mère, qui sait « son affection sincère », ait changé de disposition à son égard. « Il la supplie très humblement de croire que quoiqu'on lui ait pu dire ou qu'elle puisse supposer, il n'a jamais eu d'autre pensée que celles qu'elle eût pu souhaiter qu'il eût. » Marie de Médicis saisie de cette lettre se borne à répondre à La Valette qu'elle est au courant des bruits dont on parle, qu'ils viennent sans doute de « ces dames » et qu'elle est satisfaite des procédés de Richelieu.

Là-dessus Gaston, apprenant que Louis XIII revient à Paris, gagne Orléans pour ne pas le rencontrer, de là la Champagne, et se rendra en Lorraine, pays alors étranger. Louis XIII est indigné!

Ainsi, peu à peu, les relations de Richelieu avec Marie de Médicis se sont troublées. Elles étaient restées jusque-là cordiales, confiantes, d'après les lettres échangées entre eux auparavant, très nombreuses. Richelieu la tenait au courant avec soin des événements. Marie de Médicis témoignait au cardinal de ses sentiments d'affection, de dévouement, lui faisait des cadeaux, appréciait nous l'avons vu, la haute valeur de ses services, l'en félicitait, s'inquiétait au plus haut point de sa santé, s'alarmait si elle n'avait pas de ses lettres, suivait avec anxiété le siège de la Rochelle, et, la ville prise, de joie, donnait à Richelieu la chasse de Bois-le-Vicomte et 60 000 écus! Le souci que Louis XIII avait de conserver de bons rapports avec sa mère n'était pas étranger à l'application que, de son côté, Richelieu avait mis à conserver ces mêmes relations excellentes avec la princesse. Et maintenant tout était changé! « Je ne sais, a écrit madame de Motteville, à quels sujets la Reine mère eut à se plaindre du cardinal et peu de personnes l'ont su. » Avec les documents dont nous disposons on voit comment l'évolution s'est produite. En même temps que l'action de Bérulle et Marillac, tout y avait contribué!

Grosse Italienne de près de soixante ans, orgueilleuse, colère, vindicative, crédule, Marie de Médicis était entourée de personnes qui, pour des raisons diverses où la rancune entrait comme principale part, détestaient Richelieu : la princesse de Conti, la duchesse d'Elbeuf, la comtesse de Soissons, la duchesse de Guise. A plusieurs reprises, sur des incidents secondaires, il y avait eu des froissements momentanées entre le cardinal et la Reine qu'avaient « rajustés » le Roi et le Père Suffren, confesseur de Marie de Médicis. Mais l'influence grandissante de Richelieu, son pouvoir qui augmente chaque jour excitent maintenant peu à peu en elle, sur les suggestions qui lui sont faites, une obscure méfiance et un chagrin instinctif. On la surprend attristée, mélancolique. De là à la jalousie, il n'y a qu'un pas et « la jalousie est un mauvais morceau à digérer aux femmes et Italiennes! »

Marie de Médicis s'avise que Richelieu devenu prépondérant et nécessaire la méprise! C'est le grand mot qui va de jour en jour l'ulcérer! Elle a donné, elle-même, la date à laquelle cette idée malencontreuse est entrée dans son esprit : le 21 novembre 1630, elle déclare à Bullion « qu'il y a trois ans qu'elle a commencé à connaître que j'avois (consigne lui-même, d'après le rapport de Bullion, Richelieu dans une note manuscrite) tout crédit sur l'esprit du Roi et que je la méprisois », donc pendant les affaires de la Rochelle! Il la méprise! Il semble même, croit-elle, qu'il veuille « la protéger! » comme elle le confiera à Mathieu de Mourgues qui l'écrira. Quelle humiliation! C'est elle qui a édifié la fortune du cardinal, elle qui l'a fait avancer et l'a mis au pouvoir; et maintenant il entend se passer d'elle, « subsister sans elle, et jeter le cintre par terre après la voûte fermée! » Elle n'a donc servi que de « marotte! » comme le lui a dit son fils Gaston! Les contemporains informés ont bien vu en effet que c'est depuis le siège de la Rochelle que les dispositions de Marie de Médicis à l'égard de Richelieu se sont modifiées : Fontenay-Mareuil, Balzac, Hay du Chastellet, Lepré-Balain, confident du Père Joseph, Mathieu de Mourgues, tous le répètent. Pour les amis de la Reine, Richelieu infatué de son grand succès sur la ville huguenote a cru pouvoir se permettre de négliger « celle qui l'a élevé », fonder sa puissance en dehors d'elle et sans elle, « perdre le respect » qu'il lui doit, multiplier ses « mépris, tromperies, menteries ». Les péripéties de l'affaire de Mantoue où Richelieu veut qu'on soutienne un grand seigneur que la Reine déteste, celles des projets de mariage de Gaston, exaspèrent

Marie de Médicis montée de plus en plus. Informé, Richelieu en éprouve une profonde douleur. Il cherche à se justifier : « Je proteste devant Dieu, écrit-il le 30 avril 1628 à Marie de Médicis, que je n'ai pas plus de soin de mon salut que j'ai de vous plaire !... Je ne demande pas de pardon à Dieu s'il peut trouver personne qui ait plus de passion que j'ai toujours eu et aurai toujours jusqu'à ma fin, à votre service ! Quand je recevrois autant d'injures de votre part comme j'en ai reçu de bienfaits, je ne changerais pas cette résolution !... Vous avez dit à Monsieur, continue-t-il, qu'on vous faisoit servir de marotte ! Je vous laisse à penser si ce coup de poignard est mortel à une personne qui n'a jamais pensé qu'à votre grandeur et à votre gloire ! » Et il gémit amèrement de la condition de ceux, comme lui, « à qui on donne le timon » à tenir dans une mer orageuse et pleine d'écueils, et qui ne peuvent « tourner » (ce timon) « sans choquer quelqu'un de ceux qui le lui ont confié et au salut de qui ils veillent ! » Marie de Médicis répond en niant les sentiments qu'on lui prête : elle assure qu'elle ne perdra jamais « le souvenir des fidèles services que vous m'avez toujours rendus ». Le 3 juin 1629 elle répond encore : « Je vous prie de ne point croire qu'il y ait aucune altération en l'affection que j'ai toujours eue pour vous et qu'il n'y ait rien qui soit capable de me faire changer. » Elle n'est pas franche : c'est elle qui trompe ! Louis XIII mis au courant est irrité. Au dire de C. Bernard, il essaie d'intervenir auprès de sa mère : il lui explique à quel point Richelieu lui est nécessaire : il ne peut le chasser sans se discréditer au dehors. Il supplie sa mère de se rappeler que lorsque le cardinal, simple évêque de Luçon, était en disgrâce, c'est elle qui l'a fait revenir en faveur, elle qui lui a fait donner le chapeau de cardinal, elle qui a demandé son entrée au conseil et c'est à cause d'elle et pour elle qu'il a lui-même accepté Richelieu et l'a soutenu ! Il lui demande instamment de rester en bons termes avec lui à cause de lui-même et de « ne pas faire si peu d'état des services signalés que le cardinal peut rendre à l'État » qu'elle ne veuille pas « lui remettre l'offense qu'on lui pouvoit faire entendre qu'elle en avoit reçu ! » Mais Marie de Médicis est butée ! Elle résumera ses rancunes, comme le dit Aubery, en déclarant que le cardinal désormais entièrement indépendant d'elle oublie tous les services qu'elle lui a rendus et dont il ne parle qu'avec mépris et dédain ; qu'il lui dispute sa place au conseil ; qu'il la contredit constamment, défend ceux qu'elle déteste, et elle achèvera dans une conversation avec Bullion par ce cri d'une femme déçue et humiliée : « Je suis réduite à néant ! Monsieur le cardinal a tout pouvoir !... » Leur rencontre va amener la crise !

Revenant du Languedoc, Richelieu se dirige vers Fontainebleau où Louis XIII arrive le 28 août 1629 pour le recevoir. Le Roi écrit au cardinal le 7 septembre, lui disant « la joie que j'ai de vous voir bientôt », et l'assurant de « son affection ». Toute la cour, les deux reines comprises, est venue à Fontainebleau. L'allégresse est générale. Chacun veut complimenter le cardinal de sa brillante campagne, l'approcher, le féliciter, lui manifester, après tout le royaume, le contentement que l'on a des victoires remportées par lui. Il doit arriver le 14 septembre. En carrosse, à cheval, la cour, sauf la famille royale, va au-devant de lui jusqu'à Nemours et l'escorte à Fontainebleau au milieu d'une foule pleine d'enthousiasme qui borde la route et l'acclame de tous côtés !

Parvenu au château, Richelieu monte à l'appartement des deux reines qui vont le recevoir ensemble. Louis XIII parti pour la chasse et retardé en chemin n'est pas encore rentré. Ici va se produire une scène dont il y a deux versions. D'après le récit qu'en a rédigé Richelieu, confirmé par le témoignage de Lepré-Balain, Marie de Médicis, devant Richelieu la saluant, serait restée immobile, glaciale, sans daigner répondre, et dans une attitude tellement blessante que l'assistance étonnée serait demeurée interdite. « J'avoue, écrit Richelieu, que je le fus encore davantage, cet accident me surprenant d'autant plus que je ne m'y devois pas attendre ! » L'entrevue est brève. Le cardinal sort consterné ! D'après le second récit, celui de Mathieu de Mourgues, l'ennemi de Richelieu, que tel, comme Chizay, n'a fait que reproduire, Marie de Médicis aurait demandé au cardinal s'il se portait bien et le cardinal « enflammé de colère, le front ridé, le nez affilé et les lèvres tremblantes » aurait répondu : « Je me porte mieux que beaucoup de gens qui sont ici ne voudroient ! » Puis un dialogue vif aurait suivi où Richelieu, d'un ton provocant, aurait mis en cause le cardinal de Bérulle, deux princesses, de façon si impertinente que la Reine se serait écriée en colère « qu'elle ne pouvait souffrir cette effronterie », qu'il était « insupportable », sur quoi Louis XIII serait entré.

Selon le récit de Richelieu, après la scène qu'on a vue, Louis XIII revenu au château aurait reçu le cardinal devant toute sa suite « avec des tendresses et des affections qui ne se peuvent dire ». Le cardinal lui aurait demandé la permission de lui parler seul dans son cabinet. Là, mettant le prince au courant de ce qui vient de se passer entre lui et la Reine mère, il déclare qu'après une telle scène, faite publiquement, il est obligé de demander à Sa Majesté l'autorisation d'abandonner les affaires et de quitter le pouvoir. Il va d'ailleurs écrire ensuite à Marie de Médicis une lettre dans laquelle il lui dira qu'il a « la même passion » qu'il a toujours eue à la servir, mais que voyant qu'il lui déplaît, cette considération lui « impose la plus grande peine qui lui pût jamais arriver », qui est de se séparer d'elle. Il la supplie de trouver bon qu'il se retire. Les affaires de l'État, au point où elles en sont, peuvent être maintenant conduites par qui il plaira à Leurs Majestés de les confier. Sa retraite facilitera le retour de Monsieur qui est tellement passionné à vouloir sa ruine ! Avec respect il remet donc entre les mains de la Reine toutes les charges qu'il tient d'elle dans sa maison et dans le gouvernement. Il emmène avec lui ses parents. Il achève en assurant que, s'il a perdu la bienveillance de la Reine, il ne se considère pas comme dégagé de ce qu'il lui doit depuis quatorze ans qu'il lui appartient et que, quoi qu'elle fasse, il restera « son serviteur jusqu'au dernier soupir de sa vie ! » Il la prie d'insister auprès du Roi pour que le prince accepte sa résolution, « résolution, ajoute-t-il avec douleur, si absolue que j'aimerais mieux mourir que de demeurer à la cour en un temps où mon ombre lui fait peine ». Cette lettre ne fera qu'irriter Marie de Médicis.

Louis XIII est profondément affecté autant de l'attitude de sa mère que du projet de retraite de Richelieu. « Il en pleure », même. Mais il a présent à l'esprit les difficultés sans nombre de la situation politique et les nécessités de l'État. Il se reprend, réfléchit et estime qu'il ne peut pas céder. Suivant le récit laissé par le collaborateur du Père Joseph, « il le dit net au cardinal : il ne veut point qu'il pense à autre chose qu'à contribuer au soin de ses affaires ! Il se défera plutôt des importunités de la Reine sa mère et de celles des cabaleurs ». Un conseil sera tenu après le dîner afin d'aviser « et empêcher l'éclat et le mal que cette résolution de retraite causerait non seulement dans le royaume mais aux pays étrangers ! » Richelieu dans le récit qu'il a rédigé dit combien il est touché de « recevoir en cette occasion des preuves si particulières de la bonne volonté du Roi que toute la cour, qui ne croyoit pas sa fermeté si grande, confessa en être étonnée ».

La cour en effet, devant ces incidents, est dans une émotion, une agitation extrêmes. Elle se montre, d'ailleurs, en général favorable à Richelieu. On vient le voir, l'entourer : les visites se multiplient, chaudes, ardentes. On accable Bérulle et Marillac; on leur dit qu'ils jouent un jeu dangereux et que s'ils ne décident pas la Reine mère à renoncer à son attitude, « infailliblement, ils seront chassés ! » Devant la volonté expresse du Roi et ce mouvement si vif de l'opinion qui la surprend, Marie de Médicis interloquée se tait. Le Roi la voit, insiste, fait appel à ses sentiments maternels et, dit Bassompierre, « le lendemain samedi 15, un accommodement se faisait au contentement universel de toute la cour ». Bérulle sera très mortifié qu'on l'ait cru responsable de cette malheureuse affaire et on pensera que son profond chagrin ne sera pas étranger au mal qui va l'emporter subitement quinze jours après, le 2 octobre.

Après de longues et pénibles tractations, Monsieur cédera à son tour et le 2 janvier 1630 rentrera de Nancy, soumis et réconcilié.

Mais si, en apparence, les relations vont reprendre entre Marie de Médicis et Richelieu, correctes, suffisantes, que de rancœurs se sont accumulées! C'est le premier choc, présage d'autres plus âpres et inévitables!...

VIII

« L'ANNÉE DES TRIBULATIONS » 1630

Richelieu avait eu raison en quittant Suse de n'avoir pas grande confiance dans les conventions passées avec les ennemis : ceux-ci n'étaient pas de bonne foi! L'année 1630 va être pour lui une dure année d'épreuves, le contre-coup des difficultés extérieures se traduisant par des drames à la cour. Il écrira douloureusement à Bouthillier le 22 octobre 1630 : « Je compte cette année celle des tribulations! »

A peine en effet est-il revenu à Fontainebleau en septembre 1629 qu'il apprend la nouvelle que le ministre espagnol Olivarès n'acceptant pas ce qui a été résolu en Italie par ses représentants, a chargé Spinola, le duc de Lerme et le marquis de Sainte-Croix de reprendre les hostilités dans la vallée du Pô et de remettre le siège devant Casal. Au milieu des ennuis qui l'accablent, Richelieu s'occupe sans tarder de toutes les mesures nécessaires. Il écrit force dépêches pour recommander à Toiras qui commande à Casal de rassembler sans retard dans la ville des approvisionnements abondants, donne l'ordre d'envoyer sur les Alpes neuf régiments, fait concentrer à Embrun des canons, de la poudre, vingt mille charges de blé et peu à peu il sera informé que les Impériaux réunissant dans le Milanais 22 000 hommes, 4 000 cavaliers, sous les ordres de Colalto, les Espagnols 15 000 hommes et 3 000 chevaux avec Spinola, en tout 44 000 hommes, marchent sur Mantoue et Casal. De la Savoie il n'y a rien à attendre que fourberies et trahisons! Causant avec l'ambassadeur vénitien Contarini, Richelieu lui dit parlant du duc : « Je le connais de longue main : c'est un enfant sans cervelle! Quel pauvre prince! » Au maréchal de Marillac il écrit : « Le duc bute toujours au contraire de ce qu'il sait ou soupçonne qu'on désire. » A quoi bon lui faire des offres! Il veut être roi! Il n'en a jamais assez! Et des libelles paraîtront à Paris : les *Ruses, finesses, trahisons de Son Altesse de Savoie tournées à sa perte et confusion*, manifestant l'impatience des Français devant tant de duplicité!

Un conseil est tenu à Fontainebleau pour délibérer, Richelieu expose l'état des affaires. Les Impériaux, dit-il, entrés dans le Milanais par la Valteline, marchent sur le duché de Mantoue et les Espagnols sur le Montferrat. Spinola se prépare à aller assiéger Casal. Il faut de nouveau aller au secours du duc de Nevers, faire un gros effort, réunir 50 000 hommes. Mais on se trouve au lendemain de la réconciliation du cardinal avec Marie de Médicis. Les plaies ne sont pas cicatrisées. Les adversaires de Richelieu l'attaquent. Ils estiment qu'une fois de plus, le cardinal se propose de « sacrifier à sa grandeur la paix de tout un État, la fortune de tous les peuples ! » Il veut « satisfaire à la folie qui le porte à vouloir ruiner la maison d'Autriche ! » Que parle-t-il « d'assister les alliés de la France, d'empêcher l'agrandissement de l'Espagne ? » Il vise à « brouiller la France avec tous les princes de l'Europe », et « attirer dans le royaume l'inondation des barbares ! » Cette nouvelle guerre est un caprice ! Bérulle et Marillac s'élèvent donc ardemment contre les propositions du cardinal. Il faut, disent-ils, trouver un accommodement. Richelieu insiste : étant donné les procédés de l'empereur et du roi d'Espagne, déclare-t-il, on ne peut qu'user de la voie des armes : aucune raison ne touchera les ennemis : il est indispensable de préparer fortement la guerre. Et Louis XIII se rangeant à son avis décide d'envoyer sans retard en Italie le maréchal de La Force avec 20 000 hommes qui auront charge d'entrer en Savoie « comme en un pays ennemi ». De Fontainebleau la cour revient à Paris.

Les semaines suivantes, Richelieu poursuit les préparatifs de la campagne avec l'ardeur qui lui est habituelle, fait faire des levées de soldats, groupe une armée en Champagne que commandera le maréchal Louis de Marillac, frère du garde des sceaux, afin de surveiller les frontières de l'Est et parer à quelque invasion possible des Impériaux de ce côté. Entre temps, Bérulle est mort subitement ! Le garde des sceaux Marillac, de plus en plus affligé de la tournure que prennent les événements, irrite Louis XIII par son attitude impatientante. Richelieu tâche d'atténuer les dispositions inquiétantes du garde des sceaux en vue de diminuer l'effet fâcheux produit sur le Roi. En novembre, à Saint-Germain-en-Laye, Marillac se trouvant dans le cabinet du cardinal lui dit brusquement qu'il désire être déchargé de son office et s'en aller! « Pourquoi? fait Richelieu, le gouvernement est-il injuste? — Non! Mais c'est un désir que j'ai depuis plus de vingt ans! — Est-ce que la mort du cardinal de Bérulle?... — Non! rien que le désir de la retraite! — Il ne faut penser à cela! » Les choses en restent là. Mais Le Coigneux entendra dire à quelqu'un dans le cabinet du Roi : « Le garde des sceaux a voulu sortir par la porte : on le fera sortir par la fenêtre! »

Les nouvelles qui viennent d'Italie ne sont pas bonnes. Colalto a envahi sans difficulté le Mantouan; en quinze jours il a tout pris et bloque Mantoue. Les Espagnols sont entrés dans le Montferrat : les places se rendent à eux « avec lâcheté ». Le duc de Savoie pressé par le maréchal de Créqui de laisser passer l'armée française à travers ses États se dérobe. Créqui écrit à Paris qu'il n'y a rien à espérer de ce côté si l'on ne vient pas avec une armée puissante à la frontière. En fin novembre Louis XIII met la question en délibération devant son conseil. Il exprime l'intention de se rendre lui-même à l'armée des Alpes, comme il l'a fait pour le premier secours de Casal. Richelieu répond que la présence de Sa Majesté sera en effet extrêmement utile mais qu'il y a une épidémie, la peste — toute épidémie en ce temps est la peste — en Lyonnais, Dauphiné, Languedoc; l'hiver arrive : il sera rude dans les montagnes; le Roi n'a pas d'enfant; son voyage sera « une grande et périlleuse entreprise! » Le cardinal proposerait bien d'y aller lui-même à la place de sa Majesté, mais ce qui s'est passé récemment à la cour, où on lui a rendu de trop mauvais services quand il était absent, ne l'y dispose guère. Or il y a péril en Italie. Il fera ce que le Roi ordonnera. Louis XIII maintient qu'il partira lui-même pour la frontière : que Richelieu l'y précédera d'une quinzaine de jours : lui, restant encore deux semaines afin d'achever sa réconciliation avec son frère dont on est en train de discuter les conditions difficiles. En attendant, il donne à Richelieu, par un acte public, commission, avec le titre de lieutenant général, de commander les armées en campagne et se faire obéir de tout le monde, y compris les maréchaux.

Et le 29 décembre, ayant pris congé du Roi et des Reines au Louvre, vers deux heures de l'après-midi, Richelieu part pour Lyon avec le cardinal de La Valette, le duc de Montmorency, les maréchaux de Schomberg et de Bassompierre, escorté de huit compagnies des gardes françaises qui vont rejoindre l'armée. Sa correspondance journalière à ce moment, pendant son voyage, montre avec quelle activité il continue à veiller à tout pour concentrer les troupes sur les Alpes, rassembler le matériel, les approvisionnements. Il est à Lyon le 18 janvier 1630. L'armée comptera 22 000 hommes, dont 6 000 sont déjà à Suse. Elle sera commandée par trois maréchaux : Créqui, La Force, Schomberg et cinq maréchaux de camp. Il y aura deux corps dont l'un passera par la Savoie et l'autre par le Dauphiné. De Lyon, Richelieu gagne Grenoble où il est le 1er février. Louis XIII lui écrit qu'il a hâte d'achever sa réconciliation avec son frère pour aller le rejoindre, car « il s'aperçoit bien, tous les jours, dit-il, que dans toutes les affaires qui se présentent le cardinal n'est pas auprès de lui ». De Grenoble Richelieu se rend à Embrun, de là à Suse. Les négociations continuées avec la Savoie n'aboutissent pas. Richelieu adresse au Roi un long mémoire où il explique que le duc de Savoie ne veut rien entendre, qu'il concentre 15 000 hommes à Avigliana, nom que le cardinal francise en l'appelant Veillane, au débouché de la vallée de Suse; qu'il enlève partout les vivres et les foins afin de gêner l'armée française : il n'y a qu'à l'attaquer. LouisXIII envoie l'ordre d'attaquer. Et Richelieu étudiant la carte, examinant tous les passages et chemins qu'on pourrait prendre à travers les montagnes, dresse un plan précis, envoie le 11 mars ses instructions aux généraux d'un style de commandement bref, clair, qui est déjà celui de nos modernes états-majors, avec le futur à la place de l'impératif; et le 15 mars, un ultimatum est envoyé à Veillane au duc de Savoie qui répond de façon dilatoire. Dans la nuit du 18 au 19 mars, les troupes françaises concentrées passent la Doria par un temps affreux de pluie, de neige, de grêle. Le duc de Savoie effrayé recule avec son armée sur Turin. Les Français voyant le chemin libre descendent la vallée, entrent à Rivoli, d'où, tournant au sud, Créqui avec 7 000 hommes va s'emparer de Pignerol, bonne place à l'entrée des monts, propre à assurer les libres communications avec le Dauphiné. C'est un beau succès! Richelieu s'installe dans Pignerol. Ouvertement, alors, le duc de Savoie se déclare pour les ennemis et appelle Spinola à son secours! Louis XIII informé décide de gagner immédiatement les Alpes. Depuis le 13 février il est en Champagne, à Troyes, où il suit les interminables discussions relatives aux exigences de son frère et de son entourage. Plus que jamais il est impatient d'en finir. Gaston ne se soumet que le 18 avril et le 23, Louis XIII part enfin, passe par Dijon, Lyon où il arrive le 2 mai. Le 5 le rejoignent les deux reines et le garde des sceaux Marillac qui, inquiets, alarmés de cette campagne, suivent le Roi. Louis XIII les invite à demeurer à Lyon, parvient à Grenoble le 10 mai. Il a mandé à Richelieu de venir le retrouver. Richelieu se trouve à Grenoble le 9 : il a reçu plusieurs lettres de Marillac insistant pour qu'on fasse la paix à tout prix! Le 10 un conseil de guerre est tenu à Grenoble devant le Roi avec les maréchaux, les maistres de camp, les secrétaires d'État qui ont accompagné Louis XIII. Richelieu expose l'état des négociations auxquelles on se livre pour tâcher d'arriver à la paix, les difficultés insurmontables qu'on rencontre, les ennemis posant des conditions inacceptables. Les officiers présents sont d'avis qu'il faut vigoureusement poursuivre la guerre. Louis XIII, après un vote sollicité par Richelieu et qui est unanime, déclare qu'il partage le sentiment de tous et il invite Richelieu à se rendre à Lyon pour faire à la Reine, sa mère, ainsi qu'aux ministres qui sont auprès d'elle, le même exposé. Le Roi sent l'opposition monter contre cette campagne : des libelles violents paraissent; il désire que le cardinal aille défendre le bien-fondé de la politique qu'on suit.

Richelieu se rend à Lyon, refait son rapport devant Marie de Médicis et Marillac, dit qu'il y a lieu de choisir entre conquérir la Savoie pour sauver Casal, ou faire une mauvaise paix, « foible, honteuse », qui atteindra « la réputation que le Roi a acquise par tant d'actions ».

Marillac répond que la paix est nécessaire, qu'il faut cesser d'exposer le Roi à des dangers croissants. Le peuple, accablé de misères, murmure et désire la fin de la guerre : il y a des émeutes : les expéditions en Italie n'ont jamais réussi aux Français, qu'on en finisse ou tout ira de mal en pis; il s'agit, en fait, moins de sauver Mantoue ou Casal que de se venger du duc de Savoie, ce qui est inutile! Marillac a fait un long tableau très sombre des malheurs qui attendent le royaume! Richelieu se contenant répond avec calme qu'il souhaite lui aussi la paix et plus que personne; il expose toutes les tentatives qu'il a faites afin de l'obtenir. Mais il ne peut accepter les conditions, il le répète, « foibles, basses et honteuses » qu'on lui impose et il énumère à son tour les désastreuses conséquences qu'aurait une attitude pusillanime : il faut continuer la lutte! La réunion en reste là.

Richelieu rentré à Grenoble, Louis XIII résout d'attaquer et d'occuper la Savoie. Créqui avec 6 600 hommes marchera sur Chambéry, le Roi suivra. La ville de Chambéry investie capitule; de là, pendant qu'on assiège Montmélian, le Roi fait son entrée à Annecy. Les troupes du duc de Savoie reculent vers le Val d'Aoste. On apprend que Toiras investi à Casal par Spinola tient bon.

Mais Louis XIII reste inquiet de l'opposition qu'il sent croître et se développer à Lyon. Il demande à la Reine de venir à Grenoble afin que lui soit expliqué le véritable état des affaires. Elle refuse sous prétexte que la chaleur est excessive et qu'elle est indisposée. L'invitation renouvelée deux fois, en proposant même Vizille au lieu de Grenoble, se heurte deux fois au même refus. Devant les scrupules alors du Roi, qui parle de se rendre lui-même à Lyon afin de parler à la Reine, Richelieu s'inquiète. Les difficultés de l'arrière s'ajoutent à toutes celles de l'expédition pour compliquer à plaisir les affaires. Il dit dans une note qu'il a rédigée à ce moment que « jamais il ne s'est trouvé en telle peine : pour son particulier il voudroit estre hors du monde, en la grâce de Dieu ! » Si le Roi va à Lyon, on croira qu'il abandonne la partie par découragement, ce qui enhardira l'ennemi ! Richelieu est convaincu que c'est Marillac qui excite et accroît toute cette émotion. Bullion resté à Lyon l'informe en effet des longs conciliabules qu'a constamment le garde des sceaux avec Marie de Médicis. Mais il n'y a pas d'autre moyen. Louis XIII tient absolument à aller à Lyon ne fût-ce que pour six jours et prescrit à Richelieu de le suivre. Richelieu obéit.

A Lyon un conseil est tenu, la Reine mère présente. Louis XIII explique qu'il entend suivre l'armée et passer les Alpes pour empêcher par sa présence que l'indiscipline ne fasse débander soldats et officiers. Richelieu à nouveau insiste sur ce que Casal est perdu si on ne fait pas descendre l'armée en Italie. Marillac prend la parole d'un ton acerbe : il critique les propositions de Richelieu. Il déclare, ainsi que l'expose une dépêche de l'ambassadeur vénitien, que le cardinal conduit le Roi à sa perdition, le royaume à des complications inextricables, le Roi venant à disparaître sans postérité ! Il voudrait que Richelieu répondît sur sa tête de l'heureuse issue de la campagne. Se retranchant au moins sur le péril qu'il y aurait à exposer le Roi à la traversée des Alpes, il combat l'idée de la descente du souverain en Italie. Quelqu'un suggère alors que dans ce cas Sa Majesté pourrait se contenter de suivre l'armée jusqu'à la frontière et, l'effet ainsi produit, ne pas aller plus loin. Marillac qui est un peu rude, s'exclame, s'adressant à Louis XIII, selon le témoignage de son confident M. de Lezeau; « Si j'avois dessein, dit-il, de faire passer Votre Majesté en Italie sans le dire, je proposerois cet avis, mais à le prendre comme il est, je le trouve dangereux : les ennemis diront que vous avez eu peur et que vous n'avez pas osé passer! » Louis XIII blessé du ton et des expressions employées se lève plein de colère et dit à Marillac : « Si j'allois sur la frontière, quand je devrois passer tout seul, je passerois outre et on ne m'en sauroit empêcher! » Il rompt la séance et sort!...

Le 21 juin à deux heures du matin, il repart de Lyon, est le 24 à Grenoble. Il faut, juge-t-il, séparer immédiatement le garde des sceaux de la Reine mère. Il fait commander à Marillac de venir le rejoindre. Marillac est impressionné par cet ordre. Il répond qu'il ne peut pas partir sur le moment, n'ayant pas d'équipage et sa santé étant mauvaise : il viendra le plus tôt qu'il pourra. Puis; inquiet, il part le 28 juin, traîne sur la route, arrive à Grenoble quand le Roi en est parti et fait dire à Richelieu qu'il n'ira pas plus loin à cause de « son âge et de sa faiblesse ».

Louis XIII a gagné Saint-Jean de Maurienne où il est le 4 juillet. Son absence durant son voyage à Lyon a eu pour résultat déplorable de faire débander de l'armée près de 6 000 hommes! On apprend qu'il y a la peste dans le Piémont. Cette nouvelle donne à l'entourage de Marie de Médicis une raison de plus de récriminer avec violence : il y a danger grave pour le Roi : il faut qu'il rentre sans tarder à Grenoble ou à Lyon. Richelieu pense que ce départ serait l'échec assuré de la campagne, « la ruine de l'armée et de la réputation du Roi ! » Marillac écrit au médecin de Louis XIII, Bouvard, pour lui demander son opinion. Bouvard répond que le climat du pays où se trouve le Roi n'est pas plus malsain que celui de Lyon. Il a plu; il y a du vent. Le temps est frais; les chaleurs sont moins pénibles qu'en plaine; par ailleurs le logis du Roi est spacieux, clair, exposé à la bise, gai, bien préférable à celui qu'il avait à Lyon ou à Grenoble et il s'y repose excellemment de ses fatigues. Le cardinal, sous le coup de la menace de l'épidémie annoncée, est dans une inquiétude extrême. « Il est impossible de représenter les traverses qu'il eut à cette occasion », disent les *Mémoires de Richelieu.* Il sait qu'à Lyon on ne parle que de ce danger, qu'on s'alarme, qu'on s'excite contre lui en disant qu'il s'est engagé dans cette entreprise malgré l'avis de la Reine mère et d'une partie du conseil. Bullion l'informe qu'on assiège Marie de Médicis de plaintes véhémentes : le duc de Bellegarde, la princesse de Conti, d'autres, « tous battent les oreilles de la Reine de mille faussetés ». On dit que si Marillac a refusé de quitter Grenoble, c'était précisément parce qu'il savait aller « à la mort ! » Louis XIII, d'ailleurs, informé du mauvais état de la santé du garde des sceaux et craignant en effet que « le bonhomme » ne mourût en route, ce qui l'aurait fait accuser d'avoir voulu le tuer, l'a autorisé à ne pas le rejoindre.

Richelieu écrit à Marie de Médicis afin de se défendre contre tout ce qui se dit contre lui et de se plaindre de tant d'injustice. M. de Marillac, explique-t-il, a « une malice insupportable, un dessein de blâmer toutes choses ».

Si le Roi est allé en Maurienne c'est parce que sans cela son armée n'aurait pas passé les Alpes. S'il s'en retourne, Casal sera pris et on n'aura tout de même pas la paix. Richelieu est excédé! Le Roi, tombant malade, comme cela peut lui arriver n'importe où, on dira que Marillac a eu raison, qu'il l'avait bien prévu, notamment en avertissant le médecin du Roi et de cette manière tout retombera sur le cardinal! Il en a assez! Cette affaire terminée, « il quittera la partie », « il ne peut plus subsister! »...

Pendant ce temps, la situation s'aggrave. La peste gagne, l'armée se démoralise; les soldats s'en vont; les officiers sont « dégoûtés! » Le duc de Savoie fait répéter partout que Richelieu est le seul auteur de cette guerre inutile. L'opinion hostile au cardinal se propage; les envieux, les mécontents parlent de plus en plus haut. Richelieu est angoissé! Mais on ne fait la guerre, pense-t-il, que pour avoir une paix « sûre, honorable et possible ». La nécessité a imposé cette campagne. Si on recule, nos alliés se retourneront vers l'Espagne, plus énergique et plus constante. Il faut donc « de la patience et de la fermeté » et il se raidit!

Montmorency reçoit l'ordre de passer le Mont Cenis avec ses troupes, de descendre dans la plaine, d'aller rejoindre l'armée qui est en Piémont pour que les deux corps rassemblés cherchent l'ennemi, le chassent au delà du Pô, afin de là de dégager Casal. Montmorency part le 6 juillet. Ce même jour les régiments qu'on a fait avancer jusqu'à Suse sous les ordres du maréchal de La Force marchent vers Veillane qu'occupent les troupes du duc de Savoie. Celles-ci sortent, attaquent, et après un dur combat où elles perdent 1 300 hommes et dix-sept drapeaux, reculent! Cette victoire relève un peu le moral de l'armée qui marche alors vers le Pô. Malheureusement la peste se développe, s'étend. Autre mauvaise nouvelle : la ville de Mantoue assiégée par Colalto est tombée le 18 juillet. C'est l'occasion d'une recrudescence de récriminations contre Richelieu. Marillac déclare : de ces mauvaises nouvelles « nous devons en attendre de jour en jour beaucoup d'autres! » Il écrit à Richelieu qu'encore un coup il faut absolument que le Roi quitte les Alpes : le royaume est plein d'émeutes, les parlements ne soutiennent pas l'autorité royale : les dangers menacent partout. Autour de lui, on répète que le cardinal est le seul responsable de la guerre et qu'il ne tient qu'à lui de la faire cesser!

Alors, devant les dangers croissants de l'épidémie, Richelieu, la mort dans l'âme, se décide à conseiller à Louis XIII de quitter Saint-Jean-de-Maurienne et de rentrer à Lyon. Montmorency lui a fait dire, en effet, que « la peste » ravage ses troupes à tel point que ses régiments sont décimés : sa compagnie de chevau-légers a perdu 63 hommes sur 80; lui-même ne se porte pas bien. Louis XIII, auquel on rapporte ces informations, acquiesce sans mot dire au conseil de Richelieu et part le 25 juillet. Richelieu en est navré : cela va causer « un débandement général! » Il répond à ceux qui se désespèrent que les ennemis souffrent de la peste autant que les Français et qu'il faut de la patience. Il a par surcroît à lutter contre la mauvaise humeur des généraux qui sont divisés entre eux, se jalousent, doutent du succès. En partant, Louis XIII leur a recommandé de tenter tout ce qu'ils jugeraient utile pour sauver Casal qui peut tenir jusqu'en septembre. Une nouvelle armée se prépare qui pourra se mettre en route le 15 août et venir les seconder.

Richelieu est resté à Saint-Jean-de-Maurienne; il multiplie ses efforts. Il écrit à Toiras qu'il compte sur son énergie pour résister à tout prix à Casal : il connaît « son cœur et sa tête! » Il fait livrer aux généraux tout ce qu'ils demandent, approvisionnements, argent; leur annonce que des troupes de soutien vont arriver du Languedoc, de Provence, du Dauphiné. Étant sur place, qu'ils voient, d'après les positions de l'ennemi, ce qu'ils peuvent tenter : on ne peut leur envoyer des ordres de loin. Et pressés ainsi, les généraux se décident à aller occuper trois places près du Pô : Pancalieri, Vigone, Villafranca, où les ennemis ne sont pas, mais ce sera un geste, et nous tiendrons la rive gauche du fleuve.

Les nouvelles troupes concentrées à Suse le 17 août, on met à leur tête Schomberg. Mais voilà que la peste fait son apparition à Saint-Jean-de-Maurienne et l'entourage de Richelieu à son tour est atteint! Averti, Louis XIII, de Lyon, où il est arrivé, mande immédiatement à son ministre de venir le rejoindre! Richelieu obéit, part le 17 août, arrive à Lyon le 22. Il ne se doute pas qu'il va y passer les heures les plus douloureuses et les plus angoissantes de sa vie!...

D'après tout ce que nous venons de dire, on voit à quel point le cardinal est à ce moment attaqué par ses adversaires! Il le sait! Partant pour la frontière italienne, il ne s'est pas fait d'illusion sur le rôle que va jouer contre lui le garde des sceaux. Marillac a pris prétexte de tout pour se plaindre. Par la correspondance de Bullion, resté auprès de Marie de Médicis, le cardinal est tenu au courant, jour par jour, des mauvais offices qu'on lui rend au cours de conférences répétées. Dans ses lettres Marillac manifeste au cardinal une déférence, une gratitude pour sa bienveillance à son égard qui sont d'ailleurs sincères, car cet homme têtu croit bien faire et il est plein d'humbles respects pour celui qu'il attaque. Mais son humeur est rêche et acariâtre. Au conseil il a des altercations avec le surintendant d'Effiat et tout le monde : c'est la nature de cet homme bourru. Il est fâché inconsciemment peut-être que le conseil du Roi ne puisse rien faire sans Richelieu, et qu'il n'y ait que celui-ci qui ait la réputation de savoir « tenir le timon ! » Il ignore que Louis XIII a dit à Bullion : « Ils ont beau faire, ils ne me sépareront jamais d'avec le cardinal qui a des mérites et des services qui surpassent tous les autres, sans nul excepter ! » Richelieu sait à quel degré le Roi tient à lui : cette même année 1630, tandis qu'il est sur les Alpes, il avoue à l'ambassadeur vénitien Soranzo « avec quelle tendresse le Roi lui écrit des lettres confidentielles affectueuses où il lui répète combien il sent gravement les inconvénients de son absence ». Par reconnaissance, par prudence, par loyauté, Richelieu demeure à l'égard du Roi plein de dévouement, de soumission, s'inquiétant de la moindre indisposition du souverain, se tenant en perpétuel contact avec le médecin Bouvard, répétant à celui-ci que « la santé de Sa Majesté est si nécessaire à la France et si chère à ses serviteurs que la moindre atteinte qu'elle reçoit me donne plus d'inquiétude que je ne puis dire ! »

Et avec Marie de Médicis que ne fait-il pour atténuer ses préventions ! Il lui écrit pour la tenir au courant. Il lui envoie des cadeaux afin d'obtenir d'elle une lettre de remerciement de sa main qu'il montrera à ceux qui lui demandent perpétuellement s'il ne reçoit pas de lettre de la princesse, mais elle ne lui répond pas, ou lui fait répondre par un secrétaire, et Louis XIII sera obligé d'intervenir pour décider sa mère à écrire à Richelieu.

Que ne fait-il aussi pour être bien avec Monsieur! Il a travaillé à sa réconciliation avec Louis XIII par tous les moyens, de telle sorte que le Roi s'est montré mécontent que Richelieu ait été d'avis de trop céder, d'après lui, aux exigences de son frère. On n'a obtenu la soumission du duc d'Orléans qu'en augmentant considérablement son apanage, à force de terres et de rentes! Rentrant de Nancy en France, après sa réconciliation avec le Roi, Gaston n'est pas allé voir son frère et sa mère à cause, dit-on, de Richelieu contre lequel sa haine ne désarme pas! Dans une lettre à Bouthillier de février 1630, Richelieu dira avoir reçu l'avis qu'un des confidents de Gaston a raconté comme quoi on avait sérieusement mis en délibération auprès du prince le projet de l'assassiner! « Il ne s'en émeut pas parce qu'il tient à gloire d'être en butte à tout le monde pour le service du Roi!... »

Et pendant qu'il s'emploie ainsi sur les Alpes avec l'ardeur que l'on sait au succès de l'expédition engagée, des complots s'organisent à Paris, à Lyon, partout, contre lui. Monsieur a de longues conversations avec Marie de Médicis dont « l'âme est toujours passionnée et irréconciliable », dit l'ambassadeur Contarini. Toutes ces oppositions, toute cette campagne, toutes ces haines vont brusquement éclater au grand jour à Lyon, à l'occasion d'une soudaine maladie extrêmement grave de Louis XIII qui manquera emporter le prince et, avec lui, la fortune, la liberté et peut-être la vie de Richelieu!...

IX

LA JOURNÉE DES DUPES

Arrivé à Lyon, Louis XIII s'est installé dans l'hôtel de l'archevêché. Le 13 août son médecin Bouvard écrit à Richelieu que le changement d'air a fait beaucoup de bien au prince qui se porte excellemment. Le mois d'août se passe et le début de septembre. On suit les nouvelles d'Italie qui sont devenues relativement favorables. Schomberg, descendant la vallée de Suse, a rejoint les autres généraux au sud de Pignerol et l'armée, composée d'une vingtaine de mille hommes, va passer le Pô et marcher sur Casal dont le siège dans la suite sera finalement levé. Richelieu, arrivé le 22 août à Lyon, se sent entouré de l'hostilité générale; mais il n'y a pas d'éclat. Marie de Médicis est froide avec lui. Pour lui faire plaisir, ainsi qu'au garde des sceaux, à la place de Montmorency malade, Richelieu a décidé le Roi à envoyer en Italie, pour commander l'armée de Piémont avec Schomberg et

La Force, Louis de Marillac, le frère du ministre, bien que le personnage, dit l'ambassadeur vénitien, n'ait ni cœur, ni expérience et ne soit pas aimé des soldats.

Le 22 septembre, Louis XIII s'étant rendu, pour tenir conseil, chez la Reine mère, logée dans les bâtiments de l'abbaye d'Ainay, se sent, vers deux heures de l'après-midi, tout à coup, pris de frissons : il a la fièvre. On le fait monter en carrosse, — Richelieu l'accompagne, — passer la Saône en barque et on l'amène à l'archevêché où il s'alite. Le soir et la nuit suivante la fièvre monte. On le saigne : on va le saigner tous les jours. Le 25, Richelieu écrit à Schomberg qu'il est très inquiet de cette fièvre continue du Roi. Les médecins affirment bien qu'il n'y a pas de complication mais que la maladie sera longue. Richelieu termine sa lettre : « Je ne vous saurois dire l'extrême affliction en laquelle je suis et quelle consolation ce me seroit si nous estions ensemble. » En réalité, ce qu'on saura ensuite, il s'agit d'un grave abcès intestinal. Marie de Médicis est venue s'installer à l'archevêché et ne quitte pas le Roi. Dès le troisième jour Louis XIII dit à son confesseur, le Père Suffren, qu'il faut avertir les malades à temps de la gravité de leur état afin qu'ils puissent penser à leur conscience, car, à la dernière minute, ils n'ont plus la force suffisante : il désire donc qu'on le prévienne au moins cinq ou six jours à l'avance. Le 27 l'état empire. Les médecins avertissent le confesseur. Avec de grandes précautions le Père Suffren laisse entendre au Roi qu'on a quelque crainte. Louis XIII très calme fait une confession générale puis dit qu'il se sent plus malade qu'on ne le croit et qu'il demande le viatique. Le cardinal archevêque de

Lyon le lui apporte. Le Roi se trouve un peu mieux après avoir communié. Les médecins attendent avec anxiété le septième jour, à leur avis décisif. Ce jour-là on ne remarque, avec la fièvre violente qui persiste, qu'une grande transpiration exceptionnelle : le malade s'affaiblit. Il est toujours calme. Il déclare qu'il « se résigne à la volonté de Dieu » et qu'il espère « avoir sa grâce, laquelle vaut mieux que tous les royaumes du monde ! » Il dit à sa mère « qu'à pareil jour, il y a vingt-neuf ans, elle l'a mis au monde : il a toujours tâché de lui complaire ; s'il a fait quelque chose qui ait pu la mécontenter, il la prie humblement de lui pardonner ! » Le 29, la fièvre monte encore de façon si inquiétante et accompagnée de telles douleurs qu'on croit que la fin approche. L'extrême-onction est administrée au malade. Le Roi, dont la voix faiblit de plus en plus, charge le Père Suffren, qui a écrit le récit de la scène, de déclarer de sa part aux personnes présentes, avec prière « de le redire au reste de ses sujets, qu'il leur demande pardon des peines qu'il a pu leur donner et des manquements qu'il a faits au gouvernement de son royaume ». Tout le monde est à genoux consterné ! Le Père Suffren ne peut parler, les larmes lui couvrant la voix. A onze heures du soir, brusquement, l'abcès crève : « un flux de sang » se produit accompagné de « dysenterie ». A trois heures du matin, l'hémorragie ne s'arrêtant pas, le Roi est si faible que les médecins désespèrent de le sauver : à leur avis, il ne passera pas la journée ! Louis XIII, qui se sent très bas, demande aux trois médecins qui sont près de lui, de lui dire la vérité. Au nom des trois, M. Sanguin lui avoue que ce « flux de sang » qui ne cesse pas, leur inspire une très grande inquiétude et qu'il y a réellement danger! Louis XIII appelle alors la reine Anne d'Autriche qui s'est effacée dans un coin de la pièce, l'embrasse. Richelieu est là : le Roi lui dit quelques mots que l'entourage n'entend pas. Heureusement, l'hémorragie enfin s'arrête et les douleurs s'apaisent!

Pendant la journée qui suit un mieux semble se manifester. Le soir même les médecins voyant la fièvre baisser, pronostiquent l'amélioration probable. Selon les usages du temps, on nourrit alors le Roi qui repose toute la nuit suivante, la fièvre diminuant, et, le surlendemain, parle déjà de se lever! Les évacuations continuent, « l'abcès se purgeant si bien que nous n'aurons eu que la peur », écrit le 1er octobre le Père Suffren au Père Jacquinot, supérieur des jésuites de Lyon. Il ajoute que c'est « une merveille pour lui d'avoir vu le Roi encore si jeune, montrer une pareille constance devant la mort et faire preuve d'une telle résignation à la volonté de Dieu! »

Deux jours après le mieux persiste. Le Roi exprime le désir de changer d'air. On lui fait passer la Saône et on l'installe « en une maison de Bellecour sise sur le bord de l'eau » qui est l'hôtel de madame de Chaponay. La convalescence va être assez rapide, avec quelque reprise de fièvre et des frissons.

Au milieu des émotions intenses que produit chez tous le danger que le Roi vient de courir, on devine par quelles angoisses a pu passer Richelieu! Il a assisté à toutes les consultations des médecins, anxieux, et quand l'aggravation du mal a fait perdre tout espoir, il a « fondu en larmes, hors de lui-même, tout abandonné à la douleur », dit Achille de Harlay. Le 30, l'abcès s'étant ouvert, il écrit à Schomberg cette lettre qui décèle son bouleversement : « Je ne sais si je suis mort ou vif tant je suis encore hors de moi pour avoir vu ce matin le plus grand et le plus vertueux des Rois et le meilleur maître du monde en tel état que je n'espérois pas le voir vivant le soir! Il a plu à Dieu, par sa bonté, nous délivrer maintenant de cette appréhension par un abcès qui s'est ouvert... Les médecins répondent maintenant de sa guérison!... Mon esprit n'est pas encore revenu des appréhensions incroyables que j'ai eues! » Et à d'Effiat, il écrit le 1er octobre : « Le Roi est hors de danger et, à vous dire le vrai, je ne sais encore ce que je suis! Je supplie Dieu qu'il m'envoie plutôt la mort en sa grâce, qu'occasion de retomber en l'état auquel nous avons été!... » Dans son trouble il y a la douleur de perdre un maître affectueux qui l'aime et le soutient si fidèlement et il y a aussi l'appréhension de tout ce qui attend Richelieu, dans le cas où le Roi viendrait à mourir, en présence de tant d'ennemis, excités, montés contre lui, et qui veulent sa ruine!

En effet la perspective de la mort imminente de Louis XIII a soulevé le flot de ses adversaires qui maintenant, indignés, exaspérés, l'accusent d'être la cause de ce qui arrive et entraînent les indécis et les indifférents. Dans l'archevêché de Lyon, jusque dans la chambre du malade, Richelieu peut entendre sur son passage répéter à haute voix : « Voilà le voyage de Saint-Jean-de-Maurienne! » et Anne d'Autriche n'a pu se retenir de lui dire en face : « Voilà ce qu'a fait ce beau voyage! » Des conciliabules se tiennent. Des conférences ont lieu chez madame du Fargis : on agite la question de savoir comment on pourra se débarrasser de Richelieu. Parmi les plus ardents sont les Guise, leur sœur, la princesse de Conti, la duchesse d'Elbeuf, Bassompierre, Bellegarde, Vautier, premier médecin de la Reine mère, Cramail. Michel de Marillac est le plus âpre. Il parle de dresser dès maintenant la composition du futur conseil du Roi après l'expulsion du cardinal; il en exclut Schomberg et d'Effiat, trop amis de Richelieu; il y met son frère, le maréchal Louis de Marillac. Pour tous, la question ne fait pas doute : Richelieu est condamné! Dans une note que le cardinal a rédigée ensuite il dira qu'on lui a communiqué une lettre de madame du Fargis où celle-ci parlait de la mort du cardinal après celle du Roi et affirmait que la reine Anne d'Autriche, veuve, épouserait Monsieur : Marie de Médicis était au courant de tout!...

Quel sort était donc bien réservé à Richelieu? D'après tous les témoignages, Marie de Médicis se serait bornée à dire qu'il fallait l'éloigner de la cour. M. du Tremblay révélera au cardinal que Guise et les autres avaient décidé, le Roi mort, de le faire arrêter; que M. d'Alincourt, gouverneur de Lyon, pressenti et sollicité de se charger de cette mission, s'était borné à répondre avec prudence qu'il pourrait peut-être dire aux gardes suisses d'exécuter ce que la Reine leur commanderait, mais qu'il ne ferait rien de plus; qu'enfin Épernon, La Rochefoucauld auraient nettement parlé d'attenter à la vie de Richelieu! On rapportera également à Richelieu que Troisvilles, si le Roi était mort, devait aller droit à lui avec dix ou douze mousquetaires, le prendre « au collet » et lui tirer « un coup de pistolet dans la teste! »

Richelieu à peu près tenu au courant de ce qui se trame affecte de ne pas croire à ce qu'on lui rapporte : il le dira à Marie de Médicis. Mais dans l'énervement où il se trouve, alarmé, bouleversé, il juge nécessaire de songer au parti qu'il doit prendre : demander à son ami Schomberg de revenir d'Italie afin de le protéger ? Tenter peut-être de faire quelque avance à Marillac ? Il essaie de ce côté. Un confident de Marillac rapporte que Richelieu aurait manifesté au garde des sceaux à cet instant des prévenances, des amabilités, le priant d'oublier le passé et de se lier d'amitié avec lui, mais que Marillac aurait éludé !

Alors le cardinal pense à des précautions. On assure qu'il aurait fait expédier à ce moment en Avignon, terre papale, à Brouage, des caisses contenant des bijoux, des papiers, de l'argent, plus de quatre millions de livres; envoyé des meubles précieux au Havre : mais son entourage l'a nié ! On a dit qu'il aurait fait demander secrètement au prince de Condé, alors en Berry, sa protection, mais le prince de Condé se plaindra plus tard de n'avoir même pas été averti de la maladie du Roi : Richelieu ne lui a donc rien fait dire. On a avancé que le cardinal aurait sollicité de divers personnages leur appui éventuel et n'aurait trouvé que le duc de Montmorency pour lui promettre, si le Roi mourait, de le conduire en sûreté où il voudrait avec 500 gentilshommes de ses amis armés. L'entourage du cardinal a nié encore ces détails disant que Richelieu savait fort bien que, « son maître perdu, tout estoit perdu pour lui ! » Le plus certain est qu'en cas de mort de Louis XIII, le cardinal avait le projet de gagner Avignon. Mais quel chagrin mortel et quelles peines étaient les siennes! La guérison du Roi allait dissiper les appréhensions des uns et troubler les espérances des autres! Seulement ces derniers ne désarmeront pas, et, sans tarder, ils vont poursuivre âprement leurs desseins!...

La convalescence en effet de Louis XIII se poursuit de façon normale et son état s'améliore. Marie de Médicis, poussée par son entourage, décide de parler au Roi de Richelieu. Elle lui dit que tous les maux dont on pâtit sont son œuvre, qu'il y a nécessité à l'éloigner, sans plus attendre, de la cour et des affaires. Louis XIII encore très faible est extrêmement peiné de cette démarche, au point, dit-il à son confesseur, que « son déplaisir est capable de le faire mourir! » En effet, trois jours après, la fièvre le reprend : elle va durer une huitaine de jours. Mais, tenace et toujours excitée par les autres, Marie de Médicis revient à la charge. Le cardinal, reprend-elle au Roi, n'a engagé la guerre dans laquelle on est que par vanité : la fin va en être « honteuse ». Il entend se rendre indispensable par les complications qu'il crée; depuis longtemps la question de Mantoue aurait pu être réglée à l'amiable. La grave maladie du Roi ne provient que du voyage que le cardinal lui a fait faire sans nécessité dans un pays malsain! Comme mère, elle ne peut supporter davantage que son fils laisse tant d'autorité à un homme qui sait si mal en user : il faut le renvoyer! Ce sont les mêmes discours qu'elle tenait déjà au Roi devant la princesse de Conti à la fin d'août lorsque, énumérant à Louis XIII toutes les déceptions, les déconvenues et les misères qui s'accumulaient, elle concluait : « Voilà l'effet des bons conseils qu'on vous donne! » Et elle a oublié la noble et fière réponse que lui a faite, précisément à cette occasion, le Roi, las et irrité de ces remontrances, lui disant : « Le cardinal n'est pas Dieu et il n'y a que Dieu seul qui eût pu empêcher ce qui s'est passé. Mais quand il serait un ange, il n'a pu avec plus de prévoyance et de prudence pourvoir à toutes choses comme il a fait et il faut que je recognoisse que *c'est le plus grand serviteur que jamais la France ait eu!* » Marie de Médicis et la princesse de Conti sont restées interdites, écrit Bullion dans une lettre du 26 août où il raconte l'incident à Richelieu d'après le récit de la princesse de Conti elle-même. Cette fois-ci, fatigué, épuisé, Louis XIII, qui n'a pas la force d'engager une discussion, se borne à dire avec lassitude qu'il lui faut guérir, rentrer à Paris : il n'est « ni en lieu ni en état où il puisse prendre une résolution sur une chose si importante. A Paris, il verra ce qu'il faudra faire ». Cette réponse qui donne une lueur d'espoir enhardit « la cabale », qu'elle remplit d'allégresse!

Le 6 octobre Louis XIII se trouve assez bien pour qu'on parle de son départ afin de fuir « les brouillards de Lyon ». Ce départ est fixé au 19. Marie de Médicis restera encore à Lyon quelques jours, gardant le secrétaire d'État Bouthillier auprès d'elle et Richelieu s'en ira avec le Roi.

Le 19, Louis XIII se met en route pour Roanne. Le lendemain, 20 octobre, arrive à Lyon la nouvelle que l'ambassadeur du Roi en Allemagne, M. Brulart de Léon, secondé du Père Joseph, envoyés à Ratisbonne, où siègent la diète germanique et la cour impériale, afin de suivre les événements et de négocier si faire se peut, à l'annonce alarmante de l'état désespéré de

Louis XIII à Lyon, ont signé rapidement, le 13 octobre, un traité qui fixe la paix générale avec l'empereur, la France abandonnant ses alliés! La première impression à Lyon est une impression de joie! C'est la paix! Bouthillier envoie aussitôt le texte du traité à Richelieu en lui disant : « J'espère que ce traité contentera le Roi. » Mais à la lecture du document, Richelieu sursaute : les envoyés français ont dépassé leurs instructions! Ce traité est inacceptable! Hors de lui, Richelieu parle de faire exiler Brulart et d'envoyer le Père Joseph dans quelque couvent lointain de son ordre. Louis XIII pressé de rentrer à Paris décide que Richelieu attendra à Roanne Marie de Médicis, Marillac, Bouthillier, et qu'avec eux il tiendra conseil pour examiner la question. Il part le 21 octobre. Le 26, Marie de Médicis et Marillac ayant rejoint, un conseil est tenu à Roanne. Richelieu fait son rapport brièvement. Les ambassadeurs français, dit-il, ont excédé leurs pouvoirs. Ils n'avaient pas à faire une paix générale, mais à traiter de l'Italie. Ils n'étaient pas chargés de contracter une alliance avec l'empereur, comme ils l'ont fait, en abandonnant nos propres alliés : ils ont engagé les intérêts de tout le monde sans en avoir reçu de pouvoir de personne! Les ennemis par ce traité imposent que nous rendions tout ce que nous avons et eux ne rendent rien! Marillac interrompt vivement d'un ton aigre : « Ils ne parlent pas de retenir Caneto et le rendent! » Richelieu réplique irrité : « Ils ne rendent pas Caneto! — Pardonnez-moi, fait Marillac. — J'ai donc menti? — Je ne dis pas cela, monsieur, mais que le traité le porte ainsi! » Richelieu conclut : il faut rejeter ce traité et donner l'ordre aux généraux en Italie de continuer leurs opérations. Marillac prend la parole pour défendre le traité : c'est une occasion, dit-il, de finir la guerre : il faut la « tenir avec les dents ». Mais la majorité du conseil décide de suivre l'avis de Richelieu. On désavouera donc ce qui s'est fait à Ratisbonne.

Pendant ce temps Louis XIII poursuit son retour à Paris. Le médecin Bouvard envoie régulièrement à Richelieu des nouvelles du prince. Le Roi va de mieux en mieux. Ses forces reviennent : il marche, il est gai, chante! Le 25 octobre Louis XIII écrit à sa mère de Briare : « Madame, je vous écris ce mot de ma main pour vous faire voir que je ne suis plus malade et que je me porte aussi bien que je fis jamais, grâce à Dieu, et suis extrêmement fort! J'espère arriver mardi à Versailles. J'écris quelques affaires à mon cousin le cardinal de Richelieu lesquelles il vous dira. » Ainsi il entend marquer la confiance qu'il continue à garder dans son ministre. Le 29 il écrit à Richelieu une lettre qu'il termine ainsi : « Je vous assure de mon affection qui sera toujours telle que vous la pouvez désirer. » Le 29 il est à Versailles, faisant la dernière lieue à cheval et « galopant aussi vertement que s'il n'eût point esté malade », lit-on dans le *Journal* d'Arnaud d'Andilly. Quelques jours auparavant il sortait de Lyon sur un brancard!

Richelieu le suit à distance. Il est le 28 octobre à Digoin, le 30 à Nevers. Sur la Loire et le canal de Briare, il accompagne Marie de Médicis, embarqué avec elle dans son bateau, des troupes escortant sur les deux rives. Contraste et comédie! Marie de Médicis se montre maintenant aimable à son égard, empressée : « Jamais, dit Guron, elle ne lui fit meilleure chère : jamais il n'en reçut plus d'honneur. » Dès qu'elle est débarquée, elle prie Richelieu de monter dans son carrosse et Bassompierre relève « la privauté avec laquelle elle le traite » : tout le monde en est étonné! Mais c'est, dit Fontenay-Mareuil, parce qu'elle veut mieux dissimuler ses desseins. Le cardinal paraît même s'y méprendre. Il ne sait pas qu'à la Charité elle a écrit au Roi pour renouveler violemment la demande de sa disgrâce.

Le 5 novembre Richelieu est à Fontainebleau. Marie de Médicis gagne Paris et s'arrête aux Carmélites du faubourg Saint-Jacques où elle a une longue conférence avec le garde des sceaux Marillac. Le sujet de leur entretien est le moyen à trouver pour obtenir le départ de Richelieu. Le cardinal, lui, est allé à Saint-Germain-en-Laye attendre le Roi qui, ne pouvant habiter le Louvre, où l'on construit la voûte de la salle des cariatides afin de remplacer le parquet de la grande salle des gardes du dessus qui menace ruine, est allé loger à Versailles. Des Carmélites, Marie de Médicis se rend à son hôtel du Luxembourg où elle s'installe. Le bruit court de la chute prochaine de Richelieu. Richelieu est prévenu par le prince de Condé qu'on travaille à soulever tout le monde contre lui. A Versailles, Louis XIII qui, d'après une lettre de Bouvard du 2 novembre au cardinal, paraît aller toujours mieux, chasse, « n'ayant, dit le médecin, autre passe-temps, après sa musique » et ne paraît être occupé que de réconcilier son frère avec son ministre.

Mais, comme l'écrit le 4 novembre le Père Joseph, Richelieu est dans « une inquiétude et des chagrins » extrêmes! Le Roi lui a demandé en quels termes il se croyait avec la Reine sa mère : « Assez bien », a répondu

Richelieu se fiant au bon visage que lui a fait la princesse durant le voyage. « Détrompez-vous, a répondu le Roi : il n'y a rien de changé! » D'après les avis que le cardinal reçoit de tous côtés, en effet, il comprend que l'hostilité de Marie de Médicis contre lui est décidément irréductible! Chaque jour lui apporte quelque indication nouvelle que Richelieu a consignée dans une note et qui, à mesure, le convainc qu'il va subir un suprême assaut!

Le 9 novembre, n'y tenant plus, il se décide à aller voir le Roi et à s'en expliquer avec lui. Mais le Roi lui fait dire d'attendre un ordre de sa part : c'est une fin de non recevoir, du moins ainsi le prend le cardinal qui en est alarmé! Son trouble s'accroît lorsqu'il apprend que Louis XIII a gagné Paris et qu'il est allé loger à l'hôtel des Ambassadeurs, rue de Tournon; c'est-à-dire à deux pas du Luxembourg où se trouve sa mère. Le cardinal rentre à Paris, va descendre chez lui, au Petit Luxembourg, d'où il tente de se présenter à Marie de Médicis qui le reçoit « avec un mauvais visage », écrit Lepré-Balain. Autour de la princesse se trouvent nombre de personnes de sa maison ou de la cour qui paraissent, à ce qu'il semble à Richelieu, avoir des « contenances extraordinaires contre lui! » Le cardinal rentre au Petit Luxembourg très agité. Il pense que la Reine ne cédera jamais, que ses colères inexplicables se répéteront sans fin, qu'il sera à la merci d'ombrages et de soupçons perpétuellement renouvelés : mieux vaut s'en aller et abandonner le pouvoir! Les circonstances vont précipiter les événements!

Le dimanche 10 novembre vers onze heures du matin, Louis XIII, avant de retourner à Versailles, se rend au Luxembourg afin de dire adieu à sa mère. Dès qu'il a pénétré dans le cabinet où la Reine l'attend, Marie de Médicis ordonne à l'huissier de ne plus laisser entrer personne et de fermer toutes les portes à clef. Alors avec véhémence elle rappelle au Roi, raconte Arnaud d'Andilly, qu'elle lui a déjà fait connaître à Lyon qu'il ne lui était plus possible de supporter le cardinal. Le Roi l'a priée d'attendre son retour à Paris. Il n'y a plus maintenant de raison de retarder une mesure « dont elle a pris pour promesse la prière de retardement ». Elle ne peut davantage endurer la présence du cardinal. Il faut qu'il s'en aille, et, mettant à son fils le marché à la main, elle lui déclare avec emportement qu'il doit choisir entre elle et lui, se défaire de l'un ou de l'autre! Louis XIII énervé répond qu'il désire qu'elle ait quelque patience, qu'elle attende! Tout à coup, une porte s'ouvre et Richelieu apparaît!...

Il a été prévenu que le Roi se trouvait en conférence avec sa mère seule. Il comprend que son sort se décide et, entraîné par sa nature ardente, ne pouvant supporter l'idée de laisser décider de son sort sans se défendre, il gagne le Luxembourg. Là on lui dit que toutes les portes intérieures sont fermées. Connaissant les aîtres comme surintendant de la maison de la Reine, il passe outre. L'appartement de Marie de Médicis est au premier étage à droite en venant de la rue de Vaugirard. Il y a, à l'extrémité ouest, une chapelle et l'escalier par où on accède chez la Reine est dans l'aile droite sur la cour. Ayant monté cet escalier, parvenu à une antichambre, Richelieu trouve en effet la porte donnant dans la chambre de Marie de Médicis fermée, ainsi que la porte du cabinet de la Reine où il accède par une galerie. Mais de là, il va jusqu'à la chapelle qui est ouverte et il sait que de la chapelle une issue donne sur un dégagement obscur par où on peut parvenir au cabinet de la princesse. Le hasard veut qu'on ait oublié ici de fermer à clef l'accès du cabinet de la Reine. C'est par cette porte qu'il pénètre et se trouve soudain en présence du Roi et de sa mère!

Il y a un moment de stupeur! Cette irruption, sans se faire annoncer, malgré les ordres donnés, devant les souverains en conversation confidentielle, a on ne sait quel air d'insolence et de provocation! Marie de Médicis éclate! Sous l'empire de la colère et comme l'a écrit plus tard madame de Motteville, « avec la grande sensibilité qu'accompagnent les grandes offenses et les plus grandes haines, » elle donne libre cours à sa fureur! Elle dit à Richelieu qu'il est inouï de venir ainsi les interrompre; qu'il n'est qu'un perfide, un ingrat, un fourbe! Après tout ce qu'elle a fait pour lui, après lui avoir donné plus d'un million d'or, il se conduit à son égard d'une façon honteuse! Tout le monde sait ce qu'il veut : enlever la couronne au Roi, marier sa nièce de Combalet à Gaston d'Orléans ou plutôt au comte de Soissons et mettre ce dernier sur le trône, en faisant déclarer Louis XIII et son frère bâtards! Mais, ajoute-t-elle, c'est fini! Elle ne veut plus avoir dans sa maison ni lui, ni personne de sa famille ou de ses amis : elle les chasse tous, tous, « jusqu'au moindre de ses officiers donnés de sa main » et elle ne paraîtra plus au conseil du Roi tant qu'elle saura devoir l'y rencontrer!...

Les partisans de Marie de Médicis ont toujours soutenu que la Reine n'a notifié à Louis XIII, à ce moment, que le renvoi de Richelieu et de ses parents ou amis de sa propre maison, sans exiger sa destitution du gouvernement. Elle le fera répéter plus tard avec insistance. En fait, on voit que son refus de reparaître au conseil aboutissait indirectement au résultat nié et, à la fin, elle avouera avoir bien réclamé l'éloignement du cardinal.

Pendant toute cette scène, Richelieu est demeuré atterré, « le cœur, comme il l'a écrit dans le récit qu'il en a laissé, percé d'une extrême douleur! » Au fond, avoue-t-il, il n'éprouve ni remords, ni honte, sûr d'avoir toujours agi avec loyauté! Mais il est profondément malheureux de voir la personne à qui il doit tant, qui l'a aidé, comblé de biens, qui lui a témoigné une bienveillance, une affection constantes, aussi entièrement retournée contre lui et pour des raisons à ce point vaines et inconsistantes. Il en est déchiré! Il tombe à genoux, pleurant : le fait de ses larmes nous est attesté par Marie de Médicis qui l'a dit à Mathieu de Mourgues, par Louis XIII qui en a fait ensuite confidence à Bonneuil, introducteur des ambassadeurs, et par Richelieu lui-même qui l'avoue. Il dit à Marie de Médicis qu'il la supplie de lui pardonner s'il l'a offensée : c'est sans le vouloir; jamais il n'a eu l'intention de la blesser! Il offre d'accepter l'humiliation de reconnaître publiquement des fautes qu'il n'a pas commises afin de justifier le pardon qu'il sollicite et de « couvrir l'honneur » de la Reine. Non! fait violemment Marie de Médicis. Richelieu écrira dans son récit : « Y eut-il jamais dureté semblable à celle avec laquelle elle refusa cette offre en présence du Roi? » Le cardinal reprend qu'il a au plus haut point le sentiment de la gratitude qu'il lui doit : il lui propose de se soumettre d'avance à tout ce qu'elle exigera comme satisfaction des fautes qu'elle lui reproche et humblement il subira ce qu'elle commandera! Hors d'elle, obstinée, Marie de Médicis avec colère refuse!

Alors Louis XIII intervient. Dès le début de la scène, lorsque sa mère est partie dans cette explosion d'injures, extrêmement froissé que devant lui on se permît — fût-ce sa mère — de pareils excès, car le protocole royal en ce temps interdit tout écart de ce genre devant la majesté souveraine, il s'est efforcé de l'arrêter : « Mais madame, mais madame, lui a-t-il dit, que faites-vous? Que dites-vous? Vous me désobligez, vous me torturez! » Emportée par sa colère, Marie de Médicis n'a pas écouté, et a couvert la voix du Roi. Quand Richelieu prenant la parole a offert d'accepter toutes les soumissions qu'on lui imposerait, Louis XIII a essayé d'appuyer cette proposition. Elle a fait taire son fils en lui criant « qu'il préférait donc un valet à sa mère? » Alors le Roi estime qu'il est temps de mettre un terme à cette scène. D'un ton sec, il commande à Richelieu, toujours à genoux, de se relever et de se retirer. Puis il dit à sa mère que l'heure avance, qu'il doit partir pour Versailles : il esquisse une froide révérence et s'en va rapidement comme s'il craignait d'être retenu ou d'en entendre davantage. Richelieu l'attend dans la cour. Louis XIII monte dans son carrosse, la figure contractée, sans regarder personne, ordonne au carrossier d'enlever ses chevaux. Il n'a pas même jeté un regard sur Richelieu qui, dans l'état où il est, prend cette indifférence pour un signe de disgrâce. Il s'estime perdu et rentre au Petit Luxembourg désespéré!...

Le bruit se répand dans Paris qu'il se passe au Luxembourg des événements graves. De toutes parts les courtisans accourent. Marillac est déjà venu dès onze heures. Était-il averti de ce qui allait arriver? Ses défenseurs le nient. Les amis de Richelieu l'affirment. Ils disent que les jours précédents, le garde des sceaux a donné des preuves de la certitude qu'il avait d'être à la veille de devenir le maître du gouvernement; donnant des instructions, des rendez-vous dans ce sens. Le matin du 10, Richelieu l'a fait prier de venir le voir et Marillac a répondu qu'il prenait médecine et ne pouvait pas venir. Or la première personne qu'a trouvée le cardinal en arrivant au Luxembourg est précisément le garde des sceaux. « Hé! monsieur, lui a-t-il dit, vous voilà? Et vous disiez que vous étiez malade? » Marillac n'a pas répondu et Richelieu n'a pas insisté. Après la scène entre Marie de Médicis et le cardinal, Marillac a été vu dans une antichambre abordant le secrétaire d'État Bullion et lui disant : « Qu'est ceci? Il y a quelque chose? Dites-moi ce que c'est! » Peu après on est venu le chercher de la part de la Reine mère. Personne ne sait ce qui s'est dit entre lui et Marie de Médicis. La Reine a fait ensuite ouvrir les portes de ses cabinets et le flot des courtisans est entré venant chercher des nouvelles. A tous elle dit que les fers sont au feu : elle ou le cardinal quittera la cour! Elle laisse entendre « que le garde des sceaux Marillac maniera toutes les affaires de l'État », preuve de l'assurance qu'elle a du résultat favorable des événements. Elle a annoncé aussi qu'elle chasse de sa maison Richelieu, ses parents, ses amis : elle ne veut plus personne près d'elle qui lui rappelle cet homme!

Il n'en faut pas davantage pour orienter l'opinion! Ainsi le cardinal est disgracié, renversé, chassé! Une effervescence générale saisit toute la cour. Les ennemis de Richelieu s'empressent de venir féliciter la Reine, de congratuler ceux qu'ils croient devoir devenir les maîtres de demain. Entraînée par ce mouvement, Marie de Médicis s'imagine être victorieuse. L'idée lui vient un instant d'aller à Versailles s'assurer des sentiments du Roi, mais elle y renonce et toute l'après-midi ce sera un va-et-vient incessant chez elle, au Luxembourg, de gens joyeux du triomphe, quelques-uns lui offrant même leur épée au cas où le cardinal résisterait. Nul n'est plus entouré que Michel de Marillac, un peu embarrassé de sa personne, mais faisant bonne contenance et paraissant satisfait.

Pendant ce temps, au Petit Luxembourg, une scène de tout autre genre se passe. Devant l'éclat que lui a fait la Reine, Richelieu ne doute pas un seul instant que sa disgrâce ne soit consommée ! L'attitude du Roi à son égard, achève de le convaincre. Mais il y a pire à redouter, juge-t-il, l'arrestation, Vincennes, la Bastille et les suites ! Il n'hésite pas : il faut fuir ! Il a deux places à l'abri desquelles il peut se mettre et qui sont à lui : Brouage, le Havre : il choisit le Havre, d'où il aura moyen de s'embarquer et de gagner le large. Il annonce sa détermination à sa nièce, madame de Combalet, et à Bouthillier qui sont là, consternés ! Il va partir tout de suite pour Pontoise qui sera sa première étape. Il commande son carrosse, son équipage, dit qu'on le fasse dîner : le repas terminé il se mettra en route. Là-dessus arrive son ami, le cardinal de La Valette, qui, informé de la crise, accourt en demander à Richelieu les détails. Apprenant que Richelieu s'en va au Havre, il se récrie : Mais que fait-il ? Où va-t-il? C'est folie! Il ignore les véritables sentiments du Roi et il abandonne la partie sans savoir ce qu'il en est? Ses ennemis vont triompher! Non! Il faut qu'il aille à Versailles trouver le Roi. Si le Roi est dans les sentiments que Richelieu suppose, le cardinal se défendra, rendra compte de ses actions, plaidera. Si au contraire le Roi, ce dont La Valette est convaincu, est resté favorable, la venue de Richelieu le maintiendra et fortifiera dans ses dispositions. Ainsi, comme dit Tallemant des Réaux racontant la scène, La Valette a cherché à « remettre du cœur au ventre » à Richelieu! D'autres personnes entrées, amies du cardinal, Châteauneuf, le président Nicolas Le Jay, appuient l'opinion de La Valette, pressent, insistent. Richelieu hésite, ne sait que résoudre, lorsque brusquement on vient le prévenir que le Roi le demande à Versailles!...

Louis XIII a près de lui à ce moment comme ami et confident un jeune homme de vingt-trois ans, M. de Saint-Simon, père de l'auteur des *Mémoires*. Il l'a nommé son premier écuyer. L'historien Vittorio Siri rapporte ce qui va suivre comme le tenant de ce Saint-Simon et, d'autre part, le fils, auteur des *Mémoires*, nous donne un récit qu'il dit tenir de son père. Le texte de Siri inspire quelques inquiétudes parce qu'il contient des exagérations manifestes et des erreurs. Mais celui de l'auteur des *Mémoires* est encore plus sujet à caution car cet auteur avait dix-sept ans lorsqu'il a perdu son père qui en avait quatre-vingt-cinq et il met sur le compte de celui-ci de très nombreux récits d'une précision de détails et d'un éclat de couleur ou d'une intensité de vision qui révèlent plus le génie de l'écrivain mémorialiste que la trop merveilleuse imagination du père. Le duc de Saint-Simon a suivi et amplifié V. Siri. Voici ce que des deux récits on peut retenir.

En quittant le Luxembourg, Louis XIII est rentré à l'hôtel de la rue de Tournon. Il se jette sur un lit, défendant de laisser entrer personne. Il étouffe, en proie à une émotion, une colère et une humiliation intenses! D'après madame de Motteville, ce qui le choque le plus est le mépris qu'a manifesté sa mère à l'égard de son intervention et de son autorité. Mais sa volonté ne fléchit pas. Il ne veut pas céder! Il dit à Saint-Simon présent qu'il va partir pour Versailles et qu'il faut tout de suite aller prévenir le cardinal de Richelieu de venir l'y rejoindre. Saint-Simon se rend au Petit Luxembourg où on lui dit que Richelieu est avec le cardinal de La Valette. Il demande celui-ci et lui fait connaître l'ordre du Roi. La Valette le communique à Richelieu puis revient avec Saint-Simon à l'hôtel de la rue de Tournon et on l'introduit auprès de Louis XIII qui a repris un peu son calme. « Eh bien, fait le Roi, en voyant La Valette, je crois que vous avez été surpris? — Oui, Sire, et plus que Votre Majesté ne saurait l'imaginer! — M. le cardinal a un bon maître! Allez! et dites-lui que, sans délai, il vienne à Versailles! » Sur quoi, Louis XIII monte en carrosse. part pour Versailles. Peu après Richelieu obtempérant aux ordres du Roi, monte également en voiture et gagne la résidence royale.

Le Versailles de 1630 est une petite demeure modeste bâtie sur l'emplacement actuel du fond de la cour de marbre, avec une façade de la dimension exacte du mur du fond de cette cour et une profondeur de bâtiment de six mètres; deux petites ailes viennent en retour. Le tout a été démoli en 1632 pour faire place aux constructions actuelles, brique et pierre, de la cour de marbre, œuvre — avec des remaniements postérieurs — de l'architecte Philbert Le Roy. D'après un inventaire du mobilier du château dressé en 1630, il y a quatre pièces au premier étage : antichambre, cabinet du Roi, chambre à coucher, garde-robe : le cabinet est à l'angle nord : au-dessous sont des pièces pour quelques personnages tels que le comte de Soissons.

Arrivé à Versailles, Richelieu, qu'accompagne La Valette, est introduit au premier dans le cabinet où le Roi l'attend entouré de Saint-Simon, du marquis de Mortemart, premier gentilhomme de la chambre, et de M. de Beringhen, premier valet de chambre. Le cardinal se jette à genoux aux pieds du prince, le remercie profondément de sa bienveillance, lui exprime sa gratitude passionnée. Louis XIII le relève affectueusement, lui dit que, sachant avoir en lui un serviteur capable, dévoué et fidèle, il juge de son devoir de le protéger. Il sait de quel respect et de quelle gratitude il a toujours fait preuve à l'égard de la Reine sa mère : s'il en avait été autrement, d'ailleurs, il l'aurait abandonné. Il doit aujourd'hui le défendre contre des malveillants qui, de façon diabolique, ont monté contre lui une cabale indigne, en abusant de la bonté de la Reine sa mère livrée à leurs machinations. Il entend que le cardinal continue à le servir. Il le gardera en dépit de tous ceux qui sont acharnés à sa ruine et le défendra. Richelieu se met de nouveau à genoux les yeux pleins de larmes. Le Roi le relève encore, lui dit de rester au château où on lui donnera la chambre du comte de

Soissons, au-dessous de la sienne; puis, congédiant tout le monde, il demeure seul avec son ministre. Nous savons par les confidences que Richelieu a faites ensuite à ses deux collaborateurs Guron et Sirmond ce qui va suivre.

Richelieu prenant la parole renouvelle au Roi l'expression de sa reconnaissance infinie pour la bonté qu'il veut bien lui témoigner. Il en est profondément ému. Mais il a mûrement réfléchi, et il juge préférable de se retirer! La Reine mère est irréconciliable! Les difficultés qu'elle provoquera renaîtront chaque jour, rendant la vie insupportable à tous par son hostilité perpétuelle. On continuera à lui reprocher à lui-même son ingratitude; il lui sera impossible de garder l'autorité qui est indispensable au pouvoir; les affaires n'iront pas; on dira qu'il ne sait pas les conduire, qu'il ne pense qu'à intriguer contre la Reine. Si des mesures fermes sont prises, on l'accusera de tyrannie, de violence, ce qui paralysera ses efforts! Il honore infiniment la Reine; il n'a jamais eu l'intention de la froisser; mais plutôt que d'être la cause de continuelles mauvaises intelligences entre le Roi et elle, il vaut mieux qu'il s'en aille : il ira avec patience subir son infortune dans la solitude paisible de sa maison de Richelieu.

Louis XIII a écouté avec attention. Il répond que, dans son propre intérêt même de souverain et dans l'intérêt de l'État, il ne peut accéder à ce que le cardinal lui demande. L'abandonner comme celui-ci le prie de le faire, c'est trahir son autorité, car il ne pourra plus trouver à l'avenir de serviteurs si l'on voit qu'il fait preuve à leur égard de tant de faiblesse. Nombre de rois ses prédécesseurs se sont mal trouvés d'avoir sacrifié de bons ministres :

il ne les imitera pas. Si la Reine sa mère était capable de l'aider à gouverner le royaume par de sages conseils il serait heureux de se servir d'elle : elle ne le peut pas. Il est donc libre de prendre qui bon lui semble. Mais de même qu'en abandonnant le cardinal qui le sert bien, il commettrait une défaillance, de même le cardinal ferait preuve de peu de courage et serait coupable d'une action « véritablement basse » s'il persistait à vouloir quitter un maître prêt à le protéger contre ses ennemis et qui juge ses services nécessaires. Richelieu essaie d'insister, parle des succès que pourrait obtenir celui qui prendrait sa place. « Non! répond Louis XIII. Je vous commande absolument de rester parce que telle est ma décision irrévocable! — Mais, Sire, de quels yeux le monde verra-t-il Votre Majesté me garder avec le reproche public d'être ingrat à l'égard de la Reine? — Il ne s'agit pas de la Reine, mais de la cabale et des monopoles de tel et tel qui ont provoqué cette tempête! Je m'en prendrai à eux! » Il ajoute qu'il respecte sa mère; mais « qu'il est plus obligé à son État »; il n'entend pas abandonner ceux qu'il aime pour plaire à ceux qui ne l'aiment pas et il conclut fermement, d'un ton de maître, que sa volonté est que Richelieu reste aux affaires! Sur ce, il embrasse le cardinal : Richelieu n'a qu'à s'incliner. Le lendemain il écrira au Roi : « Il m'est impossible de ne pas témoigner à Votre Majesté l'extrême satisfaction que je reçus hier. Les singuliers témoignages qu'il vous plut de me rendre de votre bienveillance m'ont percé le cœur! Je m'en sens si extraordinairement obligé que je ne saurois l'exprimer... Je n'aurai jamais de contentement qu'en faisant connaître de plus en plus à Votre Majesté que je suis la plus fidèle créature, le plus passionné sujet et le plus zélé serviteur que jamais roi et maître ait eu au monde! » Et quelques jours après il dira à l'ambassadeur vénitien : « J'ai fait mille instances au Roi pour pouvoir me retirer; mais Sa Majesté, à la fin, avec larmes, et en m'embrassant, n'a pas voulu me le permettre. »

Louis XIII a dit : « Il ne s'agit pas de la Reine mais de la cabale et des monopoles de tel ou tel qui ont provoqué cette tempête : je m'en prendrai à eux! » Séance tenante, il va exécuter sa menace. C'est lui, de son initiative personnelle, qui va décider toutes les sanctions! « Les résolutions que prit le Roi sur-le-champ, déclare un des collaborateurs de Richelieu, ne vinrent que de lui seul! » Et Richelieu a écrit dans sa *Succincte narration*, le Roi a agi « de son propre mouvement », sans le conseil de personne.

Louis XIII fait rappeler sa suite dans son cabinet, ordonne qu'on aille chercher à Paris les ministres et secrétaires d'État. En ce qui concerne Michel de Marillac qu'il tient pour l'auteur de tout ce qui vient de se passer, il lui fait commander de se rendre sans délai à Glatigny, hameau situé à moins d'une demi-lieue du château de Versailles. Marillac apprenant qu'il est mandé par le Roi est convaincu qu'il s'agit de lui donner la place de Richelieu. Tout le monde le félicite avec joie. Il part pour Glatigny.

Le soir tard dans la nuit, les ministres arrivés, mais le garde des sceaux devant rester où le souverain lui a ordonné de se rendre, Louis XIII assemble son conseil. Prenant la parole il dit que les mesures auxquelles il se résout sont telles qu'il ne peut pas en envisager d'autres.

Depuis plus d'un an, continue-t-il, on forme autour de lui des cabales insupportables qui troublent les affaires. Grâce à ces cabales, l'expédition d'Italie a manqué échouer. A Lyon des incidents intolérables se sont produits. Il met en cause Marillac. Il déclare qu'il ne peut plus souffrir la présence du garde des sceaux. Par égard pour son âge, ses services, la respectabilité de sa vie, il ne veut pas aller avec lui aux dernières extrémités, mais il lui enlève sa charge et va l'exiler à un endroit « d'où il ne sortira plus! » Tout de suite il met en discussion le choix du successeur à lui donner et, après délibération, M. Charles de Laubespine, sieur de Châteauneuf est désigné. Par la même occasion, on nomme Nicolas Le Jay premier président du Parlement de Paris, tous deux amis de Richelieu. A ce moment se présente une difficulté. Le frère du garde des sceaux, le maréchal Louis de Marillac, se trouve à l'armée d'Italie qui marche sur Casal. Par suite de circonstances diverses, deux des généraux qui commandent avec lui doivent s'absenter et il va se trouver seul à la tête des troupes. C'est un homme rude, prompt, d'un jugement peu sûr. S'il apprend la disgrâce de son frère, il est capable d'un coup de tête dangereux, d'arrêter les opérations, de ramener l'armée, peut-être de tenter une rébellion! Il est gouverneur de Verdun où son neveu Biscarras qui commande les troupes peut les soulever. Le plus sûr est d'envoyer d'urgence un courrier à l'armée d'Italie susceptible d'arriver à toute bride avant que la nouvelle des événements qui se produisent à la cour ne soit parvenue au delà des Alpes, de commander aux deux autres généraux, qui sont encore là-bas, de s'assurer de la personne du maréchal, préventivement, sans donner de raison, simplement parce que c'est la volonté du Roi, puis de le faire rentrer immédiatement en France sous bonne escorte. On verra après ce qu'on fera de Marillac. Louis XIII conclut, la nuit avançant, de s'en tenir là pour le moment. Richelieu n'a presque rien dit.

Le conseil levé, le Roi donne ses instructions au secrétaire d'État la Ville-aux-Clercs, qu'il charge d'aller réclamer les sceaux à Marillac et Bouthillier rédige les dépêches à expédier à l'armée d'Italie.

Michel de Marillac est arrivé vers une heure du matin à Glatigny. Là il apprend que Richelieu est au château de Versailles où le Roi lui a fixé sa résidence et que les autres ministres ont été convoqués pour tenir un conseil auquel il n'est pas appelé. Il comprend : c'est lui qui est perdu!... Il subit un choc terrible! Il écrira plus tard : « J'ai eu un des plus violents exercices intérieurs que je pense avoir jamais reçu! » Il ne se couche pas. Il demande à son aumônier qui l'a accompagné de le confesser et de lui dire la messe, puis décide d'envoyer au Roi sa démission qu'il rédige. La messe commencée, à l'épître, quelqu'un frappe sur l'épaule de Marillac : c'est M. de la Ville-aux-Clercs arrivant qui lui dit : « Monsieur, je viens vous parler de la part du Roi. — Monsieur, répond Marillac, voulez-vous bien que nous achevions d'ouïr la messe? » Le secrétaire d'État acquiesce. La messe achevée, on sort. M. de la Ville-aux-Clercs dit à Marillac : « Monsieur, le Roi m'a commandé de recevoir les sceaux de vos mains et de les lui rapporter! » Marillac va chercher le coffret contenant les sceaux de France, qu'il doit toujours avoir avec lui, le donne au secrétaire d'État, avec la clef suspendue, suivant l'usage, à son cou et en y ajoutant sa lettre de démission. La Ville-aux-Clercs désignant un exempt des gardes du corps qui l'a suivi, le présente : « M. Desprez », et dit : « Monsieur, le Roi a commandé à ce gentilhomme de vous accompagner jusqu'au lieu où il veut que vous vous retiriez. » Marillac pâlit! C'est l'exil, peut-être l'arrestation! Il se tait. La Ville-aux-Clercs s'en va. L'exempt des gardes fait monter Marillac dans un carrosse, ne gardant de la suite du ministre disgracié que son aumônier, monte avec lui et la voiture part entourée de huit archers à cheval. On ne dit pas à Marillac où l'on va. Le cortège marche tout le jour, le lendemain. Il est défendu à Marillac d'écrire et de parler à personne. Aux étapes, un archer fait la faction, avec sa carabine, devant sa porte. Le carrosse gagne Évreux, Lisieux, Caen. C'est Marillac qui doit payer tous les frais du voyage et se trouve obligé d'emprunter. Enfin on se rend à Châteaudun et c'est là qu'on s'arrête. Marillac résidera dans le château, toujours gardé à vue, y restera deux ans prisonnier, y mourra! Il a résumé dans une page douloureuse ses souffrances indicibles : « Passer de la plus grande autorité du royaume... à la plus basse sujétion! d'une liberté entière à une telle captivité! et, le dernier, en une fort grande pauvreté!... Ah! La vie est lassante!... »

Sa commission à Glatigny exécutée, M. de la Ville-aux-Clercs, suivant les ordres de Louis XIII, se rend à Paris, au Luxembourg. Il doit prévenir Marie de Médicis que le Roi ayant depuis longtemps l'intention de châtier le garde des sceaux assez osé pour entretenir dans l'esprit de sa mère des sentiments contraires à son service, il s'est décidé à le renvoyer. Il compte que la Reine approuvera sa résolution. Il ne doute pas non plus qu'elle ne comprenne la nécessité où il se trouve, pour le bien de l'État, de continuer à se servir du cardinal de Richelieu. Toute insistance contraire, d'ailleurs, serait superflue et ne pourrait que renouveler les effets funestes de sa dernière maladie!

Marie de Médicis est abasourdie! Elle commande d'atteler son carrosse pour courir immédiatement à Versailles. La Ville-aux-Clercs lui explique que sa démarche ne servira à rien et que le Roi, du reste, va s'absenter de Versailles.

L'émotion est indicible au Luxembourg! Tout le monde est déconcerté! Bautru s'écrie : « C'est la journée des Dupes! » Le mot est resté. Les uns conseillent à Marie de Médicis d'aller tout de même à Versailles et « d'en tirer Richelieu par violence ». C'est impraticable! La Reine déclare avec emportement qu'elle ne pardonnera jamais à Richelieu l'affront que constitue pour elle le châtiment du vieux garde des sceaux et le choix qu'on a fait, sans la consulter, pour lui succéder, de Châteauneuf, qu'elle déteste. Mais déjà beaucoup de courtisans voyant d'où vient le vent, s'apaisent, tournent par prudence, murmurent maintenant que le garde des sceaux était devenu impossible, que peut-être tous ces incidents sont fomentés par l'Espagne!...

Pendant ce temps, sur la route qui conduit aux Alpes, galope à toute allure le courrier — un huissier du cabinet nommé l'Épine — envoyé aux généraux de l'armée d'Italie. Il arrive le 21 novembre, à midi, au camp de Folizo, au moment où les trois maréchaux : Schomberg, La Force, Marillac, vont se mettre à table avec un certain nombre d'officiers. Personne ne sait rien de ce qui s'est passé à Paris. Le courrier tend sa lettre à Schomberg. Schomberg décachette, s'approche de la fenêtre ; La Force, qui le suit, lit par-dessus son épaule et apercevant de quoi il s'agit arrache la lettre et dit à Schomberg : « Monsieur, lisez votre lettre en particulier. » Schomberg lit dans un corridor et rentre troublé, déclarant qu'il ne dînera pas. Marillac presse pour qu'on se mette à table. Schomberg lui dit : « Après que vous aurez dîné nous irons tenir conseil et nous verrons la dépêche du Roi. » Pendant que le repas se poursuit, Schomberg commande à Puységur, qui nous a laissé le récit de cette journée, de faire venir les capitaines des gardes françaises : ils viennent. Le maréchal leur déclare qu'il connaît leur dévouement et leur fidélité au Roi. Il vient de recevoir de Sa Majesté un ordre étrange pour lequel il a besoin du zèle de chacun d'eux. Sa Majesté lui commande d'arrêter M. de Marillac, son confrère, maréchal de France, général d'armée comme lui ! Il compte sur eux tous pour assurer l'exécution de cet ordre ! Les capitaines surpris s'inclinent. Après la fin du repas, les trois maréchaux se réunissent. La Force dit à Marillac : « Monsieur, je suis votre ami. Je vous demande comme tel que vous voyiez et receviez les ordres du Roi sans murmurer, sans vous emporter, et même avec patience : peut-être ce ne sera rien ! » Et alors il ouvre la lettre de Louis XIII, la tend à Marillac. Marillac ayant lu devient blême. Il balbutie qu'il ira là où on le mènera, docilement. Six officiers sont désignés pour le garder : un capitaine, deux lieutenants, trois enseignes. Quinze jours se passent. Arrive un ordre de Louis XIII commandant de transférer le maréchal à

Sainte-Menehould, ce qui est fait avec une escorte de vingt cavaliers. Marillac ne comprend rien à ce qui lui arrive. Il se sait en bons termes avec Richelieu; le coup ne peut donc venir du cardinal. Il a écrit au Roi une lettre de soumission et de respect.

Les amis de Louis de Marillac cherchent à intervenir en sa faveur auprès de Louis XIII. Louis XIII, afin de « justifier » l'arrestation qu'il a commandée, a ordonné une enquête, sur le passé du maréchal et on découvre, par cette enquête, que, dans la construction de la citadelle de Verdun, dont a été chargé Marillac, il y a eu de nombreux actes de concussions, de péculat, extorsions, dilapidations; qu'on a « grivelé » sur les dépenses et pressuré les pays environnants. Voilà trouvé le chef d'accusation sous lequel on fera son procès criminel au maréchal. Des juges sont désignés, comme le terrible Laffemas qui établit la somme des pillages, vols, détournements, commis dans l'étendue de l'évêché de Verdun et dont on accuse Marillac. Une commission extraordinaire est nommée, composée de treize conseillers du parlement de Dijon : elle siège à Verdun en juillet 1631. L'accusé, qui affirme avoir ignoré ces méfaits, œuvre, dit-il, de ses subalternes, usant de tous les moyens de procédure, et l'affaire s'éternisant, Louis XIII impatienté fait venir la commission, que présidera désormais le garde des sceaux Châteauneuf, près de Saint-Germain-en-Laye, à Rueil même, propriété de Richelieu où il y a un donjon entouré de douves. On a accusé Richelieu d'avoir tout conduit, par esprit de vengeance contre les Marillac. Les documents témoignent au contraire que le cardinal a gardé dans cette affaire une extrême réserve. L'éditeur de sa correspondance, Avenel, remarque que sur les papiers originaux relatifs au procès, il n'a pas trouvé trace de l'écriture de Richelieu, que celui-ci n'a rien rédigé, rien corrigé, comme s'il voulait demeurer étranger à ce drame. L'avocat de Marillac, Rouyer, a une conversation avec le cardinal mentionnée dans une lettre conservée à la Bibliothèque de l'Arsenal. On voit Richelieu garder une attitude évasive, se dérober, répondre avec embarras : « Cela ne me regarde pas » — « Mes intérêts sont ceux du Roi » — « On verra si le maréchal est coupable ou non. » Le maréchal de Marillac et sa famille seront convaincus que le cardinal n'est pas l'auteur de cette affreuse aventure. Les juges, dont le nombre a été porté à vingt-trois, rendent leur arrêt le samedi 8 mai 1632. Par treize voix contre dix, ils condamnent Marillac à mort! On vient supplier Richelieu d'intervenir : il répond de s'adresser au Roi! Mais, en réalité, nous le savons par le témoignage d'un collaborateur du cardinal, Hay du Chastellet, confirmé par le plus venimeux des adversaires de Richelieu, Mathieu de Mourgues, le cardinal a demandé au Roi la grâce de Marillac sous la forme de ce qu'on appelle « une abolition », c'est-à-dire une amnistie, et c'est Marillac qui l'a refusée sous prétexte qu'il n'est pas un coupable auquel on ait à pardonner mais qu'il est innocent! Le surlendemain de la condamnation, lundi 10 mai, à quatre heures et demie, sur la place de Grève, devant le perron de l'Hôtel de Ville de Paris, le maréchal est décapité! C'est l'épilogue le plus sanglant de la journée des Dupes : ce ne sera pas le dernier!

Après l'événement du 11 novembre 1630, Richelieu est demeuré triste et abattu. Ses amis comme Schomberg lui ont envoyé des lettres de félicitations. « Le commandement de notre Roi, lui a dit Schomberg, et la nécessité que la France a de vous, vous convient à demeurer : vous le ferez afin de rendre ce que vous devez à votre maître et à votre chère patrie ! » Mais ces paroles ne touchent pas le cardinal. Lorsque l'ambassadeur vénitien vient le complimenter, le 19 novembre, Richelieu ne lui parle que de la Reine mère et avec douleur ! Il lui dit que, malgré l'affront qu'elle lui a fait, il reste son obligé. Il ne peut oublier ce qu'il lui doit. Il ne convient pas de répondre à tant de bienfaits par de l'ingratitude ! L'ambassadeur rapporte alors à Richelieu ce que Louis XIII lui a dit dans son audience : « J'ai fait tout ce que j'ai pu pour apaiser la Reine ma mère, mais ne pouvant obtenir d'elle quoi que ce soit, je lui ai déclaré et aux autres que j'entendais soutenir le cardinal contre tous ! Pour rien au monde je ne veux l'abandonner ! » Et Richelieu répond : « A quoi bon tout ce que je peux faire pour le Roi si la Reine ne me pardonne jamais ! » Il sent son action politique paralysée d'avance : il en est empoisonné ! Les ambassadeurs constatent qu'il ne parle que de cela, tellement cette pensée l'accable, et Bullion écrira : « Le cardinal s'abandonne si fort au chagrin qu'il n'est plus reconnaissable ! » Ainsi, pour Louis XIII, rien n'est encore fini en ce qui concerne Richelieu, l'opposition de sa famille, de sa mère, de son frère, restant irréductible. Que va-t-il faire ?...

X

L'ÉVASION DE COMPIÈGNE. 1631
ÉPILOGUE

Le parti de Louis XIII est pris! Il ne sacrifiera pas Richelieu! Il faut résoudre la question de l'hostilité de la Reine mère : l'intérêt politique l'exige. Comme il va l'écrire à son frère dans quelques semaines : « Je lui rendrai (à Marie de Médicis) ce qu'un bon fils doit à sa mère : rien ne m'en peut divertir »; mais aussi « rien ne peut m'empêcher de satisfaire à ce que je dois à mon État et au bien et au repos de mes sujets ». Comment concilier ces contraires?

Il envoie Bullion à Marie de Médicis afin de sonder le terrain. Nous avons le récit de l'entrevue de celui-ci avec la Reine par une lettre que Bullion écrit à Richelieu le 18 novembre. Marie de Médicis en voyant entrer un homme qu'elle sait dévoué au cardinal lui dit sarcastiquement qu'il est bien hardi de venir la voir : il va passer pour criminel et se faire excommunier! Elle a envoyé un gentilhomme prévenir le Roi qu'elle irait le trouver demain à Saint-Germain-en-Laye entre midi et une heure. Ah! « on lui a fait faire beaucoup de chemin depuis trois jours! » Elle demande ce que devient Richelieu. Bullion répond qu'il est méconnaissable tellement il se sent affligé du mécontentement de la Reine à son égard. Elle dit qu'elle n'en croit rien! Si le cardinal avait eu de l'affection pour son service, ajoute-t-elle, il n'aurait pas porté le Roi à faire ce qu'il a fait. Elle pleure!... Bullion suggère qu'on pourrait peut-être trouver un moyen d'accommodement. — Lequel? — Que le cardinal ne s'occupe plus des affaires de la Reine et qu'il ne la rencontre seulement qu'au conseil du Roi. Si elle accepte, elle « redonnera la vie au Roi » qui ne peut pas se passer du cardinal et souffrirait affreusement de le perdre, toutes les affaires de l'État devant péricliter! — Oui, dit-elle, c'est l'habileté du cardinal d'avoir arrangé les choses de telle sorte qu'il n'y ait que lui seul qui les connaisse et puisse les régler! Bullion observe que s'il lui est permis de parler avec franchise, il osera lui dire « que le conseil qu'elle a pris est un conseil de colère qui est le plus dangereux qui soit ». Elle devrait tâcher de vivre avec Richelieu comme avec quelqu'un qui lui est indifférent. Elle en a haï bien d'autres qu'elle traite aujourd'hui courtoisement! Marie de Médicis déclare qu'on l'étranglerait plutôt que de lui faire faire quoi que ce soit malgré elle, et cela pour un homme qui, étant sa créature, veut la perdre! Bullion proteste qu'on la trompe; le cardinal n'a pour elle que des sentiments de respect et de dévouement. C'est le Roi, d'ailleurs, qui la prie d'accepter l'accommodement dont il vient de lui parler. Un moment silencieuse la Reine répond qu'il n'est pas nécessaire qu'elle aille au conseil! Bullion la quitte et pense que le Roi la pressant un peu, pourrait peut-être obtenir ce qu'il désire. Mais, le lendemain, quand Louis XIII voit sa mère, elle lui notifie qu'elle ne veut plus rencontrer Richelieu : « Elle mourra plutôt »; à quoi le Roi répond fermement que, lui, est « obligé de maintenir le cardinal jusqu'à la mort! » Elle dira ensuite à Bullion qu'elle attendra que le Roi « ouvre les yeux et les oreilles. Dieu ne paie pas toutes les semaines, ajoute-t-elle, mais enfin il paie! Je prendrai mon temps et je le retrouverai! Je me donnerais plutôt au diable que de ne pas me venger! » Ainsi elle est butée!

Louis XIII et Richelieu en sont désolés. Richelieu écrit à ses parents, la marquise de Brézé, sa sœur, le commandeur de La Porte, son oncle, que la Reine ne voulant plus de ses services et l'ayant chassé ainsi que sa nièce madame de Combalet, dame d'atour, son cousin M. de La Meilleraye, capitaine de ses gardes, il les supplie tous de faire comme lui, d'obéir et de se taire. Ils ont cette consolation que le Roi est très chagriné de ce qui se passe. Ainsi la tenue de Richelieu est digne! Mais il est à la merci du moindre incident.

Le 21 novembre, en effet, le Roi recevant en audience une délégation des cours souveraines venues à propos de l'affaire de ce qu'on appelle le droit annuel, a tellement sur le cœur l'attitude de sa mère qu'il ne peut résister au désir de rendre publics ses sentiments pour Richelieu. Il dit aux magistrats : « Vous savez où l'animosité a porté la Reine ma mère contre M. le cardinal. Je veux honorer et respecter ma mère mais je veux assister et protéger M. le cardinal contre tous! » et il charge les magistrats de répéter ces propos dans leurs compagnies respectives. Le bruit court qu'à la Chambre des Comptes le président de Nicolay a dit que « la Reine, par animosité et sans sujet, avait déchargé le cardinal de ses affaires, mais que le Roi le protègera comme son fidèle serviteur envers et contre tous! »

Ces mots rapportés à Marie de Médicis la mettent hors d'elle. C'est le cardinal, s'écrie-t-elle, qui a dicté cette déclaration. On l'insulte! On la traite « le bâton à la main! » Elle en est « outrée jusqu'au cœur! » Richelieu est navré! Il tâche de lui faire dire par le Père Suffren, par Rancé, par Bullion, qu'il n'est pour rien dans ce qu'a dit le Roi, qu'il ignorait même que Sa Majesté dût parler ainsi! « Je suis au désespoir, écrit-il à Bullion, le 23 novembre. Je vois bien qu'il arrivera toujours de nouveaux accidents inopinés et qu'il est impossible de prévoir, qui aigriront ce que je voudrais pouvoir adoucir aux dépens de ma vie! » Il répète : « Ni moi, ni mes amis, ne savions ce que le Roi voulait dire! »

Que résoudre? On songe à provoquer l'intervention du nonce, Bagni, nouvellement nommé cardinal et qui va retourner à Rome. Le nonce accepte. Il se rend chez Marie de Médicis le 7 décembre. Ce sont de longues récriminations de la part de la Reine. Elle pose des conditions. Pressée, elle finit par consentir à se rencontrer avec Richelieu au premier conseil que le Roi tiendra chez lui, pas chez elle. Puis elle admet que le Roi vienne chez elle et lui amène le cardinal. La rencontre a lieu. Marie de Médicis reçoit Richelieu d'un air tellement froid et hautain que Bagni et le Père Suffren l'en blâment vivement. Alors, le 15 décembre, elle dit vouloir parler à Richelieu qui vient au Luxembourg avec le Père Suffren. A sa vue elle fond en larmes! Elle explique au cardinal qu'elle n'a jamais voulu le séparer du Roi mais lui faire seulement quitter sa maison. Richelieu proteste de son innocence, dit qu'il l'a toujours servie depuis quatorze ans fidèlement; qu'il est prêt à se justifier de tout ce dont on l'accusera! Il insiste pour savoir s'il est coupable ou innocent à ses yeux. Elle ne répond pas, puis elle balbutie qu'elle se comportera à l'avenir envers le cardinal comme celui-ci se conduira à son égard. Richelieu répond qu'il est prêt à faire tout ce qu'elle voudra lui ordonner pour conserver sa bienveillance. Elle accepte. Cela ressemble à une réconciliation. Mais le 17 décembre Bautru dira à Richelieu que le médecin de la Reine, Vautier, à ce moment l'homme le plus influent auprès de Marie de Médicis, dînant chez la marquise de Sablé, a dit que tout cet accommodement « n'était que grimace! » En effet, les jours qui suivent ce sont de la part de Marie de Médicis de nouvelles plaintes, des récriminations, des colères! Sur quoi, l'attitude que prend Gaston d'Orléans intervenant, vient achever de tout embrouiller!

Au moment de la journée des Dupes, Gaston d'Orléans convaincu que Richelieu est perdu, s'est empressé d'aller faire ses compliments à sa mère. Le vent ayant tourné, il a tourné aussi et a protesté au Roi son frère de sa fidélité et de son dévouement. Il a envoyé Nogent à Richelieu pour lui dire qu'il l'a haï depuis deux ans « autant qu'on peut haïr un homme », mais que maintenant « il veut l'aimer autant qu'il l'a haï! » Et le 6 décembre il est allé voir le cardinal chez lui pour l'assurer « de son amitié et de sa protection ». C'est l'entourage de Gaston, Le Coigneux, Puylaurens, qui a ménagé ces dispositions pacifiques, et, suivant une habitude un peu cynique du temps, il se sont fait payer : Le Coigneux a été nommé président à mortier au Parlement de Paris, Puylaurens a reçu 150 000 livres et une promesse de duché. Quelle sécurité peuvent présenter de pareils arrangements avec de tels conseillers!

Quinze jours ou trois semaines se passent. Marie de Médicis est furieuse d'être abandonnée, comme elle dit, par son second fils. Voilà que les conseillers de celui-ci, mis en goût, songent à réclamer de nouvelles faveurs : Le Coigneux, qui est ecclésiastique, voudrait devenir cardinal. Or il n'est pas possible de demander pour lui ce qu'il désire, parce qu'il est en procès avec une particulière qui prétend être sa femme et avoir de lui des enfants! Entre temps Puylaurens s'est arrangé avec le duc de Montmorency qui consent à lui passer son duché de Damville. Mais les ministres constatant que Le Coigneux sera jaloux de voir Puylaurens obtenir ce qu'il a demandé tandis que lui-même se trouvera frustré de son cardinalat, sont d'avis d'ajourner l'acceptation de ce qui a été arrangé entre Montmorency et Puylaurens, d'où irritation de ce dernier qui se met d'accord avec Le Coigneux pour estimer que le gouvernement les joue tous les deux; il n'y a qu'un parti à prendre : contraindre les ministres à s'exécuter. Et ils excitent le duc d'Orléans contre Richelieu, le rapprochent de Marie de Médicis, reviennent au moyen d'avoir raison du gouvernement par un grand éclat, c'est-à-dire : faire quitter la cour à

Monsieur, avec ce que ce geste comporte de menaces dangereuses, de troubles et de guerre civile!

Et la rupture préparée d'avance s'effectue avec toute l'ostentation nécessaire. Le 30 janvier 1631, à neuf heures du matin, Gaston d'Orléans va trouver Richelieu dans son hôtel de la rue Saint-Honoré accompagné d'une suite nombreuse. Il lui déclare qu'il avait l'intention de l'aimer et de le servir, mais que le cardinal ayant manqué à ses promesses, il vient retirer la parole qu'il lui a donnée. Étonné, Richelieu demande en quoi il a manqué à des promesses qu'il aurait faites. Gaston embarrassé met en avant une affaire avec le duc de Lorraine qu'on devait arranger et qui ne l'a pas été : Richelieu cherche à répondre. Le prince coupe court en déclarant qu'il n'a pas besoin d'éclaircissement : il s'en va; si on l'attaque, il saura se défendre! Sur cette menace, il sort, monte en carrosse et part pour Orléans. Ainsi, après la mère, c'est le frère du Roi qui entre en guerre avec Richelieu : toute la famille royale est coalisée contre lui!

Richelieu fait aussitôt prévenir Louis XIII qui est à Versailles. Louis XIII revient à Paris, va trouver Richelieu au Palais Cardinal, lui dit que ce qui se passe est dirigé contre lui à cause des services éminents qu'il lui rend, mais qu'il est résolu à le soutenir et à ne pas capituler!

Que faire encore? Louis XIII est convaincu que Marie de Médicis est entraînée par tous les mauvais conseils qu'elle reçoit et « les pestes » qui l'environnent. Alors, brusquement, il décide, afin d'éloigner sa mère de cet entourage, de s'en aller à Compiègne et de l'y emmener. Dans le vieux château du lieu, petit, étroit, serré contre les murailles de la ville, elle ne pourra avoir grand monde avec elle : peut-être, dans le calme, le silence, et la demi-solitude d'une petite ville de province, Louis XIII parviendra-t-il à la convaincre de renoncer à ses haines et de se réconcilier avec le cardinal. Informée du projet de départ du Roi pour Compiègne, Marie de Médicis se dit prête à suivre son fils; elle entend ne pas le quitter afin de surveiller les événements. Le 12 février, le Roi gagne Compiègne. Marie de Médicis et Anne d'Autriche le rejoignent quelques jours après. Du 12 au 23 vont se dérouler les derniers actes du drame dont le sujet se pose depuis si longtemps à l'esprit torturé de Louis XIII : choisir entre sa mère et son ministre, entre ses devoirs de fils et ceux de sa charge de souverain; l'intérêt primordial du royaume va l'emporter!

A Compiègne, Louis XIII, d'abord, renouvelle ses efforts afin de décider sa mère à revenir de ses préventions. Malgré ses répugnances, il accepte d'essayer de l'intermédiaire du médecin Vautier qu'il méprise. Sur son ordre, Schomberg voit Vautier. Il lui dit que le Roi désire ardemment la réconciliation de sa mère avec le cardinal. Le cardinal ne souhaite rien autre que de retrouver les bonnes grâces de la souveraine. Il faut qu'elle assiste aux conseils : le Roi le désire; qu'elle signe un écrit par lequel elle y consent. Vautier, tout heureux qu'on ait recours à lui, répond qu'il ne croit pas que la Reine refuse de signer cet engagement.

Le lendemain, il apporte la réponse : la Reine désire demeurer en bons termes avec son fils : mais elle n'accepte pas de venir assister aux conseils. Vautier ajoute que, devant cette résolution, il n'a pas osé lui parler de l'engagement à signer. Schomberg réplique que cette réponse est insuffisante. Le Roi décide alors d'écarter Vautier, et d'envoyer directement à sa mère Schomberg et le garde des sceaux Châteauneuf qui diront à Marie de Médicis ce qu'on avait chargé le médecin de lui déclarer. Les deux ministres se rendent auprès de la princesse, lui parlent avec chaleur, la supplient de céder : la reine maintient ses refus!

Louis XIII assemble ses ministres : Quel parti faut-il prendre? Chacun donne son avis. Lorsque arrive le tour de Richelieu qui est le dernier à parler, le cardinal s'excuse de ne pouvoir donner son opinion dans une affaire où il est trop directement intéressé. Le Roi insiste, « commande absolument ». Alors Richelieu s'explique. On va voir ici un cas remarquable de la clarté et de la netteté ordinaires de son esprit.

La France, dit-il, en ce moment, est entourée d'États envieux qui ne cherchent qu'à fomenter des troubles dans le royaume pour l'affaiblir. La Reine mère et Monsieur sont mécontents. Les grands, les parlements, le peuple peuvent en profiter pour se procurer des avantages au détriment de l'autorité royale. De pareilles circonstances ont mis, il y a quelques années « la France en feu! » L'affaire présente est grave par la qualité et le nombre des personnages qui y sont mêlés, ou peuvent s'y mêler. Si cela continue et se développe, il sera impossible de faire la paix au dehors.

Quatre moyens s'offrent pour sortir de cette situation : Premièrement, s'arranger avec Monsieur : cela n'est pas possible à cause des gens qui l'entourent; on n'a pas pu les gagner par des faveurs; ils ne seront contents que lorsqu'ils seront les maîtres de tout! Il n'y a rien à faire avec « des infidèles et des fous! »

Secondement : s'accommoder avec la Reine mère. C'est très difficile. La Reine est dissimulée, vindicative : rien ne l'arrêtera. Au fond, elle ne sera satisfaite que lorsqu'elle sera maîtresse du gouvernement et en mesure, par vengeance, de perdre ceux qu'elle déteste.

Le troisième moyen est que lui, Richelieu, se retire et quitte les affaires. C'est le meilleur; il faut l'adopter; lui-même le désire. Cela résoudrait-il toutes les difficultés? Ne chercherait-on pas, tout de même, après son départ, à s'emparer du gouvernement, de l'autorité du Roi, et « quelques chiens ôtés de la bergerie, n'attaquerait-on point le troupeau et ensuite le pasteur? » C'est probable. Mais, néanmoins, si ce moyen doit mettre un terme au mal sans en provoquer de plus grave, il faut l'adopter.

Enfin, quatrièmement, dissiper la cabale. Mais celle-ci a « sa source, son appui et sa force » dans la Reine mère qui l'entretient « par son indignation et son autorité ». Il y aurait donc lieu, dans ce cas, de prier la Reine, avec infiniment de respect, de s'éloigner pendant un certain temps de la cour et de Paris, et d'écarter d'elle les factieux qui la conseillent. Cette mesure est extrêmement délicate : elle paraîtra à beaucoup « caustique et violente »: elle peut se retourner contre ses auteurs. Lui, Richelieu, ne peut la conseiller parce qu'elle semblera de sa part un acte de vengeance! Si le Roi et son conseil jugent toutefois que ce soit la seule possible, il s'inclinera, seulement, il « suppliera le Roi de lui permettre sa retraite! » Ainsi a parlé Richelieu.

On met en délibération les quatre projets. Tout le conseil penche en faveur du dernier, mais les ministres sont d'accord pour refuser la retraite du cardinal, ce qui serait, disent-ils, « ruineux et non praticable ». Quant à l'éloignement de la Reine, ils disent que c'est au Roi seul à peser mûrement et à décider ce qu'il jugera nécessaire à l'État. Ils ne peuvent, eux, avoir d'opinion sur ce sujet par respect et fidélité aux personnes royales.

Alors Louis XIII tranche sans hésiter. Il dit qu'il a constaté avec une extrême amertume combien sont inutiles auprès de la Reine sa mère, toutes les démarches, remontrances et supplications qu'on a pu lui faire. Elle subit de mauvaises impressions dont on ne peut la faire revenir. Il adopte donc le dernier parti proposé qui est de se séparer d'elle pendant un certain temps, peut-être très court, jusqu'à ce que son esprit soit calmé. En attendant il éloignera d'elle « pour toujours, ceux qui sont les auteurs de ces maux! » Il va rentrer à Paris sans sa mère, qu'il invitera à vouloir bien se retirer dans une de ses maisons en province, par exemple à Moulins, ville pour laquelle elle avait jadis quelque prédilection du temps de Henri IV. Il lui donnera en même temps que le commandement de la place celui de la province dont il dédommagera le prince de Condé qui en est actuellement détenteur. Puis il lève la séance.

Alors, avec son esprit méthodique et sévère, il prépare lui-même les détails de la réalisation de ce qu'il a décidé d'une manière telle que cette opération va prendre le caractère d'une véritable exécution! Mais il est excédé! Le moment est venu pour lui d'en finir!

Il appelle d'urgence à Compiègne huit compagnies

des gardes françaises, cinquante chevau-légers, cinquante gendarmes. Le 23 février, de bonne heure, il partira de Compiègne avant le réveil de sa mère et sans l'avertir, emmenant avec lui la reine Anne d'Autriche et la cour. Il laissera le maréchal d'Estrées qui commandera les troupes, chargé, avec le secrétaire d'État de la Ville-aux-Clercs, d'aller remettre à Marie de Médicis une lettre de lui notifiant sa détermination. C'est ce que madame de Motteville appellera « le grand coup de Compiègne! »

Et les choses s'exécutent comme il les a réglées. Il se lève le 23 de bonne heure, à la nuit, va trouver Anne d'Autriche qui ne sait rien, la fait lever. On réveille les dames et le reste de la cour et tout le monde, précipitamment, dans la confusion de la hâte générale, monte en carrosse et part pour Paris. Louis XIII a donné des instructions détaillées au maréchal d'Estrées : celui-ci devra mettre des gardes aux portes du château et à celles de la ville. Si la reine veut sortir de Compiègne, il lui dira respectueusement qu'il a été chargé par le Roi de la prier d'attendre, auparavant, de ses nouvelles.

A sept heures du matin, le maréchal d'Estrées et M. de la Ville-aux-Clercs se rendent à la chambre de Marie de Médicis qui est couchée et qu'on éveille. Ils lui remettent la lettre du Roi qui donne à sa mère les raisons de son départ inopiné et la prie de se retirer à Moulins, « où elle sera en toute liberté et autorité ». La Ville-aux-Clercs explique que le Roi a éprouvé une grande peine à prendre cette détermination mais il y a été contraint par les nécessités des affaires de son royaume. Marie de Médicis lit la lettre, la plie très émue, puis dit : « Le Roi m'ordonne d'aller à Moulins » : c'est la réponse au refus qu'elle a fait d'assister au conseil. Elle pleure! Estrées et la Ville-aux-Clercs lui disent qu'elle est libre de se promener dans Compiègne. Elle répond au milieu de sanglots : « Il est bien étrange qu'étant mère du Roi je sois soumise aux volontés de ceux qui ont pouvoir sur son esprit! Je suis innocente! » Elle ne dit pas si elle obéira et ira à Moulins. Dans la matinée, elle écrit au Roi lui exprimant sa surprise : « Elle n'a rien fait, dit-elle, qui mérite un si dur traitement! » Ce ne sera approuvé ni de Dieu ni des hommes. Elle pense que le Roi reviendra à ce qu'il doit à sa mère!

Pendant ce temps, conformément aux prescriptions de Louis XIII, d'autres décisions du Roi sont exécutées. Le maréchal d'Estrées fait arrêter Vautier, l'envoie à la Bastille. La princesse de Conti est invitée à s'en aller à Eu en exil : elle y mourra dans quelques jours, subitement, d'apoplexie. Son confident et amant le maréchal de Bassompierre, comme Vautier, est embastillé. Sont aussi exilées dans une de leurs terres : les duchesses d'Ognano, d'Elbeuf, madame de Lesdiguières. Marie de Médicis va être étroitement surveillée. Il résulte d'une lettre de M. de Seroux, « sergent-major à Compiègne », qu'on met des gardes partout au château et que la nuit nul n'entre en ville, les portes de Compiègne demeurant exactement fermées. Les partisans de Marie de Médicis se plaindront qu'on ait placé des corps de garde d'infanterie jusque dans la basse cour du château.

Le lendemain, 24 février, après une nuit sans sommeil, Marie de Médicis accablée écrit au Roi une seconde lettre où elle dit combien elle a été affligée de recevoir l'ordre de s'éloigner. Elle obéira; elle ira à Moulins.

Mais cette ville a été infectée l'hiver par une maladie contagieuse et l'est encore : le château est délabré; on ne peut y loger. Elle demande à se rendre à Nevers en attendant que la ville de Moulins soit assainie et le château réparé. Pour le gouvernement du Bourbonnais, elle le refuse. Elle réclame le retour de son médecin Vautier!

Richelieu est dans un extrême chagrin! Il ne le cache pas. Il écrit le 26 février à son frère l'archevêque de Lyon : « Je voudrais avoir pu racheter de mon sang la nécessité de ce conseil! » Par prudence, Louis XIII a expliqué le 23 au Prévôt des marchands et aux échevins de la ville de Paris, afin de prévenir quelque émotion de l'opinion publique, les raisons qui l'ont déterminé à agir comme il l'a fait à l'égard de la Reine. Mais le chevalier du guet Testu informe le 25 Richelieu que la nouvelle n'a produit aucune sorte d'effet sur la population parisienne qui est restée complètement indifférente!

Au reçu de la seconde lettre de sa mère, Louis XIII fait répondre qu'il consent à ce qu'elle aille provisoirement à Nevers. De l'attitude de la princesse le maréchal d'Estrées conclut qu'elle n'a aucune intention de s'en aller. Le Roi fait savoir alors qu'il lui donne huit jours pour achever ses préparatifs : on lui rendra Vautier qu'elle réclame lorsqu'elle sera à Nevers. La Reine ayant voulu aller se promener en forêt, d'Estrées l'accompagne avec des capitaines, des officiers des gardes et quelques gentilshommes, sans troupe d'escorte. Le Roi approuve : « Vous lui avez fait voir, écrit-il au maréchal, qu'elle n'est pas en arrêt, ni suivie de gens de guerre lorsqu'elle veut sortir. » Il fait relever les huit compagnies de ses gardes par douze compagnies du régiment de Navarre.

Huit jours se passent : la Reine ne part pas : elle prétexte qu'elle a besoin de se soigner, qu'elle veut Vautier tout de suite et, répondant à une question du maréchal sur la date de son voyage, elle lui dit qu'elle verra, quand elle ira mieux, dans six ou huit jours. Au bout de huit jours elle multiplie les raisons de ne pas s'en aller : elle attend le beau temps; elle n'a pas d'argent, pas d'équipage; elle a une fluxion. Elle prétend ensuite qu'on lui a écrit de Paris qu'on avait l'intention de la renvoyer à Florence. D'Estrées demande au Roi de faire démentir ce bruit qui, paraît-il, court effectivement.

Le 20 mars, Louis XIII prévient sa mère qu'il est temps pour le bien de ses affaires qu'elle s'en aille. Il n'y a pas de peste à Moulins; le château n'est pas dans le mauvais état qu'on lui a dit : il est réparé. Elle peut cependant séjourner un temps à Nevers si elle le désire. Elle répond qu'elle est souffrante, qu'elle croit qu'on veut prendre à son égard des mesures étranges (l'envoi à Florence) qui la troublent au point qu'elle n'a plus de repos ni jour, ni nuit. Ce serait sa mort! Et elle s'exhale contre ceux qui veulent sa perte! Que le Roi la laisse où elle est! Louis XIII écrit à d'Estrées qu'il faut qu'elle parte le mercredi suivant : « Je le veux! » A la date indiquée, la Reine persiste à ne pas s'en aller! Il n'y a pas de doute : elle a maintenant l'idée fixe, et elle l'écrit à Louis XIII, que de Moulins on veut la conduire à Roanne, puis l'embarquer pour la mettre à Marseille dans une galère qui la fera passer en Italie où elle n'a plus que des parents éloignés qu'elle n'a jamais vus.

Louis XIII alors envoie à Compiègne le 2 avril un de ses gentilshommes M. de Saint-Chamond, conseiller en son conseil d'État, pour lui dire qu'elle cherche à faire croire au monde qu'elle est prisonnière à Compiègne, ce qui n'est pas exact : elle peut aller se promener, on vient la voir. A Moulins elle sera en liberté absolue. Il attend depuis six semaines. Il faut qu'elle s'exécute! Quant à l'accusation qu'on veut la renvoyer à Florence, elle est « ridicule » : le Roi n'a jamais eu cette intention. Le maréchal d'Estrées écrit à la Ville-aux-Clercs : « Nous avons fait tout ce que nous avons pu avec Saint-Chamond, nous n'avons rien obtenu! »

Les semaines passent. A la fin de mai, Louis XIII envoie à sa mère Schomberg et M. de Roissy, doyen du conseil d'État, pour lui dire, puisqu'elle craint tant en allant à Moulins de se trouver sur un chemin d'où elle serait conduite à Marseille et à Florence, qu'il lui propose Angers ou Blois dont il lui offre le gouvernement. Elle refuse! Elle veut rester à Compiègne! Elle n'en sortira que « par force! » Elle proteste avec violence contre les troupes qui l'environnent et qui attestent au monde qu'elle est vraiment prisonnière. Afin de lui donner satisfaction sur ce point, Louis XIII décide, au début de juin, de faire sortir les troupes de Compiègne. Les troupes parties de la ville, Marie de Médicis ne change rien à sa vie de recluse : elle affecte de croire qu'infanterie et cavalerie sont tout près, à une petite distance et l'environnent toujours.

Louis XIII a fait desserrer et même en réalité supprimer peu à peu toute la surveillance qui s'exerçait autour de sa mère et cependant depuis le mois de mai, des avis lui parviennent qui devraient le mettre en éveil! Des gens, lui dit-on, viennent la nuit voir Marie de Médicis. Sourdéac a fait faire un carrosse spécial pouvant emporter nombre d'objets. Le baron de Maillé a prévenu qu'un serviteur de la Reine, Fabroni, est allé deux fois en Flandre. De Compiègne, en juillet, le sergent-major, M. de Seroux, écrit à Richelieu qu'il se fait beaucoup d'allées et venues autour du château, qu'on a vu emporter de la vaisselle d'argent; qu'un soir un carrosse à six chevaux est sorti où se trouvait un homme inconnu. Il ajoute : « Il y a anguille sous roche! Il y a assurément ici quelque chose d'extraordinaire! » D'après des renseignements recueillis ensuite, la Reine aurait été prévenue, vers ce moment-là, que MM. de Schomberg, d'Estrées et le marquis de Brézé allaient venir avec une troupe de douze cents cavaliers l'enlever! Est-ce cette nouvelle qui la décide? Brusquement, le 19 juillet, on apprend à Paris par un courrier de madame de Guise envoyé à son mari, que, le vendredi 18, vers dix heures du soir, la Reine, montant en carrosse, s'est enfuie de Compiègne! Une enquête ordonnée immédiatement par le Roi et confiée à M. de Nesmond, maître des requêtes, aidé des « attournés » ou gouverneurs de Compiègne et du lieutenant civil et criminel au bailliage de la ville, M. Desprez, va nous fournir tous les détails de cette évasion!

Ce sont deux personnages de l'entourage de la Reine qui ont organisé la fuite : Joachim de Cérisay, aumônier de Marie de Médicis, de la Mazure, lieutenant des gardes. Le vendredi 18 juillet, vers dix heures du soir, des témoins ont vu un carrosse attelé de six chevaux bais appartenant à madame du Fresnoy, mère d'une demoiselle d'honneur de la Reine, sortir de Compiègne par la porte de Pierrefonds et se diriger vers la route de Soissons. Dans la voiture se trouvent madame du Fresnoy et un gentilhomme. A la même heure, une dame enveloppée de voiles épais est sortie du château par la porte de la chapelle qui donne sur le rempart, accompagnée d'un gentilhomme : tous deux avaient l'air d'aller se promener. C'est l'heure où l'on va fermer cette porte qui est laissée généralement ouverte jusque-là pour permettre aux dames de la cour de se retirer. La dame et le gentilhomme, qui sont : Marie de Médicis et la Mazure, font deux ou trois cents pas et sont rejoints par un homme à cheval, Massé, exempt des gardes, et un individu à pied. Le portier crie qu'il va fermer la porte. Une voix d'homme lui répond qu'il peut la fermer : ils ne reviendront pas par là! La porte se ferme. Le groupe sort de la ville, va retrouver le carrosse de madame du Fresnoy sur la route de Soissons et Marie de Médicis, que rejoint une de ses femmes de chambre, monte dans la voiture avec madame du Fresnoy, tandis qu'une troupe de cavaliers qui est là, se dispose à l'escorter. On saura, plus tard, que ces cavaliers sont : MM. de Bethencourt, de Baradas, de Nantouillet, Besançon. Le cortège part dans la direction de Choisy-au-Bac.

Tout a été préparé d'avance. Quelque temps auparavant un gentilhomme, M. de Vion, a prié un individu de Compiègne nommé Pierre Lefebvre, dit Carotte, qui se charge de courses et de transports, d'aller porter des lettres à M. de Bellenglise et à d'autres. Le 15 juillet, à trois heures du matin, Vion a fait mettre au dit Lefebvre, sur une charrette, un long coffre très lourd, à transporter à La Capelle en Thiérache. Arrivé, sur la route de La Capelle, à Sains, à quatre lieues de Vervins et descendu à l'hôtellerie de l'Estrille, Lefebvre a entendu dire au cuisinier de la maison que la reine Marie de Médicis allait venir et que trois carrosses étaient prêts depuis plusieurs jours pour la recevoir, dont l'un, attelé de quatre juments grises appartenant à M. de Vardes qui fait fonction, à la place de son père, le marquis de Vardes, de gouverneur de La Capelle ; un autre attelé de six chevaux blancs appartenant à M. de Crèvecœur, gouverneur d'Avesnes en Flandre. Un postillon ajoute qu'on tient tous les jours ces carrosses attelés et qu'il y a en outre à l'écurie huit chevaux de selle prêts. Au moment où Vion veut se mettre en route pour gagner La Capelle, un gentilhomme vient le prévenir que c'est inutile, qu'il ne sera pas reçu dans la place et qu'il doit aller droit à Avesnes, pays alors espagnol, en passant la frontière, ce qui est exécuté.

Marie de Médicis, en effet, en quittant Compiègne a le projet de se diriger vers La Capelle, place forte où elle sera à l'abri. Elle a envoyé le comte de Moret au fils du gouverneur de la place, le marquis de Vardes, qui remplace donc son père, afin de le prier de l'y recevoir. Vardes qui n'aime pas Richelieu a accepté. La pensée de Marie de Médicis est que, arrivée à La Capelle, Louis XIII l'y laissera, qu'elle s'y trouvera en sûreté, à deux pas des Espagnols en mesure de la secourir au besoin, et que de là elle traitera à son aise avec son fils comme elle l'a fait autrefois. Ce qu'elle ignore, en cheminant de nuit sur la route de Choisy-au-Bac, c'est que le fils de Vardes, après avoir reçu l'appel de la Reine sollicitant son concours et avoir accepté, a été inopinément mandé par le Roi à la cour pour on ne sait quelle affaire : il a obtempéré et, à ce moment, obéissant à la demande de Marie de Médicis qui a, sans doute, indiqué l'urgence de son départ, a quitté brusquement la cour sans prendre congé du Roi, d'où colère de Louis XIII qui, irrité de cette insolence, soupçonnant que Vardes va s'enfermer dans La Capelle avec de mauvaises intentions — il n'y a pas d'indice que ni lui, ni Richelieu, se soient doutés de la fuite prochaine de Marie de Médicis, — envoie dire au père, le marquis de Vardes, qui est chez lui près de Gournay, en Normandie, d'aller droit à La Capelle, d'y reprendre le commandement de la place et d'en faire sortir son fils. Le père éperdu part aussitôt, arrive le 18 juillet à minuit à La Capelle, assemble les bourgeois en bataille et somme son fils qui est enfermé dans la citadelle de sortir. Le fils hésite. Le vieux marquis déclare que si un seul soldat de la garnison est rebelle au Roi, il les fera tous pendre! Les portes s'ouvrent et le jeune Vardes s'enfuit dans les Pays-Bas. Voilà pourquoi Vion arrivant à Sains a été averti qu'il ne peut plus compter sur La Capelle et qu'il doit s'en aller ailleurs, à Avesnes.

Partie de Compiègne, Marie de Médicis est arrivée au bac de Choisy à minuit. Trois gentilshommes qui l'ont devancée et l'attendent la font passer, après quoi, mettant à cheval le passeur Laurent Robiquet, lui disent d'accompagner le cortège jusqu'à Blérancourt pendant qu'eux-mêmes ramenant le bac sur la rive nord de l'Aisne, l'enchaînent, cadenassent et restent à surveiller le passage, pistolet au poing, jusqu'au lendemain dix heures.

De Choisy, Marie de Médicis, par la forêt de Laigue, gagne Tracy en suivant le mur du parc d'Offémont, Blérancourt où elle est à quatre heures du matin. Là on renvoie le passeur Robiquet, en lui recommandant, s'il rencontre quelque troupe poursuivant le cortège, de dire que le carrosse est entouré de cent cinquante cavaliers.

A huit heures du matin la Reine est à Rouy, entre Chauny et La Fère. De Rouy, par Pont-sur-Serre, elle se dirige vers Sains où elle parvient un peu après midi. C'est là qu'elle apprend à son tour ce qui s'est passé à La Capelle. La place lui est fermée ! C'est une grosse déception ! Où aller ? Que devenir ? Marie de Médicis se répand en plaintes amères contre le fils de Vardes : « Il l'a ruinée : elle ne voulait pas sortir de France et la porte de cette place lui étant fermée, il faut qu'elle sorte du royaume et c'est ce que demandent ses ennemis ! » En effet, à tout instant, une troupe peut venir l'envelopper et l'arrêter ! Il est nécessaire qu'elle se rende donc à Avesnes, la ville importante la plus voisine du territoire espagnol. Elle envoie à Avesnes Barradas et Besançon. Le gouverneur de la ville, M. de Crèvecœur, est à Bruxelles. On prie un gentilhomme d'aller l'avertir et Marie de Médicis arrive le dimanche 20 juillet à quatre heures du soir à Avesnes, toujours dans le carrosse de madame du Fresnoy, escortée de huit cavaliers. Elle descend à l'hôtellerie de l'Écu de France. Elle va rester là dix jours. Le 30 elle se rendra à Mons, puis à Bruxelles.

La voilà à l'étranger ! Elle ne se doute pas que c'est fini ! et qu'elle ne rentrera jamais plus en France !.. Le 21 elle écrit à Louis XIII une lettre violente où elle accuse

Richelieu d'être cause de tout : c'est le cardinal qui l'a fait inciter à fuir, qui a préparé le piège de La Capelle, pour la contraindre à passer la frontière, « qui estoit tout ce qu'il désiroit de moi et ce que je craignois le plus ! » Elle se plaint d'avoir été poursuivie par de la cavalerie qui l'a obligée, dit-elle, à se rendre à l'étranger, ce qui est faux. Le cardinal, répète-t-elle, veut mettre la mère et les enfants hors du royaume et la faire mourir, elle, entre quatre murailles !

Louis XIII, demeuré très calme à la nouvelle de sa fuite, lui répond qu'il s'étonne que ceux qui lui ont fait écrire cette lettre n'aient pas eu honte d'avancer des faits inexacts. Marie de Médicis exaspérée envoie requête au Parlement de Paris pour porter plainte contre Richelieu. Louis XIII se rend au Parlement le 12 août et fait enregistrer une déclaration dans laquelle il dit que la requête de la Reine est pleine de faits calomnieux, qu'il déclare les conseillers de sa mère, la faisant agir, criminels de lèse-majesté ; qu'il interdit à tous ses sujets d'avoir la moindre communication avec eux et il fait saisir et séquestrer tous les revenus de sa mère. Il l'a sacrifiée ! Il ne va pas être moins inflexible à l'égard de son frère !

Nous avons dit que Monsieur quittant brusquement Paris le 30 janvier 1631 s'est réfugié à Orléans. Il a écrit à Marie de Médicis qu'il s'en allait parce qu'il ne pouvait plus supporter les violences que le cardinal de Richelieu exerçait contre elle. Louis XIII ne jugeant pas digne de marchander avec Le Coigneux et Puylaurens le retour de son frère, écrit simplement à celui-ci qu'il attendra son retour à de meilleures dispositions.

Mais on apprend que l'entourage de Monsieur prépare la guerre civile, appelle des gentilshommes partisans du prince, recrute dans toutes les provinces des gens de guerre, rassemble des approvisionnements, achète armes et munitions. Inquiet, Louis XIII envoie, à la fin de février, le cardinal de la Valette à son frère afin de lui rendre compte de ce qui s'est passé entre lui et leur mère et l'inviter à se soumettre. Monsieur refuse toute entente et la Valette constate qu'il fortifie Orléans.

Alors Louis XIII décide de marcher droit sur Orléans avec des troupes. Il part le 11 mars par Étampes, s'avance. Monsieur effrayé monte à cheval le 13, gagne la Bourgogne. Le Roi le suivant, continue sur Joigny, Auxerre, où il est le 18, de là se dirige vers Dijon. Le 23, Gaston d'Orléans lui envoie une lettre que les siens ont composée et qu'on imprime, où le prince, prenant à partie les ministres, se plaint hautement des traitements indignes qu'on fait subir à sa mère et de ce qu'on le chasse, lui, du royaume, après l'avoir chassé de sa maison. Il en est réduit à aller chercher une retraite à l'étranger! De Chanceaux, le 26 mars, Louis XIII lui répond que s'il quitte le royaume c'est l'effet de « sa mauvaise conduite, de ses mauvais conseils et de ses injustes desseins ». Son frère fait comme tous ceux qui, avant lui, ont attaqué les rois : il s'en prend à ses ministres pour le blâmer sous leur nom! Cette lettre est publiée. Ce même jour, 26 mars, Louis XIII entre à Dijon. Le 30 il fait vérifier au Parlement de Bourgogne une proclamation où il déclare criminels de lèse-majesté tous ceux qui entourent son frère : Le Coigneux, Puylaurens, les ducs de Bellegarde, d'Elbeuf, de Roannez, auteurs des pernicieux conseils donnés à Monsieur. Gaston d'Orléans passe à Besançon, ville alors au roi d'Espagne; le voilà lui aussi à l'étranger!

Louis XIII revient vers Fontainebleau. Le 3 avril, il reçoit, datée de Besançon, une lettre de son frère « d'une insolence insupportable » et si outrageante, qu'indigné le Roi fait arrêter le porteur et ordonne de le jeter en prison! Comme riposte, Monsieur envoie une requête au Parlement de Paris où, s'en prenant cette fois ouvertement au cardinal de Richelieu, il l'accuse de le persécuter lui et sa mère, en attendant de persécuter sans doute le Roi. Il s'oppose à l'exécution de la déclaration qui charge du crime de lèse-majesté ses amis. Il demande au Parlement qu'on fasse son procès à Richelieu sous la prévention de crime de lèse-majesté, d'attentat contre l'État et la maison royale et il se constitue contre lui partie civile! Par arrêt du conseil du 12 mai, le Roi ordonne au Parlement de supprimer cette requête diffamatoire et par une déclaration rendue publique, dit que les accusations articulées dans cette requête sont fausses, notamment en ce qui concerne le cardinal de Richelieu.

De Besançon, Gaston d'Orléans se rend à Nancy chez le duc de Lorraine qui l'accueille avec empressement. Le 31 mai, on lui fait signer une nouvelle lettre à Louis XIII qui va être le plus violent réquisitoire qui ait été dressé contre Richelieu et où l'on voit formulé tout ce qui constituera la légende conservée jusqu'à nos jours de la prétendue tyrannie despotique, aveugle, exercée par le cardinal sur la personne de son souverain.

Monsieur dit qu'il va déclarer à Louis XIII et à la

France « les intentions et les crimes abominables du cardinal de Richelieu » qui veut « détruire le Roi » et lui « pour établir sur leurs ruines » sa toute-puissance, avec « une audace active, insolente et impétueuse ! » Le Roi, d'après lui, est prisonnier de Richelieu « sans le savoir ! » Le cardinal entend s'emparer de tout le royaume, « être souverain de cette monarchie », tenir la maison royale à sa discrétion. Il a déjà le Roi et sa mère « en sa puissance ». Lui, Monsieur, a échappé par la fuite ! Le cardinal dispose à son gré de toutes les forces, des places, des finances de l'État. Afin de se maintenir par la nécessité, il poursuit la guerre depuis deux ans en Italie et a écarté la paix qu'il aurait pu conclure. Il a fait arrêter Vendôme, exécuter Chalais. Il ruine l'État et « le peuple meurt de faim ! » Gaston d'Orléans supplie le Roi de se débarrasser de « ce tyran formidable », de rendre la liberté à sa mère et de faire qu'il puisse être rappelé dans le royaume. Jusque-là il ne pourra que pourvoir à sa sécurité en se retirant au loin.

Louis XIII répond à ce factum par une lettre sévère où il dit à son frère qu'on essaie de lui faire « ébranler l'autorité royale » dans le royaume. Il ne lui appartient pas, ni à ses conseillers, de censurer ses actes et « ceux des ministres qu'il emploie dans les affaires ». Il trouve « insupportable que des personnes lâches et infâmes, comme sont ses conseillers, aient été si outrecuidées que d'écrire qu'il soit prisonnier sans le savoir : c'est le combler de la plus notable injure qui puisse lui être faite ! » Que son frère sache « une bonne fois pour toutes » qu'il a entière confiance dans le cardinal de Richelieu et que l'heureux succès des affaires obtenu jusqu'ici dans l'État est assez éclatant pour justifier cette confiance! Les deux documents sont imprimés et criés sur le Pont-Neuf.

L'ambassadeur vénitien écrivait le 17 novembre 1630 : « La Reine et Monsieur sont de bien grands colosses dans l'État pour être abattus! Je ne sais si le cardinal y réussira! » Si les deux personnages étaient des colosses, ils le devaient moins à leur intelligence ou leur caractère, qui étaient médiocres, qu'à leur situation, l'une de mère, l'autre de frère et héritier présomptif du Roi. La Reine régnante Anne d'Autriche, plutôt favorable aux ennemis de Richelieu, pâle, effacée, comptant à peine, ils formaient à eux deux toute la famille royale : de là leur importance et la gravité de leurs actes. Ce n'était pas Richelieu qui les avait abattus, c'était, à l'occasion de leurs fautes et de leurs sottises, Louis XIII lui-même, pour défendre et conserver le cardinal. Ainsi, disaient les adversaires de celui-ci, « l'intérêt d'un homme seul avait fait mettre à l'épreuve la mère et le fils, le fils et le frère, pour la ruine et la misère du royaume! » Ce jugement permettait de mesurer la gravité de la décision à laquelle s'était arrêté Louis XIII! Balzac disait vrai lorsqu'il jugeait que toute cette conjuration de la journée des Dupes qu'on venait de liquider « étoit formée contre la France » et le Roi le voyait bien aussi! Si maintenant il se sentait libre, seul souverain, si tous les éléments de désordre dans son royaume étaient maîtrisés : princes, grands, huguenots, si le pays était bien différent de ce qu'il avait été naguère, cela était dû à la valeur exceptionnelle de cet homme d'État sans égal qui le servait! Et ce qui confirmait son jugement et sa gratitude était la façon dont Richelieu accueillait son triomphe.

Car, contrairement aux affirmations, dans leurs manifestes, de la Reine et de Gaston, le cardinal, profondément affecté, avait tenu à rester le plus possible à l'écart de toute cette longue lutte. Nous avons vu son attitude dans les conseils du Roi. L'éditeur de sa correspondance, Avenel, constate qu'il n'a pas trouvé de lettre de Richelieu relative aux négociations pourtant si actives menées entre Paris et Compiègne. Balzac écrivait au cardinal à quel point il devinait ce que devait être sa douleur profonde devant des événements qui le brouillaient avec une reine à laquelle il devait tant et ce que pouvait être son chagrin, après avoir fait tant d'efforts pour maintenir l'entente du Roi et de sa mère, de voir « ses travaux ruinés, et son ouvrage par terre! » Il ajoutait : « Vous voudriez, je m'en assure, être mort à la Rochelle! » Il comprenait bien ce qu'éprouvait Richelieu. Le roi d'Angleterre causant de ces événements avec sa femme Henriette-Marie lui disait que le cardinal aurait dû imiter Scipion l'Africain devant le sénat romain. « Si j'avais été à sa place, déclarait-il, j'aurais écouté patiemment les plaintes de la Reine et j'aurais dit par après : Depuis trois ans, la Rochelle est prise, trente-cinq villes huguenotes sont réduites à l'obéissance du Roi et rasées, Casal a été secouru deux fois; la Savoie et une partie du Piémont sont entre les mains du Roi : ces effets, où j'ai contribué ce que j'ai pu, répondent pour moi! » Richelieu n'avait pas fait le geste, mais Louis XIII savait bien ce qu'il en était.

On a beaucoup reproché à Louis XIII ce qu'on a

appelé son ingratitude envers sa mère. Il répondait lui-même à un envoyé hollandais : « J'ai toujours consulté avec mes confesseurs ce que je devois à la Reine ma mère. Je n'ai jamais manqué en rien de ce qui a été de ma conscience. Ils m'ont tous dit que je devois plus à mon État qu'à elle et la raison l'apprendra à tout le monde ! » Richelieu qui écrit dans sa *Succincte narration*, parlant au Roi : « Vous n'accordâtes rien à la Reine qui fût contraire à votre État et ne lui refusâtes aucune chose que ce que vous n'eussiez pu lui accorder sans blesser votre conscience », estimait que Louis XIII avait agi avec sagesse. Plus tard le Roi répétera à Mazarin « qu'il n'avait rien refusé à sa mère, qu'elle avait été une des plus riches reines de France, ayant à sa disposition plus d'un million de livres de revenus, sans compter les gratifications annuelles extraordinaires », ce qui faisait qu'à elle seule elle s'était trouvée avoir plus à dépenser que les trois dernières veuves ensemble des rois ses prédécesseurs. Son palais du Luxembourg, « qui défie le Louvre », attesterait sa grande fortune ! Mais sa présence dans le royaume était incompatible avec le maintien de l'ordre public. Et jamais Louis XIII ne voudra revenir sur sa décision et accepter le retour de sa mère en France ! En 1637, le Père Caussin essaiera de le faire changer d'avis, car Marie de Médicis, insupportable partout et à tout le monde, étant allée après la Flandre, en Angleterre, en Hollande, en Allemagne où chacun, la première réception cordiale faite, n'avait eu que l'idée de la voir s'en aller, tellement elle était odieuse à tous, viendra échouer près de Cologne et là, dépensant sans compter, tombera dans la gêne ! « La voulez-vous laisser mourir de faim ? » dira le Père

Caussin au Roi, mais le Roi manifestera « l'aversion entière » qu'il a à revoir sa mère parce « qu'elle est devenue espagnole, dira-t-il, et qu'elle ne travaillerait qu'à brouiller les rois entre eux! » En 1639, les ministres consultés seront également d'avis, par écrit, de ne pas la laisser revenir.

Ce n'était pas seulement parce qu'elle essaierait de brouiller les rois entre eux que Louis XIII ne se souciait pas de la revoir; c'est aussi parce qu'elle reprendrait certainement ses attaques contre Richelieu et qu'elle n'aurait de cesse qu'elle ne l'eût fait chasser du pouvoir! Louis XIII avait tout tenté pour lui faire comprendre les raisons de sa confiance dans le cardinal. Il écrivait à sa mère le 21 juillet : « Je recognois par beaucoup d'épreuves son affection et sa sincérité, la religieuse obéissance qu'il me rend, le fidèle soin qu'il a de ce qui regarde ma personne et le bien de mon État. » Le 23 juillet, il déclarait au Parlement de Paris venu le saluer dans le Louvre : « Ils disent que M. le cardinal veut chasser la maison royale : cela est faux! Je me suis bien trouvé de ses conseils. Si j'eusse cru ceux que l'on voulait me donner toutes mes affaires seraient ruinées! » Et fortement il ajoutait : « Quiconque l'aimera m'aimera et je saurai bien le maintenir! » Ainsi il affirmait avec éclat et comme en prenant un solennel engagement, qu'il garderait Richelieu au pouvoir envers et contre tous, malgré sa mère, malgré son frère. Cet engagement, il avait dit à Richelieu qu'il le prenait. Il lui écrivait le 16 juillet : « Assurez-vous que je vous tiendrai ce que je vous ai promis jusqu'au dernier soupir de ma vie! » La constance avec laquelle, depuis sept ans, il le soutenait dans toutes les crises était pour

Richelieu le témoignage de la sûreté des sentiments de Louis XIII à son égard.

Mais, dans l'opinion, malgré toutes ces affirmations répétées, les attaques violentes des ennemis du cardinal déchaînés allaient faire prévaloir le sentiment contraire en vertu de cette constatation relevée par un contemporain que, dans le populaire, « les pasquils sont reçus avec applaudissement, les panégyriques avec dégoût, et pour froids, impertinents et infâmes que soient ceux-là, on ne peut se saouler de les voir, de les lire et de les admirer ! » Beaucoup préférèrent croire que c'était Richelieu qui chassait la mère et le frère, qu'il s'était rendu maître d'un roi, devenu grâce à lui « fils dénaturé », « dupe imbécile d'un ministre artificieux », être faible, débile, tenu par une volonté impérieuse le dominant et à laquelle il n'avait ni le courage ni la force de se soustraire, ce qui était plus dramatique et piquant ! Un certain nombre sachant le rôle véritable que jouait Louis XIII, attaquaient le ministre, de crainte qu'en s'en prenant au souverain, ils ne se fissent inculper de lèse-majesté. Lepré-Balain, collaborateur du Père Joseph, le constatait. Le *Mercure françois* le relevait aussi. Hay du Chastellet écrivait : « La coutume est pratiquée de ne médire jamais de son roi ni de lui faire la guerre ouvertement, mais on la fait sous le nom de ses principaux ministres » et de Mourgues reconnaissait bien que, n'étant pas possible de mettre en cause le souverain dont il fallait faire l'éloge sous peine de n'être pas suivi, car « il n'est point aisé d'effacer la vénération que ce nom sacro-saint imprime ès esprits des hommes », il n'y avait qu'à s'en prendre au ministre ! Et c'est ainsi que la foule des pamphlétaires de bonne foi ou non, s'ameutait contre Richelieu. On répétait que le cardinal séquestrait le Roi, le domestiquait :

Ci-gît le Roi notre bon maître
Qui fut vingt ans valet d'un prêtre!

Le cardinal cachait tout à Louis XIII qui ne savait rien de ce qui se passait. Il en avait fait son esclave grâce à la terreur qu'il lui inspirait. Il le chambrait au point que personne ne pouvait rien lui dire. C'était Richelieu qui était le Roi, « le Roi de son Roi! »

Louis, reprends ton sceptre et règne par toi-même
Comme tes grands aïeux!...

Et ainsi s'accréditait la légende d'un Louis XIII, jouet craintif d'un ministre autocrate réduisant à sa merci un maître qui le jalousait et le haïssait!

En vain l'entourage et les partisans de Richelieu essayaient de réagir, soutenaient qu'attaquer de cette sorte le cardinal c'était s'en prendre au Roi lui-même et par là « exposer la couronne et l'État à la haine et au mépris des sujets! » On ne les écoutait pas. Richelieu indigné écrivait : « Il faut être privé de sens pour croire que le Roi soit privé de liberté et être destitué de toute piété envers un si bon prince pour publier des faussetés à ce point criminelles! » Si Louis XIII, disaient les partisans du cardinal, avait su autrefois aussi énergiquement reprendre son autorité royale au moment de l'exécution de Concini, comment pouvait-on imaginer qu'il endurât maintenant, sans rien dire, de rester aussi lâchement le prisonnier d'un autre de ses sujets et ne se révoltât pas? Est-ce que Richelieu n'était pas perpétuellement loin de son souverain — ainsi à la Rochelle pendant deux mois, sur les Alpes pendant quatre mois, « ce qui n'étoit pas fort étroitement tenir, pour le cardinal, un prisonnier de telle importance! » — et, à ces moments-là, le Roi n'aurait-il pas été en mesure de secouer le prétendu joug qui lui était soi-disant imposé par Richelieu? Est-ce que Louis XIII voyageant perpétuellement sans son ministre ne voyait pas et n'écoutait pas librement qui il voulait sans le moindre contrôle de celui-ci, incapable dans ces conditions de lui cacher quoi que ce soit? Où était donc la séquestration? On disait que le Roi haïssait Richelieu? Mais toute l'armée n'avait-elle pas été témoin de l'impatience avec laquelle le souverain était venu retrouver le cardinal à la Rochelle, l'avait accueilli à Privas, et des marques publiques de son affection pour lui qu'il lui avait prodiguées ostensiblement? Tous les courtisans ne constataient-ils pas que chaque jour le Roi parlait, écrivait, donnait des ordres, envoyait des gentilshommes porter ses commandements et que ce n'était pas Richelieu qui parlait, écrivait, envoyait ces ordres à sa place? La façon dont le cardinal parlait au Roi devant tout le monde, avec la plus extrême déférence, gardant constamment, à l'égard de son souverain, les formes les plus scrupuleuses de soumission, sans un instant d'oubli, sans jamais trahir par le moindre geste le maître faisant la leçon à son valet, n'était-elle pas un indice? Et en effet dans les plusieurs centaines de lettres autographes de Louis XIII à Richelieu que nous avons conservées, il n'est pas possible de rencontrer le moindre sentiment de cette haine et de cette jalousie que l'on prête si gratuitement au souverain pour son ministre. Tout au contraire, nous l'avons vu souvent, ce que Louis XIII exprime à Richelieu, c'est son « affection », sa « tendresse », sa « passion » même, allant jusqu'à lui dire, comme il le fait dans une lettre datée de Chantilly du 16 février 1633 : « Vous êtes le meilleur ami que j'aie au monde ! » Perpétuellement l'entourage a confirmé au cardinal les impressions véritables qu'exprimait le Roi parlant de lui. C'est des Noyers écrivant à Richelieu : « Sa Majesté loue Dieu de tant de grâces que Dieu verse sur son règne par votre admirable conduite ! » C'est Bullion qui mande à Richelieu à propos d'une maladie grave de celui-ci le 29 novembre 1632 : « Le Roi m'a dit une douzaine de fois qu'il ne pourrait survivre si Dieu l'avait tellement affligé de vous retirer, ne se pouvant lasser de dire qu'en toute la chrétienté vous étiez sans pareil ! » C'est Bouthillier qui rapporte à Richelieu le 4 décembre 1632 ce mot de Louis XIII : « Que ferais-je si je n'avais plus M. le cardinal ! » On pourrait multiplier les témoignages. La conclusion ne saurait faire de doute.

Pour manifester publiquement, de façon solennelle, aux yeux de tous ses sujets, son entière confiance et sa royale gratitude envers le cardinal, cette même année 1631 où, tous ses ennemis chassés, exilés, disparus, Richelieu demeurait définitivement seul à la tête du gouvernement du royaume et, après tant de luttes, enfin, voyait les obstacles intérieurs à son action disparaître pour commencer une nouvelle période de sa vie publique, Louis XIII signait en août des lettres patentes érigeant en duché-pairie la terre de Richelieu en faveur de son ministre, dignité la plus haute, en dehors des grands offices de la couronne, qu'un roi de France pût accorder à un de ses sujets ! Le préambule contenait un magnifique éloge des grandes actions du cardinal, de sa valeur, de sa fidélité. Le Roi voulait que la postérité la plus reculée connût les services incomparables qu'il avait rendus à la France et ne pût ignorer les sentiments d'admiration que lui-même, le souverain, en éprouvait « par ces marques qui en demeureraient perpétuellement à ceux de sa maison ! » C'était le digne couronnement de tout ce qu'avait fait et tenté Louis XIII pour affirmer aux yeux de tous, présents et à venir, à quel degré il reconnaissait et savait estimer à sa valeur le grand ministre que « la Providence lui avait donné pour le servir !... »

FIN

TABLE DES MATIÈRES

OUVRAGES DU MÊME AUTEUR

CALMANN-LÉVY

LE LOUVRE SOUS HENRI IV ET LOUIS XIII, LA VIE DE LA COUR DE FRANCE AU XVIIe SIÈCLE. In-16.

LA VIE DE PARIS SOUS LOUIS XIII. In-16.

AU TEMPS DE LOUIS XIII. In-8°.

LE ROI LOUIS XIII A VINGT ANS. In-8°.

LA VIE INTIME D'UNE REINE DE FRANCE AU XVIIe SIÈCLE. Deux volumes in-16.

LIBRAIRIE HACHETTE

LE SIÈCLE DE LA RENAISSANCE. In-8°.

LA DUCHESSE DE CHEVREUSE. In-8°.

LE CARDINAL DE RETZ. In-8°.

LA JOURNÉE DES DUPES. In-12.

FLAMMARION

LES ANCIENNES RÉPUBLIQUES ALSACIENNES. In-18.

BRODARD & TAUPIN
COULOMMIERS-PARIS
20278-3-34.
5008-3-34.